Diogenes Taschenbuch 22990

W9-CDY-523

Donna Leon

Venezianische Scharade

*Commissario Brunettis
dritter Fall*

*Roman
Aus dem Amerikanischen von
Monika Elwenspoek*

Diogenes

Titel der 1994 bei HarperCollins Publishers,
New York, erschienenen Originalausgabe:
›Dressed for Death‹
Copyright © 1994 Donna Leon
Die deutsche Erstausgabe erschien
1996 im Diogenes Verlag
Das Motto aus: Mozart, *Lucio Silla*. Dramma per musica
in drei Akten von Giovanni di Gamerra
Neueinrichtung und Bearbeitung von
Bernhard Paumgartner
Bärenreiter, Kassel, o.J.
Umschlagfoto von José F. Poblete

*Im Gedenken an Arleen Auger
Eine erloschene Sonne*

Veröffentlicht als Diogenes Taschenbuch, 1997
All rights reserved
Alle Rechte vorbehalten
Copyright © 1996
Diogenes Verlag AG Zürich
500/99/8/11
ISBN 3 257 22990 9

Ah forse adesso
Sul morir mio delusa
Priva d'ogni speranza e di consiglio
Lagrime di dolor versa dal ciglio

Vielleicht beweint sie jetzt
zur Stunde meinen Tod,
ohne Spur einer Hoffnung,
ganz ohne Zuspruch;
Tränen, Tränen des Schmerzes
entströmen ihren Augen.

LUCIO SILLA

I

Der Schuh war rot, rot wie Londoner Telefonhäuschen oder New Yorker Feuerwehrautos, aber diese Vergleiche kamen dem Mann, der den Schuh als erster sah, nicht in den Sinn. Er dachte vielmehr an das Rot des Ferrari Testarossa auf dem Kalender im Umkleideraum der Fleischer, wo sich eine nackte Blondine auf dem Kühler räkelte und leidenschaftlich den linken Scheinwerfer zu vernaschen schien. Der Schuh war wie betrunken zur Seite geneigt, die Spitze dicht an einer der Öllachen, die wie ein nässender Ausschlag das Gelände hinter dem Schlachthof bedeckten. Er sah ihn da liegen, und natürlich dachte er auch an Blut.

Auf irgendeinem Weg war vor Jahren die Erlaubnis zum Bau des Schlachthofs erteilt worden, lange bevor Marghera zu einem führenden Industriezentrum Italiens aufblühte, (obgleich »aufblühte« hier vielleicht nicht ganz das passende Wort ist) und bevor die Ölraffinerien und Chemiefabriken sich auf dem sumpfigen Gelände breitmachten, gegenüber der Lagune von Venedig, Perle der Adria. Der flache Betonbau duckte sich blutrünstig hinter einen hohen Maschendrahtzaun. War dieser Zaun ganz zu Anfang errichtet worden, als man das Vieh noch durch die staubigen Straßen zum Schlachthof treiben konnte? War er ursprünglich dazu gedacht, die Tiere an der Flucht zu hindern, bis sie auf die Rampe geführt, getrieben, gepeitscht wurden, wo sie der Tod erwartete? Heute brachte man sie in Lastwagen, die rückwärts direkt an die mit einem Gitter eingefaßten Rampen fuhren, und es gab kein Entweichen mehr. Menschen wollten diesem Gebäude sowieso nicht zu nahe kommen, so daß der Zaun kaum nötig war, um Unbefugte fernzuhalten. Vielleicht wurden darum seine Löcher auch nicht geflickt. Bisweilen schlüpften nachts streunende Hunde hindurch und heulten voll Verlangen nach dem, was sie dort witterten.

Rund um den Schlachthof war Ödland, als fürchteten selbst die Fabriken das Blut. Sie hielten Abstand von dem niedrigen Betonbau, ihre tödlichen Ausflüsse dagegen sickerten rückhaltlos in den Boden und kamen dem Schlachthof jedes Jahr näher. Schwarzer Schlamm blubberte zwischen dem Marschgras, und ein regenbogenfarbener Ölfilm bedeckte Pfützen, die nie verschwanden, wie trocken die Jahreszeit auch sein mochte. Die Natur hier draußen war vergiftet, doch das schreckte die Menschen weniger als das, was drinnen vorging.

Der Schuh, der rote Schuh lag umgekippt etwa hundert Meter von der Rückseite des Schlachthofs entfernt gleich hinter dem Zaun, links neben einem hohen Büschel Sumpfgras, das in den Giftstoffen um seine Wurzeln besonders gut zu gedeihen schien. Gegen halb zwölf an diesem heißen Montagmorgen im August stieß ein vierschrötiger Mann in blutgetränkter Lederschürze die Metalltür an der Rückseite des Schlachthauses auf und trat in die sengende Sonne. Er wurde von einer Welle feuchtheißer Luft, beißendem Gestank und lautem Geheul begleitet. In der Sonne spürte man kaum eine Abkühlung, aber wenigstens war der Gestank der Innereien hier weniger stechend, und der Lärm rührte nicht mehr von dem Brüllen und Kreischen her, das den Raum hinter ihm erfüllte, sondern von dem einen Kilometer entfernten Verkehr, den die zum Ferragosto nach Venedig strömenden Touristenmassen verursachten.

Der Mann wischte seine blutige Hand an der Schürze ab, wobei er sich bückte, um einen trockenen Zipfel zu finden, griff dann in seine Hemdtasche und zog ein Päckchen *Nazionali* heraus. Mit einem Plastikfeuerzeug zündete er sich eine Zigarette an und sog gierig den Rauch ein, froh über den Geruch und den scharfen Geschmack des billigen Tabaks. Ein tiefes Geheul drang hinter ihm durch die Tür und trieb ihn Richtung Zaun, wo das kümmerliche Blätterdach einer Akazie, die sich zu etwa vier Meter Höhe hochgekämpft hatte, Schatten versprach.

Dort stand er, wandte dem Schlachthof den Rücken zu und betrachtete den Wald aus Schornsteinen bei Mestre. Aus einigen schossen Flammen, aus anderen quollen graugrüne Rauchschwaden. Eine leichte Brise, zu schwach, um sie auf der Haut zu fühlen, trieb die Wolken auf ihn zu. Er zog an seiner Zigarette und schaute auf den Boden zu seinen Füßen, wie immer hier in den Wiesen achtsam, wohin er trat. Er blickte nach unten und sah jenseits des Zaunes den umgekippten Schuh liegen.

Er war aus Stoff, dieser Schuh, nicht aus Leder. Seide? Satin? Bettino Cola kannte sich da nicht aus, aber er wußte, daß seine Frau ein ähnliches Paar Schuhe besaß und über hunderttausend Lire dafür bezahlt hatte. Er mußte fünfzig Schafe oder zwanzig Kälber schlachten, um so viel zu verdienen, und sie hatte dafür ein Paar Schuhe gekauft, die sie einmal getragen und dann im Schrank verstaut und nie mehr angesehen hatte.

Nichts in dieser verfluchten Landschaft verdiente seine Aufmerksamkeit, also betrachtete er den Schuh, während er seine Zigarette rauchte. Er trat nach links und sah ihn sich aus einem anderen Blickwinkel an. Zwar lag er ganz dicht neben einer großen Öllache, aber offenbar auf einem trockenen Fleckchen. Cola trat noch einen Schritt nach links, wobei er sich der prallen Sonne aussetzte, und beäugte die Stelle um den Schuh herum auf der Suche nach dem Gegenstück. Im hohen Gras, unter einem niedrigen Strauch machte er etwas Längliches aus, das offenbar die Sohle des zweiten war und ebenfalls auf der Seite lag.

Er ließ seine Zigarette fallen, trat sie auf dem weichen Boden aus und ging ein paar Meter am Zaun entlang, bis zu einem großen Loch, durch das er gebückt hindurchkroch, wobei er sorgsam die rostigen Stacheln mied, die ihn umgaben. Er richtete sich auf und ging zu dem Schuh zurück, der jetzt kein einzelner mehr und darum möglicherweise bergenswert war.

»*Roba da puttana*«, murmelte er vor sich hin, als er den Absatz des ersten Schuhs sah, der höher war als die Zigarettenpackung in seiner Tasche; nur eine Hure würde so etwas tragen. Er bückte sich und hob den einen Schuh auf, sorgsam darauf bedacht, die Außenseite nicht anzufassen. Wie er gehofft hatte, war die Fläche sauber, also nicht mit der Ölpfütze in Berührung gekommen. Er trat ein paar Schritte nach rechts und griff nach dem Absatz des zweiten Schuhs, aber der schien in einem Grasbüschel festzuhängen. Bettino Cola ließ sich auf ein Knie nieder, auch hier vorsichtig darauf achtend, wo er es hinsetzte, und zog einmal kräftig. Der Schuh löste sich, doch als Cola sah, daß er ihn von einem menschlichen Fuß gezogen hatte, machte er einen Satz rückwärts und ließ dabei den ersten Schuh in die schwarze Lache fallen, vor der er nachts zuvor bewahrt worden war.

2

Die Polizei rückte zwanzig Minuten später in zwei blau-
weißen Limousinen der Squadra Mobile aus Mestre an. Inzwischen hatten sich hinter dem Schlachthof viele der
Männer versammelt, in die Sonne gelockt von diesem Blut-
vergießen anderer Art. Cola war völlig entnervt zurückgelaufen, nachdem er den Fuß und das dazugehörige Bein gesehen hatte, war ins Büro des Meisters gestürzt und hatte
ihm berichtet, hinter dem Zaun liege eine tote Frau.

Cola war ein guter Arbeiter, ein ernsthafter Mensch,
darum hatte der Meister ihm geglaubt und unverzüglich
die Polizei verständigt, ohne nachzusehen, ob sein Unter-
gebener die Wahrheit sagte. Aber andere hatten Cola her-
einstürzen sehen und liefen herbei, um zu erfahren, was los
war. Der Meister raunzte sie an, sie sollten an ihre Arbeit
gehen; die Kühlwagen warteten an den Laderampen, und
sie hätten keine Zeit, den ganzen Tag hier herumzustehen
und sich das Maul über eine Hure zu zerreißen, der man
die Kehle durchgeschnitten habe.

Er meinte das natürlich nicht wörtlich, denn Cola hatte
ihm nur von dem Schuh und dem Fuß erzählt, aber die
Wiesen zwischen den Fabriken waren für die Arbeiter ein
bekanntes Revier – ebenso wie für die Frauen, die in diesen Wiesen ihrem Gewerbe nachgingen. Wenn die sich dort
hatte umbringen lassen, dann gehörte sie wahrscheinlich
zu diesen grell geschminkten Wracks, die sich spätnach-
mittags an die Straße zwischen dem Industriegebiet und

Mestre stellten. Schichtwechsel, Zeit für die Arbeiter, nach Hause zu gehen, aber warum nicht ein kurzer Halt an der Straße und ein paar Schritte zu einer im Gras ausgebreiteten Decke? Es ging schnell, sie erwarteten nichts von einem, außer zehntausend Lire, und es waren inzwischen immer häufiger Blondinen aus Osteuropa, die so arm waren, daß sie einem nicht irgendwelchen Schutz vorschreiben konnten wie die italienischen Mädchen an der Via Cappuccina. Und überhaupt, seit wann schrieb die Hure denn dem Mann vor, was er zu tun hatte und was zu lassen? Genau das hatte sie wahrscheinlich versucht, sie war handgreiflich geworden, und der Mann eben auch. Nun, es gab genug andere, und jeden Monat kamen neue über die Grenze.

Die Streifenwagen hielten, und aus jedem stieg ein Uniformierter. Sie wollten zum Vordereingang des Gebäudes gehen, doch der Meister kam ihnen schon entgegen. Hinter ihm stand Cola, der sich als Mittelpunkt der ganzen Aufregung zwar wichtig vorkam, dem aber vom Anblick dieses Fußes noch ganz flau war.

»Haben Sie uns gerufen?« fragte der erste Polizist. Sein rundes Gesicht glänzte vor Schweiß, und er starrte den Meister durch dunkle Brillengläser an.

»Ja«, antwortete der. »Da hinten auf der Wiese liegt eine Tote.«

»Haben Sie sie entdeckt?«

»Nein«, sagte der Meister, »ich nicht.« Damit trat er zur Seite und bedeutete Cola vorzutreten. »Er hier.«

Auf ein Nicken des ersten Polizisten hin zog der Kollege aus dem zweiten Streifenwagen ein blaues Notizbuch aus der Jackentasche, schlug es auf, schraubte die Kappe von seinem Stift und hielt ihn über dem Blatt zum Schreiben bereit.

»Name?« fragte der erste, den Blick hinter den dunklen Gläsern jetzt auf den Fleischer gerichtet.

»Cola, Bettino.«

»Anschrift?«

»Wozu soll das gut sein?« unterbrach der Meister. »Da drüben liegt eine Tote.«

Der erste Uniformierte wandte sich von Cola ab, senkte den Kopf und fixierte über den Rand seiner Sonnenbrille den Meister. »Die läuft uns nicht weg.« Dann wiederholte er, zu Cola gewandt: »Anschrift?«

»Castello 3453.«

»Wie lange arbeiten Sie schon hier?« fragte er mit einer Kopfbewegung zu dem Gebäude hinter Cola.

»Fünfzehn Jahre.«

»Wann haben Sie heute angefangen?«

»Um halb acht. Wie immer.«

»Was hatten Sie auf der Wiese zu suchen?« Die Art, wie der eine die Fragen stellte und der andere die Antworten notierte, gab Cola das Gefühl, sie verdächtigten ihn.

»Ich bin rausgegangen, um eine Zigarette zu rauchen.«

»Mitten im Hochsommer stellen Sie sich in die Sonne, um eine Zigarette zu rauchen?« fragte der erste Polizist, und es klang, als sei das Irrsinn. Oder eine Lüge.

»Ich hatte Pause«, antwortete Cola, der langsam ärgerlich wurde. »Da gehe ich immer raus. Wegen dem Gestank.« Das Wort holte die Polizisten in die Wirklichkeit zurück. Sie sahen zu dem Gebäude hinüber, wobei der mit dem Notizbuch nicht verhindern konnte, daß seine Nasenflügel angeekelt bebten bei dem, was er roch.

»Wo liegt sie?«

»Gleich hinter dem Zaun. Unter ein paar Büschen, darum habe ich sie zuerst nicht gesehen.«

»Warum sind Sie dorthin gegangen?«

»Ich habe einen Schuh gesehen.«

»Wie bitte?«

»Ich sah einen Schuh, auf der Wiese, und dann den zweiten. Ich dachte, vielleicht sind sie noch gut, da bin ich durch den Zaun gekrochen. Ich dachte, meine Frau könnte sie vielleicht gebrauchen.« Das war eine Lüge; er hatte gedacht, er könnte sie verkaufen, aber das wollte er der Polizei nicht erzählen. Es war eine kleine Lüge und ganz harmlos, aber es war die erste von vielen Lügen, die der Polizei im Zusammenhang mit dem Schuh und der Person, die ihn trug, aufgetischt wurden.

»Und dann?« bohrte der erste Polizist nach, als Cola nichts weiter sagte.

»Dann bin ich hierher zurückgelaufen.«

»Nein, davor«, sagte der erste Polizist mit einem unmutigen Kopfschütteln. »Als Sie den Schuh gesehen haben. Als Sie die Frau gesehen haben. Was haben Sie da gemacht?«

Cola sprach rasch, in der Hoffnung, es dann bald hinter sich zu haben. »Ich habe den einen Schuh aufgehoben und sah den zweiten dort liegen. Er war unter dem Busch. Ich habe daran gezogen. Ich dachte, er hängt irgendwie fest. Da habe ich noch mal gezogen, und er ging ab.« Er schluckte einmal, zweimal. »Er war an ihrem Fuß. Deshalb ist er erst nicht abgegangen.«

»Sind Sie lange dortgeblieben?«

Diesmal war es Cola, der hinter der Frage Irrsinn vermutete. »Nein, nein. Nein, ich bin zurückgelaufen und habe es Banditelli erzählt. Der hat dann bei Ihnen angerufen.«

Der Meister nickte bestätigend.

»Sind Sie da drüben herumgelaufen?« fragte der erste Polizist.

»Herumgelaufen?«

»Oder noch stehengeblieben? Haben Sie geraucht? Haben Sie in der Nähe etwas weggeworfen?«

Cola schüttelte energisch den Kopf.

Der zweite Uniformierte blätterte in seinem Notizbuch, der erste sagte: »Ich habe Sie etwas gefragt.«

»Nein. Nichts. Ich habe die Frau gesehen und den Schuh fallen lassen, und dann bin ich ins Schlachthaus gelaufen.«

»Haben Sie sie angefaßt?« wollte der erste wissen.

Cola sah ihn mit großen, erstaunten Augen an. »Sie ist doch tot. Natürlich habe ich sie nicht angefaßt.«

»Sie haben ihren Fuß angefaßt«, sagte der zweite Polizist mit einem Blick auf seine Notizen.

»Ich habe ihren Fuß nicht angefaßt«, entgegnete Cola, obwohl er nicht mehr sicher war. »Ich habe den Schuh angefaßt, und der ist dann vom Fuß abgegangen.« Er konnte sich nicht enthalten zu fragen: »Warum sollte ich sie anfassen?«

Keiner der beiden Polizisten anwortete. Der erste drehte sich um und nickte dem zweiten zu, der sein Notizbuch zuklappte. »Also gut, zeigen Sie uns, wo sie liegt.«

Cola stand wie angewurzelt und schüttelte langsam den Kopf. Die Sonne hatte das Blut auf seiner Schürze getrocknet, und Fliegen umsurrten ihn. Er sah die Polizisten nicht an. »Da hinten, gleich hinter dem großen Loch im Zaun.«

»Ich möchte, daß Sie uns zeigen, wo sie liegt«, sagte der erste Polizist.

»Das habe ich gerade getan«, blaffte Cola, und seine Stimme bekam dabei einen scharfen Unterton.

Die beiden Uniformierten wechselten einen Blick, dem zu entnehmen war, daß sie Colas Widerstreben bemerkenswert fanden und im Gedächtnis behalten würden. Aber sie sagten nichts, wandten sich von ihm und dem Meister ab und gingen um das Gebäude herum auf den Zaun zu.

Die Mittagssonne brannte auf die flachen Uniformmützen der beiden Polizisten, ihre Haare darunter waren naß, der Schweiß rann ihnen über den Nacken. Während sie das Loch im Zaun ansteuerten, hörten sie neben den Todesschreien, die noch immer aus dem Gebäude drangen, hinter sich menschliche Stimmen und drehten sich um. Am Hintereingang standen dicht zusammengedrängt fünf oder sechs Männer mit blutbefleckten Schürzen wie die von Cola. An solche Neugier gewöhnt, wandten sich die Polizisten wieder dem Zaun zu, bückten sich und krochen nacheinander durch das Loch, dann gingen sie weiter nach links, zu dem stacheligen Gebüsch hinter dem Zaun.

Ein paar Meter davor blieben die beiden stehen. Da sie wußten, was sie suchten, entdeckten sie rasch den Fuß unter den tiefhängenden Zweigen. Beide Schuhe lagen direkt davor.

Vorsichtig auftretend näherten sie sich ihm, um die bösartigen Öllachen zu vermeiden und eventuell vorhandene Fußabdrücke nicht zu zertrampeln. Neben den Schuhen ging der eine Polizist in die Hocke und bog das hüfthohe Gras zur Seite.

Die Leiche lag auf dem Rücken, die Außenseiten der Knöchel drückten in die Erde. Der Polizist beugte sich vor, teilte das Gras mit der Hand, und eine haarlose Wade kam zum Vorschein. Er nahm die Sonnenbrille ab, spähte angestrengt in den Schatten und verfolgte mit seinem Blick die langen, muskulösen Beine über knochige Knie bis zu dem spitzenbesetzten roten Schlüpfer unter dem knallroten Kleid, das übers Gesicht der Leiche gezogen war. Er starrte noch einen Augenblick länger hin.

»*Cazzo!*« rief er und ließ das Gras los.

»Was ist?« fragte der andere.

»Das ist ein Mann!«

3

Normalerweise wäre die Nachricht, daß man in Marghera einen *prostituto travestito* mit eingeschlagenem Gesicht und Schädel gefunden hatte, eine Sensation gewesen, sogar für die abgebrühten Angehörigen der Questura in Venedig, und ganz besonders während des langen Ferragosto-Wochenendes, an dem die Kriminalität eher zurückging und es allenfalls so Langweiliges und Vorhersehbares gab wie Diebstähle und Einbrüche. Heute aber hätte es eines weit schauerlicheren Ereignisses bedurft, um die spektakuläre Neuigkeit auszustechen, die sich wie ein Lauffeuer durch die Korridore der Questura verbreitete: Maria Lucrezia Patta, die Frau des Vice-Questore Giuseppe Patta, hatte am Wochenende nach siebenundzwanzig Ehejahren ihren Mann verlassen, um in die Mailänder Wohnung von – und hier machte jeder Erzähler dieser explosiven Geschichte eine Pause, bevor er die Bombe platzen ließ – Tito Burrasca zu ziehen, dem Begründer und Hauptbetreiber von Italiens Pornofilmindustrie.

Die Nachricht hatte am Morgen taufrisch die Questura erreicht, verbreitet von einer Sekretärin im Ufficio Stranieri, deren Onkel in einer kleinen Wohnung über den Pattas wohnte und angeblich gerade in dem Augenblick an der Wohnungstür der Pattas vorbeigegangen war, als die Feindseligkeiten des Ehepaars in ihre Endphase traten. Patta, so der Onkel, hatte ein paarmal Burrascas Namen geschrien und gedroht, den Mann verhaften zu lassen, sollte er es je wagen, Venedig zu betreten; Signora Patta hatte das Feuer erwidert, indem sie drohte, nicht nur bei Burrasca einzuziehen, sondern auch die Hauptrolle in seinem nächsten Film zu übernehmen. Der Onkel hatte sich über die Treppe nach oben zurückgezogen und die nächste halbe Stunde versucht, den Schlüssel in seine Wohnungstür zu bekommen, während sich unten die Pattas weiter mit Drohungen und Gegendrohungen bombardierten. Die Auseinandersetzung fand ihr Ende erst mit der Ankunft eines Wassertaxis am Ausgang der Calle und dem Abgang von Signora Patta, gefolgt von sechs Koffern, die der Taxifahrer hinter ihr die Treppen hinunterschleppte, sowie Pattas Verwünschungen, die dem Onkel durch den Schalltrichter des Treppenhauses zugetragen wurden.

Die Nachricht erreichte die Questura am Montag früh um acht; Patta folgte um elf. Um halb zwei kam das Telefonat über den Transvestiten, aber bis dahin waren die meisten schon zum Essen, bei dem sich einige Mitarbeiter der Questura in wilden Spekulationen über Signora Pattas künftige Filmkarriere ergingen. Ein Zeichen für die Beliebtheit des Vice-Questore war die Wette, zu der man sich an einem der Tische verstieg: hunderttausend Lire für den ersten, der es wagte, sich nach dem Befinden von Pattas Gattin zu erkundigen.

Guido Brunetti erfuhr von dem ermordeten Transvestiten von Vice-Questore Patta selbst, als der ihn um halb drei zu sich ins Büro rief.

»Ich bin eben aus Mestre angerufen worden«, sagte Patta, nachdem er Brunetti gebeten hatte, Platz zu nehmen.

»Mestre?« fragte Brunetti.

»Ja, die Stadt am Ende des Ponte della Libertà«, blaffte Patta. »Sie haben sicher davon gehört.«

Brunetti dachte an das, was er am Vormittag erfahren hatte, und beschloß, nicht weiter auf die Bemerkung einzugehen. »Warum haben die aus Mestre bei Ihnen angerufen?«

»Sie haben einen Mord und niemanden für die Ermittlungen.«

»Aber die sind doch da drüben mit Personal viel besser ausgestattet als wir, Vice-Questore«, sagte Brunetti, der sich nie ganz sicher war, inwieweit Patta über die Polizei hier oder dort Bescheid wußte.

»Das weiß ich, Brunetti. Aber zwei von ihren Commissari sind im Urlaub. Einer hat sich am Wochenende bei einem Autounfall das Bein gebrochen, bleibt noch einer, und der«, Patta schnaubte verächtlich, »oder vielmehr die geht am Samstag in Mutterschaft und ist erst ab Ende Februar wieder im Dienst.«

»Was ist mit den beiden im Urlaub? Die kann man doch sicher zurückbeordern.«

»Einer ist in Brasilien und der andere offenbar nicht aufzufinden.«

Brunetti wollte schon sagen, daß ein Commissario immer zu hinterlassen hatte, wo man ihn erreichen konnte, egal wohin er in Urlaub fuhr, aber ein Blick in Pattas Gesicht veranlaßte ihn, statt dessen zu fragen: »Was haben sie denn über den Mord gesagt?«

»Ein Stricher. Transvestit. Jemand hat ihm den Schädel eingeschlagen und die Leiche auf einer Wiese draußen in Marghera deponiert.« Bevor Brunetti etwas einwenden konnte, sagte Patta: »Fragen Sie nicht. Die Wiese liegt zwar in Marghera, aber der Schlachthof, zu dem sie gehört, ist in Mestre, nur ein paar Meter weiter, also gehört der Fall zu Mestre.«

Brunetti hatte keine Lust, Zeit auf Debatten über Besitzrechte oder Stadtgrenzen zu verschwenden, und fragte: »Woher wissen die, daß es sich um einen *prostituto* handelt?«

»Ich habe keine Ahnung, woher sie es wissen, Brunetti«, antwortete Patta in etwas schärferem Ton. »Ich gebe weiter, was mir mitgeteilt wurde. *Prostituto*, Transvestit, Frauenkleider; Schädel und Gesicht eingeschlagen.«

»Wann wurde er gefunden?«

Patta machte sich nie Notizen und hatte sich auch bei diesem Telefonat keine gemacht. Die Sache an sich hatte ihn nicht weiter interessiert – eine Hure mehr oder weniger – aber es beunruhigte ihn, daß seine Leute für Mestre arbeiten sollten. Das hieß, daß Mestre auch eventuelle Erfolge für sich verbuchen würde. Aber dann dachte er an die jüngsten Ereignisse in seinem Privatleben und kam zu dem Schluß, daß gerade dies womöglich ein Fall war, den er besser Mestre überließ – mitsamt dem ganzen Rummel.

»Der Questore hat mich jedenfalls gefragt, ob wir den Fall übernehmen können. Womit sind Sie denn beschäftigt, Sie alle drei?«

»Mariani ist im Urlaub, und Rossi geht immer noch die Unterlagen im Fall Bortolozzi durch«, erklärte Brunetti.

»Und Sie?«

»Ich habe eigentlich von diesem Wochenende an Urlaub.«

»Das kann warten«, meinte Patta mit einer Bestimmtheit, die sich über Kleinigkeiten wie Hotelbuchungen oder Flugtickets hinwegsetzte. »Außerdem sollte sich diese Sache ja wohl schnell erledigen lassen. Man muß nur den Zuhälter finden und eine Liste der Kunden zusammenstellen. Der Täter gehört garantiert zu ihnen.«

»Haben die denn Zuhälter?«

»Huren? Natürlich haben die Zuhälter.«

»Auch männliche Huren, Vice-Questore? Huren, die Transvestiten sind? Vorausgesetzt natürlich, daß die Sache mit der Hure stimmt.«

»Wie kommen Sie darauf, daß ich so etwas wissen sollte, Brunetti?« fragte Patta mißtrauisch und gereizter als sonst, womit er Brunettis Gedanken wieder auf die Neuigkeit vom Morgen lenkte und ihn veranlaßte, rasch das Thema zu wechseln.

»Wann kam denn der Anruf?« fragte Brunetti.

»Vor ein paar Stunden. Warum?«

»Ich habe überlegt, ob die Leiche wohl noch dortliegt.«

»Bei dieser Hitze?« fragte Patta.

»Ja, da haben Sie recht«, stimmte Brunetti zu. »Wohin ist sie gebracht worden?«

»Keine Ahnung. In eines der Krankenhäuser. Wahrscheinlich ins Umberto Primo. Da machen sie, glaube ich, die Autopsien. Warum fragen Sie?«

»Ich möchte sie mir gern ansehen«, sagte Brunetti. »Und auch die Fundstelle.«

Patta war nicht der Mann, der sich um solche Kleinigkeiten kümmerte. »Da der Fall zu Mestre gehört, sehen Sie zu, daß Sie deren Fahrer nehmen, nicht unsere.«

»Noch etwas, Vice-Questore?«

»Nein. Ich bin überzeugt, es ist ein klarer Fall. Bis zum Wochenende haben Sie die Lösung unter Dach und Fach und können in Urlaub fahren.« – Es paßte zu Patta, daß er keine Frage daran verschwendete, wohin Brunetti fahren wollte oder ob er vielleicht irgendwelche Reservierungen absagen mußte. Alles nur Kleinigkeiten.

Beim Hinausgehen bemerkte Brunetti, daß in dem kleinen Vorraum zu Pattas Büro während des Gesprächs mit seinem Vorgesetzten verschiedene Möbelstücke angekommen waren, ein großer Schreibtisch aus Holz stand auf der einen Seite und ein kleines Tischchen unter dem Fenster. Er beachtete das nicht weiter und ging nach unten in das Büro, wo die uniformierten Polizisten saßen. Sergente Vianello sah von den Papieren auf seinem Schreibtisch hoch und lächelte Brunetti an. »Fragen Sie gar nicht erst, Commissario, ja, es stimmt. Tito Burrasca.«

Brunetti vernahm die Bestätigung und konnte es ebensowenig glauben wie vor ein paar Stunden, als er die Geschichte zum erstenmal gehört hatte. Tito Burrasca hatte eine legendäre Karriere hinter sich. Er hatte in den sechziger Jahren mit dem Filmemachen angefangen, mit in Blut und Eingeweiden schwelgenden Horrorfilmen, die so offenkundig künstlich wirkten, daß sie zu unfreiwilligen Parodien des Genres wurden. Burrasca war kein Narr, so unbeholfen er sich bei der Produktion seiner Horrorfilme auch angestellt haben mochte, und ging auf das allgemeine Echo ein, indem er die Filme noch unechter machte: Vampire mit Armbanduhren, die die Schauspieler scheinbar abzulegen vergessen hatten; Telefone, über die Draculas Entkommen gemeldet wurde; Akteure, die das Schauspielern in der Baumschule gelernt haben mußten. So wurde er über Nacht zur Kultfigur: die Leute standen Schlange vor den Kinos, nur darauf erpicht, das Unstimmige herauszufinden, die Heuler zu entdecken.

In den siebziger Jahren dann scharte er seine Meister des hölzernen Ausdrucks um sich und ließ sie in ihrer ganzen Unbeholfenheit in Pornofilmen auftreten. Die Kostüme waren sowieso kein Problem, und auch, was die Handlung anging, stand seiner Erfindungsgabe nichts im Weg: Er entstaubte lediglich die Drehbücher seiner alten Horrorfilme und machte aus den Leichenfledderern, Vampiren und Werwölfen Vergewaltiger und Sexbesessene. Damit füllte er die Kinos, allerdings diesmal kleinere, mit einem anderen Publikum, einem, das offenbar nicht im geringsten daran interessiert war, Anachronismen aufzudecken.

Die achtziger Jahre beglückten Italien mit jeder Menge neuer privater Fernsehsender, und Burrasca beglückte diese Sender mit seinen neuesten Filmen, allenfalls in etwas abgemilderter Fassung, aus Rücksicht auf die vermutlichen Empfindlichkeiten der Zuschauer. Und dann verlegte er sich auf Videokassetten.

Allmählich begann man sich lustig zu machen über ihn; er wurde zur Zielscheibe des Spotts in Fernsehshows, ein beliebtes Modell für Karikaturisten. Doch mittlerweile hatte sein Erfolg ihn dazu bewogen, nach Monaco zu ziehen und Bürger dieses steuergünstigen Fürstentums zu werden. Seine Zwölfzimmerwohnung in Mailand hielt er sich, wie er den Finanzbehörden versicherte, nur, um Geschäftsfreunde zu empfangen. Und nun offenbar auch Maria Lucrezia Patta.

»Tito Burrasca, in der Tat«, wiederholte Sergente Vianello, wobei er sich nur mühsam ein Lächeln verkniff. »Vielleicht können Sie ja von Glück reden, wenn Sie die nächsten Tage in Mestre sind.«

Brunetti konnte sich nicht enthalten zu fragen: »Hat denn niemand etwas davon gewußt?«

Vianello schüttelte den Kopf. »Nein. Niemand. Keinen Mucks.«

»Nicht einmal Anitas Onkel?« fragte Brunetti, der damit zugab, daß auch die höheren Ränge die Quelle der Informationen kannten.

Vianellos Antwort wurde durch das Summen der Gegensprechanlage auf seinem Schreibtisch unterbrochen. Er nahm den Hörer ab und meldete sich mit: »Ja, Vice-Questore?«

Er hörte ein paar Sekunden zu, sagte dann: »Gewiß, Vice-Questore«, und legte auf.

Brunetti sah ihn fragend an. »Es geht um die Ausländerbehörde. Er möchte wissen, wie lange Burrasca im Lande bleiben kann, nachdem er die Staatsbürgerschaft gewechselt hat.«

Brunetti schüttelte den Kopf. »Man muß den armen Teufel ja wohl fast bedauern.«

Vianello hob mit einem Ruck den Kopf. Er konnte oder wollte sein Erstaunen nicht verbergen. »Bedauern? Ihn?« Nur mit Mühe enthielt er sich eines weiteren Kommentars und wandte seine Aufmerksamkeit wieder den Unterlagen auf seinem Schreibtisch zu.

Brunetti ging in sein eigenes Büro zurück. Von dort aus rief er die Questura in Mestre an und bat, mit dem Kollegen verbunden zu werden, der den Fall des ermordeten Transvestiten bearbeitete. Nach wenigen Minuten hatte er einen Sergente Gallo am Apparat, der ihm erklärte, daß man ihm den Fall zugeteilt habe, bis ihn ein höhergestellter Beamter übernehme. Brunetti stellte sich vor und sagte, das sei er. Dann bat er Gallo um einen Wagen, der ihn in einer halben Stunde am Piazzale Roma abholen sollte.

Als Brunetti aus dem schattigen Eingang der Questura kam, traf ihn die Sonne mit voller Wucht. Das grelle Licht, verstärkt durch die Spiegelung vom Kanal, blendete ihn so, daß er in die Brusttasche seines Jacketts griff und seine Sonnenbrille herausholte. Keine fünf Schritte weiter merkte er schon, wie sein Hemd feucht wurde und ihm der Schweiß über den Rücken lief. Er wandte sich nach rechts, denn er hatte spontan beschlossen, zum Anleger San Zaccaria zu gehen und von dort das zweiundachtziger Boot zu nehmen, obwohl der Weg dahin ein ganzes Stück durch die Sonne führte. Die Calli in Richtung Rialto lagen zwar durch die hohen Häuser alle im Schatten, aber es würde doppelt so lange dauern, und ihm graute vor jeder zusätzlichen Minute Weg in der Hitze.

Als er an der Riva degli Schiavoni herauskam und nach links schaute, sah er, daß sein Vaporetto eben am Anleger festgemacht hatte und die Leute bereits ausstiegen. Er wurde vor eine speziell venezianische Entscheidung gestellt: entweder rennen und versuchen, das Boot noch zu erreichen, oder in der brütenden Hitze des schwankenden *embarcadero* zehn Minuten auf das nächste warten. Er rannte. Während er über die Holzbohlen stürmte, mußte er eine weitere Entscheidung treffen: entweder einen Moment innehalten, um seine Karte an dem gelben Automaten abzustempeln, und dadurch womöglich das Boot verpassen, oder direkt aufs Boot laufen und fünfhundert Lire Strafe zahlen. Aber dann fiel ihm ein, daß er ja beruflich unterwegs war und die Stadt die Kosten tragen mußte.

Schon von diesem kurzen Spurt lief ihm der Schweiß in Strömen über Gesicht und Brust, so daß er lieber an Deck blieb, schon um des schwachen Lüftchens willen, das bei der gemächlichen Fahrt den Canal Grande hinauf entstand. Er blickte um sich und sah die halbnackten Touristen, die Männer und Frauen in ihren Badeanzügen, Shorts und ausgeschnittenen T-Shirts, und einen Augenblick lang beneidete er sie, auch wenn er genau wußte, daß er sich in einem solchen Aufzug höchstens am Strand blicken lassen würde.

Während sein Körper trocknete, schwand der Neid und machte seiner üblichen Verärgerung darüber Platz, daß sie so herumliefen. Wenn sie makellose Körper und makellose Kleidung gehabt hätten, wären sie ihm vielleicht weniger als Ärgernis erschienen. So aber dachte er beim Anblick ihrer schäbigen Kleidung und des noch schäbigeren Zustands vieler der Leiber sehnsüchtig an die erzwungene Bescheidenheit in islamischen Gesellschaften. Er war nicht unbedingt ein »Schönheitsfanatiker«, wie Paola es nannte, hatte aber durchaus nichts gegen ein angenehmes Äußeres. Er verlagerte seine Aufmerksamkeit von den Menschen auf dem Boot zu den Palazzi entlang des Canal Grande, und schon war sein Ärger verflogen. Auch hier waren viele heruntergekommen, aber es war eine Schäbigkeit, die durch viele Jahrhunderte des Gebrauchs entstanden war, nicht durch Nachlässigkeit und billige Materialien. Die Stadt war alt geworden, doch Brunetti liebte die Sorgenfalten in ihrem sich wandelnden Gesicht.

Obwohl er nicht genau angegeben hatte, wo der Wagen auf ihn warten sollte, ging er zur Carabinieri-Station am Piazzale Roma und sah davor mit laufendem Motor eine der blau-weißen Limousinen der Squadra Mobile von Mestre stehen. Er klopfte an die Scheibe neben dem Fahrer. Der junge Mann kurbelte sie herunter, und eine Welle kühler Luft traf Brunettis Hemdbrust.

»Commissario?« fragte der junge Mann. Auf Brunettis Nicken hin stieg er aus und sagte: »Sergente Gallo schickt mich.« Damit öffnete er die Tür zum Fond des Wagens. Brunetti stieg ein und legte einen Moment den Kopf an die Rückenlehne. Der Schweiß auf seiner Brust und seinen Schultern wurde kalt, wobei Brunetti nicht wußte, ob er dieses Verdampfen als angenehm oder als schmerzhaft empfand.

»Wohin soll ich Sie fahren, Commissario?« fragte der junge Polizist, als er wieder hinter dem Steuer saß.

»In den Urlaub. Am Samstag«, anwortete Brunetti, aber nur für sich. Und für Patta. »Fahren Sie mich zu der Stelle, wo er gefunden wurde«, sagte er.

Am anderen Ende der Straßenbrücke, die Venedig mit dem Festland verbindet, bog der junge Mann in Richtung Marghera ab. Die Lagune schwand aus dem Blickfeld, und bald umgab sie dichter Verkehr auf einer geraden Straße mit einer Ampel an jeder Einmündung. Sie kamen langsam voran. »Waren Sie heute vormittag dabei?« fragte Brunetti, worauf der junge Mann sich kurz umdrehte und ihn ansah, bevor er den Blick wieder auf die Straße richtete. Sein Hemdkragen sah frisch und sauber aus. Vielleicht verbrachte er ja den ganzen Tag in diesem klimatisierten Wagen.

»Nein, Commissario. Buffo und Rubelli waren dort.«

»In dem Bericht steht etwas von *prostituto travestito*. Ist er denn identifiziert worden?«

»Das weiß ich nicht, Commissario. Aber es liegt doch nahe, oder nicht?«

»Wieso?«

»Na ja, da draußen sind doch die Huren, jedenfalls die billigen. Draußen bei den Fabriken. Es stehen immer bestimmt ein Dutzend an der Straße, falls jemand auf dem Heimweg von der Arbeit eine schnelle Nummer will.«

»Auch Männer?«

»Entschuldigung. Wer würde denn sonst eine Hure wollen?«

»Ich meine, auch männliche Prostituierte? Würden die sich denn auch da draußen hinstellen, wo jeder es sehen kann, wenn die Männer, die sich mit ihnen abgeben wollen, auf dem Heimweg von der Arbeit anhalten? Das scheint mir kaum zu den Dingen zu gehören, die viele Männer unter den Augen ihrer Arbeitskollegen tun würden.«

Der Fahrer dachte eine Weile darüber nach.

»Wo arbeiten sie denn normalerweise?« erkundigte sich Brunetti.

»Wer?« fragte der junge Mann vorsichtig. Er wollte nicht wieder in eine Falle tappen.

»Die männlichen Huren.«

»Normalerweise an der Via Cappuccina, Commissario. Manchmal auch am Bahnhof, aber im Sommer, wenn dort so viele Touristen durchkommen, versuchen wir das zu verhindern.«

»War er der Polizei bekannt?«

»Das weiß ich leider nicht, Commissario.«

Sie bogen jetzt links in eine schmale Straße, dann rechts in eine breite mit niedrigen Gebäuden zu beiden Seiten. Brunetti warf einen Blick auf seine Uhr. Kurz vor fünf.

Die Bauten, an denen sie vorbeifuhren, lagen jetzt immer weiter voneinander entfernt, und dazwischen waren Wiesen, auf denen niedriges Gras und gelegentlich ein Busch wuchs. Hier und dort standen herrenlose Autos mit eingeschlagenen Scheiben und herausgerissenen Sitzen quer im Gelände. Wie es aussah, war jedes Gebäude einmal von einem Zaun umgeben gewesen, aber der hing inzwischen bei den meisten schlaff an seinen Pfosten, die ihn zu halten aufgegeben hatten.

Ein paar Frauen standen an der Straße bereit, zwei unter einem großen Sonnenschirm, den sie in die Erde gerammt hatten.

»Wissen die, was heute hier passiert ist?« erkundigte sich Brunetti.

»Bestimmt. So etwas spricht sich schnell herum, Commissario.«

»Und trotzdem sind sie hier?« Brunetti konnte sein Erstaunen nicht verhehlen.

»Sie müssen doch leben. Außerdem war das Opfer ein Mann, da besteht für sie keine Gefahr, oder wenigstens nicht aus ihrer Sicht, nehme ich an.« Der Fahrer nahm das Gas weg und fuhr an die Seite. »Da wären wir, Commissario.«

Brunetti stieg aus. Hitze und Feuchtigkeit krochen an ihm hoch und schlossen ihn ein. Vor ihm lag ein langgezogener Flachbau; auf der einen Seite führten vier steile Betonrampen zu metallenen Doppeltüren. Ein blau-weißer Streifenwagen parkte am Fuß einer der Rampen. An dem Gebäude stand kein Schild, und nichts kennzeichnete es als das, was es war. Der Geruch, der ihnen entgegenschlug, machte das überflüssig.

»Ich glaube, es war hinten, Commissario«, meinte der Fahrer.

Brunetti ging rechter Hand um das Gebäude herum auf die Wiesen zu, die sich dahinter ausbreiteten. Als er zur Rückseite kam, sah er wieder einen dieser schlaffen Zäune vor sich, dazu eine Akazie, die nur durch ein Wunder überlebt hatte, und in ihrem Schatten auf einem Holzstuhl einen schlafenden Polizisten, dem der Kopf auf die Brust gesunken war.

»Scarpa«, rief der Fahrer, bevor Brunetti noch etwas sagen konnte. »Hier ist der Commissario.«

Der Polizist zuckte zusammen, war sofort hellwach, und ebenso schnell stand er auf den Beinen. Er sah Brunetti an und salutierte. »Guten Tag, Commissario.«

Brunetti registrierte, daß die Jacke des Mannes über der Stuhllehne hing und sein Hemd ihm schweißnaß am Körper klebte, nicht mehr weiß, sondern eher blaßrosa. »Wie lange sind Sie denn schon hier draußen, Scarpa?« fragte Brunetti, während er nähertrat.

»Seit das Laborteam weg ist, Commissario.«

»Und wann sind die gegangen?«

»Gegen drei.«

»Und warum sind Sie noch hier?«

»Der Sergente hat gesagt, ich soll hierbleiben, bis ein paar Leute kommen, um mit den Arbeitern zu reden.«

»Was tun Sie hier draußen in der Sonne?«

Der Mann machte keine Anstalten, der Frage auszuweichen oder seine Antwort zu beschönigen. »Ich konnte es da drin nicht aushalten, Commissario. Der Geruch. Ich bin rausgegangen und habe mich übergeben, danach wußte ich, daß ich nicht wieder reingehen kann. Die erste Stunde habe ich versucht zu stehen, aber Schatten gibt es nur an dieser kleinen Stelle, da bin ich zurückgegangen und habe mir einen Stuhl geholt.«

Brunetti und der Fahrer hatten sich instinktiv genau an dieser kleinen Stelle zusammengedrängt, während der andere sprach. »Wissen Sie, ob die Kollegen schon gekommen sind, um die Arbeiter zu verhören?« fragte Brunetti.

»Ja, Commissario. Vor etwa einer Stunde.«

»Was tun Sie dann noch hier?« wollte Brunetti wissen.

Der Mann blickte Brunetti unbewegt an. »Ich habe den Sergente gefragt, ob ich in die Stadt zurückfahren kann, aber er wollte, daß ich beim Verhör helfe. Ich habe ihm gesagt, ich kann nicht, es sei denn, die Leute kommen heraus. Er war nicht einverstanden, aber ich konnte da nicht wieder reingehen.«

Ein Lüftchen ließ Brunetti dies nachfühlen.

»Aber was machen Sie dann hier draußen? Warum sind Sie nicht im Auto?«

»Er hat gesagt, ich soll hier warten, Commissario.« Das Gesicht des Mannes blieb ausdruckslos, während er sprach. »Ich habe gefragt, ob ich mich ins Auto setzen kann – es ist klimatisiert –, aber er hat gesagt, wenn ich nicht beim Verhör helfe, soll ich hier draußen warten.« Und als ob er Brunettis nächste Frage geahnt hätte, erklärte er: »Der nächste Bus fährt erst um Viertel vor acht, um die Leute nach der Arbeit in die Stadt zurückzubringen.«

Brunetti nahm das zur Kenntnis und fragte dann: »Wo ist er gefunden worden?«

Der Polizist deutete auf eine längliche Stelle mit hohem Gras und niedrigem Gebüsch auf der anderen Seite des Zauns. »Da drunter, Commissario.«

»Wer hat ihn gefunden?«

»Einer von den Arbeitern da drin. Er war rausgegangen und wollte eine Zigarette rauchen, da sah er einen Schuh auf dem Boden liegen – einen roten, glaube ich –, worauf er hinging, um ihn sich näher anzusehen.«

»Waren Sie dabei, als die Spurensicherung hier war?«

»Ja. Sie haben alles durchgekämmt, haben Fotos gemacht und im Umkreis von hundert Metern jede Kleinigkeit vom Boden aufgehoben.«

»Fußspuren?«

»Ich glaube, ja, aber ich weiß es nicht genau. Von dem Mann, der ihn gefunden hat, aber ich glaube auch noch andere.« Er hielt inne, wischte sich den Schweiß von der Stirn und fügte hinzu: »Und die ersten Polizisten haben auch welche hinterlassen.«

»Ihr Sergente?«

»Ja, Commissario.«

Brunetti sah zu dem Stück Wiese hin, dann wieder auf das durchgeschwitzte Hemd des Polizisten. »Gehen Sie zu unserem Wagen, Scarpa. Er hat eine Klimaanlage.« Und dann zum Fahrer: »Gehen Sie mit ihm. Sie können da beide auf mich warten.«

»Danke, Commissario«, sagte der Polizist erleichtert und nahm sein Jackett von der Stuhllehne.

»Die Mühe können Sie sich sparen«, sagte Brunetti, als er sah, daß der Mann einen Arm in den Ärmel stecken wollte.

»Danke, Commissario«, wiederholte der und griff nach dem Stuhl. Die beiden Männer gingen auf das Gebäude zu. Der Polizist stellte den Stuhl vor die Hintertür und folgte dem Fahrer. Sie verschwanden um die Ecke, und Brunetti ging zu dem Loch im Zaun.

Er bückte sich tief, kroch hindurch und lief dann auf den Busch zu. Die Hinterlassenschaften der Spurensicherung waren überall zu sehen: Löcher in der Erde, wo sie Stöcke hineingesteckt hatten, um Entfernungen zu messen, Erd-aufschürfungen, wo sich Füße gedreht hatten, und näher an der Stelle ein kleiner Haufen, ordentlich aufgetürmt; offenbar hatten sie Gras und Zweige abschneiden müssen, um an die Leiche heranzukommen und sie wegbringen zu können, ohne die Haut an den scharfkantigen Halmen und dornigen Zweigen zu verletzen.

Hinter Brunetti fiel eine Tür ins Schloß, und gleich dar-auf rief eine Männerstimme: »He, Sie, was machen Sie da? Gehen Sie da weg, zum Donner.«

Brunetti drehte sich um und sah wie erwartet einen Mann in Polizeiuniform, der von der Rückseite des Gebäudes her mit schnellen Schritten auf ihn zukam. Während Brunetti ihn beobachtete und sich dabei nicht von der Stelle rührte, zog der Mann seinen Revolver und schrie: »Nehmen Sie die Hände hoch und kommen Sie durch den Zaun.«

Brunetti tat wie geheißen; er bewegte sich wie auf Geröll, mit seitwärts ausgestreckten Händen, um die Balance nicht zu verlieren.

»Ich habe gesagt, Hände hoch!« geiferte der Polizist, als Brunetti am Zaun ankam.

Der andere hatte eine Waffe, deshalb versuchte Brunetti lieber nicht, ihm klarzumachen, daß er die Hände ja hochhielt, auch wenn sie nicht über seinem Kopf waren. Statt dessen sagte er: »Guten Tag, Sergente. Ich bin Commissario Brunetti aus Venedig. Haben Sie die Aussagen der Leute da drin aufgenommen?«

Die Augen des Mannes waren klein, und viel Intelligenz war darin nicht zu entdecken, aber immerhin konnte Brunetti erkennen, daß der andere die Zwickmühle sah, in der er sich befand. Er konnte Beweise verlangen, konnte einen Commissario nach seinem Ausweis fragen, oder er konnte einem Fremden, der behauptete, Polizeibeamter zu sein, ohne weiteres Glauben schenken.

»Tut mir leid, Commissario, ich habe Sie gegen die Sonne nicht erkannt«, sagte der Sergente, obwohl die Sonne ihm von hinten über die linke Schulter schien. Damit wäre er durchgekommen, hätte sogar Brunettis grollenden Respekt geerntet, wenn er nicht noch eins draufgesetzt hätte:

»Es ist schwierig, wenn man so in die Sonne tritt aus dem Dunkel da drin. Außerdem habe ich nicht damit gerechnet, daß von Venedig noch jemand herauskommt.«

Auf dem Namensschildchen an seiner Brust stand: »Buffo.«

»Mestre hat offenbar in den nächsten paar Wochen keine Commissari zur Verfügung, da hat man mich geschickt, um die Ermittlungen zu leiten.« Brunetti bückte sich und kroch durch das Loch im Zaun. Als er sich auf der anderen Seite wieder aufrichtete, war Buffos Revolver im Holster und die Lasche darüber sicher befestigt.

Brunetti schritt auf die Hintertür des Schlachthofs zu, Buffo ging neben ihm her. »Was haben Sie von den Leuten da drin erfahren?«

»Nicht mehr als heute vormittag bei unserem ersten Besuch, Commissario. Einer von den Fleischern, Bettino Cola, hat die Leiche heute morgen kurz nach elf gefunden. Er war draußen, um eine Zigarette zu rauchen, und ist zu dem Gestrüpp gegangen, weil er sich irgendwelche Schuhe näher ansehen wollte, die auf dem Boden lagen, wie er sagte.«

»Waren denn keine Schuhe da?« fragte Brunetti.

»Doch. Sie waren da, als wir hinkamen.« Wenn man ihn so reden hörte, mußte man fast annehmen, daß Cola sie dorthin gelegt hatte, um den Verdacht von sich abzulenken. Wie jeder normale Bürger oder jeder Kriminelle, haßte Brunetti sogenannte hartgesottene Bullen.

»Am Telefon wurde uns gesagt, eine Hure liege draußen auf der Wiese. Daraufhin bin ich rausgefahren und habe sie mir angesehen, aber es war ein Mann«, zischte Buffo.

»Nach dem, was mir berichtet wurde, soll es sich um einen *prostituto travestito* handeln«, sagte Brunetti ausdruckslos. »Ist er denn schon identifiziert?«

»Nein, noch nicht. Wir lassen die im Leichenschauhaus Fotos von ihm machen, obwohl er ziemlich schlimm zugerichtet wurde, und danach macht ein Zeichner dann eine Skizze, wie er vorher ausgesehen haben könnte. Das Bild zeigen wir herum, und früher oder später wird ihn jemand erkennen. Diese Typen sind ziemlich bekannt«, sagte Buffo mit einem Gesichtsausdruck zwischen Grinsen und Grimasse. Dann fuhr er fort: »Wenn er zu den hiesigen gehört, haben wir ihn bald identifiziert.«

»Und wenn nicht?« fragte Brunetti.

»Dann dauert es wohl etwas länger. Oder aber wir finden gar nicht heraus, wer er ist. In jedem Fall kein großer Verlust.«

»Und warum das, Sergente Buffo?« fragte Brunetti gefährlich leise, aber Buffo hörte nur die Worte, nicht den Ton.

»Wer braucht die schon? Perverse. Sie haben alle AIDS und finden nichts dabei, anständige, schwer arbeitende Männer damit anzustecken.« Er spuckte aus.

Brunetti blieb stehen, drehte sich um und sah den Sergente an. »Soweit ich weiß, Sergente Buffo, stecken sich diese anständigen, schwer arbeitenden Männer, um die Sie so besorgt sind, mit AIDS an, weil sie diese ›Perversen‹ dafür bezahlen, daß sie ihnen den Schwanz in den Arsch rammen dürfen. Versuchen wir, das nicht zu vergessen. Und vergessen wir auch nicht, daß dieser Tote, wer immer er sein mag, ermordet wurde und es unsere

Pflicht ist, seinen Mörder zu finden. Auch wenn der ein anständiger, schwer arbeitender Mann war.« Damit machte Brunetti die Tür zum Schlachthof auf und ging hinein, denn der Gestank da drin war ihm immer noch lieber als der hier draußen.

4

Drinnen erfuhr er nicht viel mehr. Cola erzählte seine Geschichte noch einmal, und der Meister bestätigte sie. Buffo berichtete mürrisch, keiner der Männer, die dort arbeiteten, habe etwas Außergewöhnliches gesehen, an diesem Morgen nicht, und auch nicht tags zuvor. Die Huren gehörten schon so in die Landschaft, daß inzwischen niemand mehr groß auf sie oder das, was sie trieben, achtete. Keiner könne sich erinnern, daß diese Wiese hier hinter dem Schlachthof je von den Huren benutzt worden sei – schon allein der Geruch spräche dagegen. Doch hätte man eine dort gesehen, wäre es auch nicht weiter aufgefallen.

Nachdem Brunetti sich das alles angehört hatte, ging er zum Wagen zurück und bat, zur Questura in Mestre gefahren zu werden. Scarpa, der seine Jacke wieder übergezogen hatte, stieg aus und setzte sich zu Sergente Buffo in den zweiten Wagen. Auf der Fahrt nach Mestre kurbelte Brunetti das Fenster auf seiner Seite ein Stück herunter, um etwas Luft hereinzulassen, auch wenn sie noch so heiß war, und damit den Schlachthausgeruch wegzubekommen, der immer noch in seinen Kleidern hing. Wie die meisten Italiener hatte Brunetti die Idee des Vegetarismus immer verspottet und sie als eine der vielen Überspanntheiten der Wohlgenährten abgetan, aber heute erschien sie sehr naheliegend.

In der Questura brachte ihn der Fahrer in den zweiten

Stock und machte ihn mit Sergente Gallo bekannt, einem hageren Mann mit tiefliegenden Augen, der aussah, als ob ihn die Jahre, die er mit der Verfolgung von Verbrechern verbracht hatte, von innen her zerfressen hätten. Als Brunetti vor Gallos Schreibtisch Platz genommen hatte, meinte der Sergente, es gebe dem, was Brunetti bereits wisse, nur wenig hinzuzufügen. Immerhin konnte er einen ersten mündlichen Bericht des Pathologen weitergeben: Der Tod war durch eine Reihe von Schlägen auf Kopf und Gesicht verursacht worden und zwölf bis achtzehn Stunden vor Auffinden der Leiche eingetreten. Angesichts der Hitze ließ es sich nicht genauer bestimmen. Aus Rostspuren in den Wunden und deren Form schloß der Pathologe, daß die Mordwaffe ein Stück Metall gewesen war, wahrscheinlich eine Art Rohr, sicher aber etwas Zylindrisches. Die Laboranalysen über Mageninhalt und Blut kämen frühestens am Mittwoch, so daß man noch nicht sagen könne, ob der Tote unter Drogen oder Alkohol gestanden habe, als er starb. Da viele Prostituierte und fast alle Transvestiten der Stadt nachweislich Drogen benutzten, war das anzunehmen, auch wenn die Leiche keine Einstichstellen aufwies. Der Magen war leer gewesen, doch es gab Anzeichen für eine Nahrungsaufnahme etwa sechs Stunden vor dem Tod.

»Und seine Kleidung?« fragte Brunetti.

»Ein rotes Kleid, irgendein billiger Stoff. Rote Schuhe, kaum getragen, Größe einundvierzig. Ich lasse sie untersuchen, um zu sehen, ob wir den Hersteller ausfindig machen können.«

»Haben Sie Fotos?« wollte Brunetti wissen.

»Die sind vor morgen vormittag nicht fertig, Commissario, aber nach dem Bericht der Kollegen, die ihn abgeholt haben, werden Sie vielleicht lieber darauf verzichten, sie anzuschauen.«

»So schlimm ist es also?« fragte Brunetti.

»Wer das getan hat, muß ihn wirklich gehaßt haben, oder er war nicht ganz bei sich. Von der Nase ist nichts mehr übrig.«

»Lassen Sie von einem Zeichner eine Skizze machen?«

»Ja. Aber das meiste wird er wohl raten müssen. Als Anhaltspunkte hat er nur Gesichtsform und Augenfarbe. Und die Haare.« Gallo hielt einen Moment inne, bevor er sagte: »Sie sind sehr dünn, und an einigen Stellen ist er schon kahl, so daß ich annehme, er hat eine Perücke getragen, wenn er, äh, wenn er arbeiten ging.«

»Wurde eine Perücke gefunden?« fragte Brunetti.

»Nein. Außerdem sieht es so aus, als wäre er woanders getötet und dann zu der Stelle gebracht worden.«

»Fußspuren?«

»Ja. Die Spurensicherung sagt, sie hätten welche gefunden, die zu der Stelle hin- und auch wieder wegführen.«

»Tiefere Eindrücke beim Hinweg?«

»Ja, Commissario.«

»Dann ist er also dort hingeschafft worden. Wohin führten die Fußspuren?«

»Es sieht aus, als wären sie von einer schmalen Asphaltstraße gekommen, die hinter der Wiese und dem Schlachthof verläuft.«

»Und auf der Straße?«

»Nichts. Es hat seit Wochen nicht geregnet. Da könnte

ein Auto oder sogar ein Laster angehalten haben, ohne irgendwelche Abdrücke zu hinterlassen. Wir haben nur die Fußspuren. Männliche. Größe dreiundvierzig.« Das war Brunettis Schuhgröße.

»Haben Sie eine Liste von allen Transvestiten, die als Prostituierte arbeiten?«

»Nur von denen, die schon mal in Schwierigkeiten waren, Commissario.«

»Was für Schwierigkeiten sind das denn so?«

»Die üblichen. Drogen. Streitereien untereinander. Hin und wieder legt sich einer mit einem Kunden an. Meist wegen Geld. Aber bisher ist noch nie einer in etwas Ernstes verwickelt gewesen.«

»Und die Streitereien? Enden die manchmal gewalttätig?«

»Nie so, Commissario. Nie hat es so etwas gegeben.«

»Wie viele sind es denn überhaupt?«

»Wir haben so um die dreißig registriert, aber ich nehme an, das ist nur ein kleiner Teil. Viele kommen aus Pordenone oder Padua rüber. Dort läuft das Geschäft offenbar gut für sie.«

Pordenone war die nächstgelegene größere Stadt in der Nähe eines amerikanischen wie auch eines italienischen Militärstützpunktes. Das würde Pordenone erklären. Aber Padua? Die Universitätsstadt? Wenn dem so war, dann hatten die Verhältnisse sich geändert, seit Brunetti dort Jura studiert hatte.

»Ich würde mir diese Unterlagen heute abend gern mal ansehen. Können Sie mir Kopien machen lassen?«

»Das habe ich schon getan, Commissario«, sagte Gallo

und überreichte Brunetti einen dicken blauen Ordner von seinem Schreibtisch.

Während er den Ordner entgegennahm, wurde Brunetti bewußt, daß er sogar hier in Mestre, kaum zwanzig Kilometer von zu Hause, wahrscheinlich als Fremder angesehen wurde, und er suchte nach irgendeiner Gemeinsamkeit, mit der er zum Mitglied eines Arbeitsteams wurde und nicht als Commissario von außerhalb galt. »Aber Sie sind doch Venezianer, Sergente, nicht?«

Gallo nickte, und Brunetti fügte hinzu: »Castello?« Wieder nickte Gallo, aber dieses Mal mit einem Lächeln, als wüßte er, daß der Akzent ihm folgte, wohin er auch ging.

»Was machen Sie dann hier draußen in Mestre?« erkundigte sich Brunetti.

»Sie wissen, wie es ist, Commissario«, antwortete der andere. »Ich war es einfach leid, in Venedig nach einer passenden Wohnung zu suchen. Zwei Jahre haben meine Frau und ich uns bemüht, ohne Erfolg. Niemand will an einen Venezianer vermieten, aus Angst, daß man einzieht und sie einen nie wieder rausbekommen. Und die Preise, wenn man kaufen will – fünf Millionen Lire für den Quadratmeter. Wer kann sich das schon leisten? Da sind wir hierher gezogen.«

»Das klingt, als würden Sie es bedauern, Sergente.«

Gallo zuckte die Achseln. Er teilte das Schicksal vieler Venezianer, die von explodierenden Mieten und Preisen aus der Stadt vertrieben wurden. »Es ist nie leicht, seine Heimat zu verlassen, Commissario«, meinte er, aber Brunetti hatte den Eindruck, daß seine Stimme bei diesen Worten etwas wärmer klang.

Brunetti kam zum Thema zurück und klopfte mit dem Finger auf den Ordner. »Gibt es einen Kollegen hier, mit dem sie reden, dem sie trauen?«

»Wir hatten einen, Benvenuti, aber er ist letztes Jahr in den Ruhestand gegangen.«

»Und sonst gibt es keinen?«

»Nein, Commissario.« Gallo hielt kurz inne, als überlegte er, ob er seine nächste Bemerkung riskieren könne. »Leider behandeln viele der jüngeren Kollegen diese Typen – nun ja, als so etwas wie Witzfiguren.«

»Warum sagen Sie das, Sergente Gallo?«

»Wenn etwa einer sich beschweren kommt, er sei von einem Kunden geschlagen worden – nicht, daß er nicht bezahlt wurde, verstehen Sie, darauf haben wir ja keinen Einfluß –, aber wenn es um Gewalt geht, dann will sich keiner von ihnen hinschicken lassen, um das zu untersuchen, auch wenn wir den Namen des Schlägers haben. Und wenn sie doch hingehen und ihn vernehmen, hat das meist keine Folgen.«

»Davon habe ich schon eine Kostprobe bekommen, sogar mehr als das, von Sergente Buffo«, warf Brunetti ein.

Bei dem Namen preßte Gallo die Lippen zusammen, sagte aber nichts.

»Und was ist mit den Frauen?« fragte Brunetti.

»Den Huren?«

»Ja. Gibt es Kontakte zwischen ihnen und den Transvestiten?«

»Schwierigkeiten hat es nie gegeben, jedenfalls weiß ich nichts davon, aber ich habe keine Ahnung, wie gut sie miteinander auskommen. Ich glaube nicht, daß sie sich um Kunden streiten, falls Sie das meinen.«

Brunetti war sich nicht ganz sicher, was er meinte, und er merkte, daß er keine klaren Fragen stellen konnte, bevor er nicht die Unterlagen in dem blauen Ordner gelesen oder jemand den Toten identifiziert hatte. Bis dahin war es sinnlos, über Motive zu reden, und bis dahin konnte es kein Verstehen des Geschehenen geben.

Er erhob sich und sah auf seine Uhr. »Ich würde gern morgen um halb neun abgeholt werden. Bis dahin sollte der Zeichner die Skizze fertighaben. Sobald sie Ihnen vorliegt, auch wenn es heute abend ist, schicken Sie mindestens zwei Leute damit los. Sie sollen sich bei den anderen Transvestiten umhören, ob sie den Toten kennen oder ob aus Pordenone oder Padua einer vermißt wird. Und lassen Sie die Huren – die weiblichen meine ich – befragen, ob die Transvestiten auch in der Gegend arbeiten, in der er gefunden wurde, oder ob sie welche kennen, die jemals dort gearbeitet haben.« Er nahm den Ordner. »Ich lese mir das heute abend durch.«

Gallo hatte sich Notizen gemacht, während Brunetti sprach, aber jetzt stand er auf und geleitete ihn zur Tür.

»Wir sehen uns dann morgen früh, Commissario.« Damit ging er an seinen Schreibtisch zurück und griff zum Telefon. »Unten wartet ein Fahrer, der Sie zum Piazzale Roma zurückfährt.«

Während das Polizeiauto über die Schnellstraße in Richtung Venedig fuhr, sah Brunetti nach rechts aus dem Fenster und betrachtete die grauen, weißen, grünen und gelben Rauchschwaden, die aus Margheras unendlich vielen

Schornsteinen quollen. Soweit das Auge reichte, umhüllte die Dunstglocke den riesigen Industriekomplex, und die untergehende Sonne machte eine strahlende Vision vom kommenden Jahrhundert daraus. Der Gedanke stimmte ihn traurig, und er wandte den Kopf, um Richtung Murano zu schauen und weiter zum fernen Turm der Kathedrale von Torcello, wo nach Ansicht einiger Historiker die Geschichte Venedigs vor mehr als tausend Jahren angefangen hatte, als die Küstenbewohner vor den anrückenden Hunnen auf die Inseln flüchteten.

Der Fahrer riß heftig das Lenkrad herum, um einem riesigen Camper mit deutschem Nummernschild auszuweichen, der auf dem Weg zu den Parkplätzen von Tronchetto plötzlich vor ihnen eingeschert war, und Brunetti wurde unsanft in die Gegenwart zurückgeholt. Schon wieder Hunnen, und kein Ort zum Verstecken diesmal.

Vom Piazzale Roma ging er zu Fuß nach Hause, ohne darauf zu achten, woran oder an wem er vorbeikam. In Gedanken war er noch bei jenem öden Stück Land und sah die Fliegen über der Stelle schwärmen, wo der Tote gelegen hatte. Morgen würde er die Leiche begutachten und mit dem Pathologen reden, mal sehen, was dabei zutage kam.

Er war kurz vor acht zu Hause, immer noch früh genug, daß es aussah, als käme er von einem normalen Arbeitstag. Als er die Wohnungstür aufschloß, vermißte er die üblichen Gerüche und Geräusche des Kochens. Neugierig ging er durch den Flur und steckte den Kopf in die Küche. Paola stand an der Spüle und schnitt Tomaten.

»*Ciao*, Guido«, sagte sie, sah auf und lächelte ihn an.

Er warf den blauen Ordner auf den Küchentisch, ging zu ihr hin und küßte sie auf den Nacken.

»Bei der Hitze?« fragte sie, lehnte sich aber dabei gegen ihn.

Er leckte zart an der Haut in ihrem Nacken. »Salzmangel«, sagte er und leckte wieder.

»Ich glaube, in der Apotheke gibt es Salztabletten«, meinte sie. »Wahrscheinlich hygienischer.« Sie beugte sich vor, aber nur, um eine weitere reife Tomate aus der Spüle zu angeln. Sie schnitt sie in dicke Scheiben und legte sie zu den anderen, die sie bereits kreisförmig auf einer großen Keramikplatte angeordnet hatte.

Er machte die Kühlschranktür auf und nahm eine Flasche Mineralwasser heraus, dann aus dem Hängeschrank ein Glas. Er schenkte das Glas voll, trank aus, trank noch eines, schraubte die Flasche zu und stellte sie wieder in den Kühlschrank.

Vom untersten Brett des Regals nahm er eine Flasche Prosecco. Er riß das Silberpapier vom Korken und drückte ihn dann langsam mit beiden Daumen nach oben, wobei er ihn sanft hin- und herbewegte. Als der Korken aus der Flasche floppte, hielt er sie schräg, damit nichts heraussprudelte. »Wie kommt es, daß du bei unserer Heirat wußtest, wie man eine Flasche Prosecco richtig aufmacht, und ich nicht?« fragte er, während er Schaumwein in sein Glas goß.

»Das hat mir Mario beigebracht«, erklärte sie, und er wußte gleich, daß sie von den etwa zwanzig Marios, die sie kannten, ihren Vetter meinte, den Weinhändler.

»Möchtest du welchen?« fragte er.

»Gib mir einen Schluck von deinem, bei dieser Hitze

trinke ich nicht gern Alkohol, er steigt mir direkt in den Kopf.« Er legte den Arm um sie und hielt ihr sein Glas an die Lippen, und sie nahm einen kleinen Schluck. »*Basta*«, sagte sie. Er zog das Glas zurück und trank selbst.

»Gut«, murmelte er. »Wo sind die Kinder?«

»Chiara ist draußen auf dem Dachgarten. Sie liest.« Tat Chiara je etwas anderes außer sich mit mathematischen Problemen auseinanderzusetzen und um einen Computer zu betteln?

»Und Raffi?« Der steckte sicher bei Sara, aber Brunetti fragte trotzdem immer.

»Bei Sara. Er bleibt zum Abendessen bei ihr, und dann gehen sie zusammen ins Kino.« Sie lachte, amüsierte sich über die hündische Ergebenheit, mit der Raffi seiner Sara Paganuzzi nachlief, dem Mädchen, das zwei Stockwerke unter ihnen wohnte, andererseits aber war sie erleichtert darüber, daß er sie gefunden hatte. »Ich hoffe, er schafft es, sich zwei Wochen von ihr loszureißen, um mit uns in die Berge zu fahren«, sagte Paola, die das ganz und gar nicht ernst meinte; die Aussicht auf zwei Wochen in den Bergen oberhalb von Bozen, fern der quälenden Hitze der Stadt, konnte selbst Raffi von den Wonnen junger Liebe weglocken. Außerdem hatten Saras Eltern gesagt, sie dürfe Raffis Familie über ein Wochenende besuchen. Paola selbst, ihrer Dozententätigkeit an der Universität für weitere zwei Monate enthoben, freute sich auf kaum unterbrochene Tage des Lesens.

Brunetti sagte nichts dazu, goß sich nur ein halbes Glas Wein nach. »*Caprese?*« fragte er mit einer Kopfbewegung zu dem Tomatenkreis auf der Platte vor Paola.

»Welch detektivischer Spürsinn«, sagte Paola und griff nach der nächsten Tomate. »Er sieht einen Kreis aus Tomatenscheiben, und zwischen den einzelnen Scheiben ist etwas Platz gelassen, gerade genug für ein Stück Mozzarella, und dann sieht er das frische Basilikum in einem Glas links neben seiner holden Angebeteten, direkt neben dem Teller mit frischer Mozzarella. Und er zählt zwei und zwei zusammen und errät blitzschnell, daß es *insalata caprese* zum Abendessen gibt. Kein Wunder, daß so ein Mann die Kriminellen dieser Stadt in Angst und Schrecken versetzt.« Dabei drehte sie sich um und lächelte ihn an, um an seiner Reaktion seine Stimmung abzulesen und festzustellen, ob sie womöglich zu weit gegangen war. Als sie sah, daß dem offenbar so war, nahm sie ihm das Glas aus der Hand und trank einen kleinen Schluck. »Was ist passiert?« fragte sie, als sie es ihm zurückgab.

»Ich habe einen Fall in Mestre übertragen bekommen.« Und bevor sie ihn unterbrechen konnte, fuhr er fort: »Zwei von ihren Commissari sind im Urlaub, einer liegt mit gebrochenem Bein im Krankenhaus, und eine ist im Mutterschutz.«

»Dann hat Patta dich also an Mestre abgegeben?«

»Es ist kein anderer da.«

»Guido, es gibt immer einen anderen. Erst mal ist da Patta selbst. Es könnte ihm nicht schaden, wenn er mal was anderes tun würde, als nur in seinem Büro herumzusitzen, irgendwelche Papiere zu unterschreiben und die Sekretärinnen zu betatschen.«

Brunetti fand die Vorstellung, sich von Patta betatschen zu lassen, etwas abwegig, aber das behielt er für sich.

»Na?« fragte sie, als er nicht reagierte.

»Er hat Probleme«, sagte Brunetti.

»Dann stimmt es also?« fragte sie. »Ich wollte dich schon den ganzen Tag anrufen und fragen, ob es wahr ist. Tito Burrasca?«

Als Brunetti nickte, legte sie den Kopf in den Nacken und gab einen unfeinen Laut von sich, den man am ehesten als Johlen bezeichnen konnte. »Tito Burrasca«, wiederholte sie, drehte sich zur Spüle um und griff nach einer Tomate. »Tito Burrasca.«

»Ach komm, Paola. So komisch ist das nun auch wieder nicht.«

Sie wirbelte herum, das Messer in der ausgestreckten Hand. »Was soll das heißen, nicht komisch? Patta ist ein aufgeblasener, scheinheiliger, selbstgerechter Mistkerl, und mir fällt niemand ein, dem ich so etwas eher gönnen würde als ihm.«

Brunetti zuckte die Achseln und goß sich Wein nach. Solange sie gegen Patta wütete, war sie von Mestre abgelenkt, obgleich er wußte, daß es nur eine kurze Verschnaufpause war.

»Ich kann es nicht glauben«, sagte sie zur letzten noch in der Spüle verbliebenen Tomate gewandt. »Seit Jahren sitzt er dir im Nacken, vermasselt dir alles, was du tust, und jetzt verteidigst du ihn.«

»Ich verteidige ihn nicht, Paola.«

»Das klingt mir aber ganz so«, entgegnete sie, diesmal zu dem Stück Mozzarella in ihrer Linken.

»Ich sage nur, daß niemand so etwas verdient. Burrasca ist ein Schwein.«

»Und Patta nicht?«

»Soll ich Chiara rufen?« fragte er, weil er sah, daß der Salat fast fertig war.

»Nicht, bevor du mir gesagt hast, wie lange diese Sache in Mestre aller Voraussicht nach dauert.«

»Das weiß ich nicht.«

»Worum geht es denn?«

»Um Mord. Ein Transvestit wurde auf einer Wiese in Mestre gefunden. Jemand hat ihm, wahrscheinlich mit einem Rohr, das Gesicht eingeschlagen, und ihn dann da draußen hingeschafft.« – Ob es in anderen Familien wohl auch so erhebende Gespräche vor dem Essen gab?

»Warum das Gesicht?« wollte sie wissen, womit sie genau die Frage stellte, die ihn den ganzen Nachmittag schon beschäftigte.

»Wut?«

»Hm«, machte sie, während sie Mozzarella schnitt und die Scheiben zwischen die Tomaten legte. »Aber warum auf einer Wiese?«

»Weil der Täter die Leiche möglichst weit vom Tatort entfernt wissen wollte.«

»Und du bist sicher, daß er nicht da umgebracht worden ist?«

»Alles spricht dafür. Es gibt Fußspuren, die zu der Stelle führen, wo die Leiche gefunden wurde, und weniger tief eingedrückte in umgekehrter Richtung.«

»Ein Transvestit?«

»Das ist alles, was ich weiß. Über das Alter hat mir niemand etwas gesagt, aber alle scheinen sicher zu sein, daß er auf den Strich gegangen ist.«

»Glaubst du das nicht?«

»Ich habe keinen Grund, es nicht zu glauben. Aber auch keinen, es zu glauben.«

Sie zupfte ein paar Basilikumblätter ab, hielt sie einen Augenblick unter fließendes kaltes Wasser und hackte sie dann in kleine Stücke, die sie über die Tomaten und den Mozzarella streute. Schließlich salzte sie das Ganze und träufelte großzügig Olivenöl darüber.

»Ich dachte, wir essen draußen«, sagte sie. »Chiara sollte den Tisch decken. Willst du mal nachsehen?« Er drehte sich um und nahm die Flasche und das Glas mit. Als sie das sah, legte Paola das Messer in der Spüle ab. »Das ist wohl bis zum Wochenende nicht abgeschlossen, oder?«

Er schüttelte den Kopf. »Wahrscheinlich nicht.«

»Was soll ich machen?«

»Wir haben das Hotel gebucht. Die Kinder haben sich darauf eingestellt. Sie freuen sich schon, seit die Schule zu Ende ist.«

»Was soll ich machen?« wiederholte sie. Einmal, vor ungefähr acht Jahren, hatte er es geschafft, ihr in irgendeiner Sache auszuweichen. Einen Tag lang war er damit durchgekommen.

»Ich möchte, daß du mit den Kindern in die Berge fährst. Wenn diese Sache sich rechtzeitig erledigen läßt, komme ich nach. Auf jeden Fall werde ich versuchen, nächstes Wochenende raufzukommen.«

»Ich hätte dich lieber bei mir, Guido. Ich möchte meinen Urlaub nicht allein verbringen.«

»Du hast die Kinder.«

Paola würdigte diese Antwort keiner Erwiderung. Sie nahm die Platte mit dem Salat und kam auf ihn zu. »Geh und sieh nach, ob Chiara den Tisch gedeckt hat.«

5

Vor dem Einschlafen las er noch die Akten durch. Sie gaben ihm Einblick in eine Welt, von deren Existenz er wohl gewußt hatte, über die er aber keinerlei genaue oder gesicherte Kenntnis besaß. Er hatte immer geglaubt, in Venedig gäbe es keine Transvestiten, die als Prostituierte arbeiteten. Immerhin wußte er von mindestens einem Transsexuellen, aber nur, weil er einmal einen Brief hatte unterschreiben müssen, in dem Emilio Marcato bescheinigt wurde, daß er nicht vorbestraft war, damit die *carta d'identità* auf Emilia ausgestellt und den physischen Veränderungen angepaßt werden konnte, die am Körper bereits vorgenommen worden waren. Er hatte keine Ahnung, welche Nöte oder Leidenschaften einer so absolut endgültigen Entscheidung zugrunde lagen, erinnerte sich aber an eigene Gefühle, die er lieber nicht hatte analysieren wollen – ausgelöst durch die bloße Änderung eines einzigen Buchstabens auf einem offiziellen Dokument: Emilio – Emilia.

Die Männer in der Akte waren nicht so weit gegangen; sie hatten entschieden, nur ihr Erscheinungsbild zu verändern: Gesicht, Kleidung, Make-up, Gesten, Gang. Die beiliegenden Fotos zeigten, wie geschickt manche es anstellten. Die Hälfte von ihnen war überhaupt nicht mehr als Männer zu erkennen. Brunetti sah weiche Wangen und zarte Gesichtsformen, an denen nichts Maskulines war; selbst vor den unbarmherzigen Scheinwerfern und Objektiven der Polizeikameras wirkten viele von ihnen schön, und Brunetti suchte vergeblich nach einem Schatten, einem markanten Kinn, irgend etwas, das sie als Männer auswies statt als Frauen.

Neben ihm im Bett sitzend, las Paola nacheinander die Seiten, die er ihr reichte, sah sich die Fotos an, studierte einen Verhaftungsbericht, in dem es um Drogenhandel ging, und gab ihm die Blätter kommentarlos zurück.

»Na, was sagst du dazu?« fragte Brunetti.

»Wozu?«

»Zu dem Ganzen.« Er hob die Mappe hoch. »Findest du diese Männer nicht sonderbar?«

Sie sah ihn lange und, wie er glaubte, voller Abscheu an. »Ich finde die Männer, die sie bezahlen, viel sonderbarer.«

»Warum?«

Paola deutete auf den Ordner und meinte: »Wenigstens machen diese Männer hier sich nichts vor über das, was sie tun. Im Gegensatz zu denen, die sie benutzen.«

»Was meinst du damit?«

»Ach, komm schon, Guido. Denk nach. Diese Männer werden dafür bezahlt, daß sie sich vögeln lassen oder vögeln, je nach dem Geschmack des Kunden. Aber sie müssen sich als Frauen verkleiden, bevor die anderen Männer sie nehmen. Denk doch nur mal kurz darüber nach. Denk an die Heuchelei, die darin liegt, das Bedürfnis nach Selbstbetrug. Damit sie am nächsten Morgen sagen können: ›Oh, *Gesù bambino*, ich habe nicht gemerkt, daß es ein Mann war, bis es zu spät war‹, oder: ›Auch wenn es ein Mann war, bin ich doch derjenige, der in ihn eingedrungen ist.‹ Damit sie immer noch richtige Männer sind, Machos, und nicht der Tatsache ins Auge sehen müssen, daß sie lieber Männer vögeln, denn das würde ihre Männlichkeit gefährden.« Sie musterte ihn durchdringend. »Manchmal habe ich den Verdacht, daß du über viele Dinge nicht richtig nachdenkst, Guido.«

Im allgemeinen hieß das frei übersetzt, daß er nicht so dachte wie sie. Aber diesmal hatte Paola recht; darüber hatte er nie nachgedacht. Nachdem Brunetti einmal die Frauen entdeckt hatte, war er ganz deren Reizen erlegen, während die Vertreter des eigenen Geschlechts keine sexuelle Anziehung auf ihn ausübten. Als er erwachsen wurde, hatte er angenommen, allen anderen Männern ginge es ähnlich; und als er merkte, daß dem nicht so war, fühlte er sich in seiner eigenen Vorliebe schon zu sicher, um das Vorhandensein einer Alternative mehr als nur intellektuell zur Kenntnis zu nehmen.

Er mußte an etwas denken, worauf Paola ihn einmal aufmerksam gemacht hatte, kurz nachdem sie sich kennengelernt hatten, etwas, was ihm vorher nie aufgefallen war, nämlich daß italienische Männer ständig ihre Genitalien berührten, befummelten, ja schon beinah liebkosten. Er wußte noch, daß er ungläubig und höhnisch gelacht hatte, als sie das sagte, aber vom nächsten Tag an hatte er darauf geachtet, und binnen einer Woche war ihm klar, wie recht sie hatte. Nach einer weiteren Woche begann es ihn zu faszinieren, und er war überwältigt davon, wie oft Männer auf der Straße mit der Hand suchend an diese Stelle fuhren, wie um sich zu vergewissern, daß ihre Geschlechtsteile noch da waren. Einmal war Paola bei einem Spaziergang stehen geblieben und hatte ihn gefragt, woran er gerade denke, und die Tatsache, daß sie der einzige Mensch auf der Welt war, dem gegenüber es ihm nicht peinlich war, es laut auszusprechen, überzeugte ihn, wie schon tausend andere Dinge zuvor, daß sie die Frau war, die er heiraten wollte, die er heiraten würde.

Eine Frau zu lieben und zu begehren war ihm absolut natürlich erschienen, und so war es heute noch. Aber die Männer in diesem Ordner hatten sich aus Gründen, die er zwar nachlesen und zur Kenntnis nehmen, aber wohl nie ganz verstehen konnte, von Frauen ab- und den Körpern anderer Männer zugewandt. Sie taten es für Geld oder Drogen oder manchmal sicher auch aus Liebe. Und einer von ihnen – in welch einer wilden Haßumarmung hatte er sein gewaltsames Ende gefunden? Und aus welchem Grund?

Paola schlief friedlich neben ihm, ein zusammengekringeltes Etwas, die ganze Wonne seines Herzens. Er legte den Ordner auf das Tischchen neben seinem Bett, knipste das Licht aus, schlang den Arm um Paolas Schulter und küßte sie auf den Nacken. Immer noch salzig. Kurz darauf war er eingeschlafen.

Als Brunetti am nächsten Morgen in der Questura in Mestre ankam, fand er Sergente Gallo an seinem Schreibtisch, in der Hand eine andere blaue Mappe. Als Brunetti Platz genommen hatte, reichte der Polizist sie ihm herüber, und Brunetti sah zum ersten Mal das Gesicht des Ermordeten. Obenauf lag die Skizze des Zeichners, die wiedergab, wie der Mann ausgesehen haben konnte, darunter sah er die Fotos des zertrümmerten Schädels, nach denen die Skizze entstanden war.

Man konnte beim besten Willen nicht erkennen, wie viele Schläge das Gesicht hatte erdulden müssen. Wie Gallo am Abend zuvor gesagt hatte, war von der Nase nichts mehr da, ein besonders brutaler Schlag hatte sie in den Schädel gerammt. Ein Wangenbein war völlig zertrümmert, wodurch das Gesicht auf dieser Seite wie eingefallen wirkte. Die Fotos vom Hinterkopf zeugten von ähnlicher Gewalt, aber das waren Schläge, die weniger geführt worden waren, um zu verunstalten, als um zu töten.

Brunetti klappte den Ordner zu und gab ihn Gallo zurück. »Haben Sie Kopien von der Skizze machen lassen?«

»Ja, Commissario, wir haben einen ganzen Stapel, aber die Skizze kam erst vor einer halben Stunde, so daß noch keiner der Kollegen mit dem Bild unterwegs ist.«

»Fingerabdrücke?«

»Wir haben einen vollständigen Satz abgenommen und nach Rom geschickt, außerdem an Interpol in Genf, aber Sie wissen ja, wie die sind.« Brunetti wußte es. Rom konnte Wochen dauern. Interpol war meist etwas schneller.

Brunetti tippte mit einer Fingerspitze auf den Ordner. »Das Gesicht ist ganz schön zugerichtet, wie?«

Gallo nickte, sagte aber nichts. Er hatte früher schon mit Vice-Questore Patta zu tun gehabt, wenn auch nur telefonisch, und so war er vorsichtig bei jedem aus Venedig.

»Fast als ob der Täter gewollt hätte, daß man das Gesicht nicht erkennt«, fügte Brunetti hinzu.

Gallo warf ihm unter seinen dichten Brauen einen kurzen Blick zu und nickte wieder.

»Haben Sie zufällig Freunde in Rom, die sich dahinterklemmen könnten?« fragte Brunetti.

»Ich habe schon einen Versuch in der Richtung gemacht, Commissario, aber der Mann ist im Urlaub. Und Sie?«

Brunetti schüttelte den Kopf. »Der einzige, den ich kannte, ist zur Interpol nach Brüssel versetzt worden.«

»Dann müssen wir wohl warten«, meinte Gallo in einem Ton, der deutlich machte, daß ihm das gar nicht gefiel.

»Wo ist er?«

»Der Tote?«

»Ja.«

»Im Umberto Primo. Warum?«

»Ich würde ihn mir gerne ansehen.«

Falls Gallo das für einen seltsamen Wunsch hielt, ließ er es sich nicht anmerken. »Ihr Fahrer könnte Sie sicher rüberfahren.«

»Es ist nicht weit, oder?«

»Nein, nur ein paar Minuten«, antwortete Gallo. »Vielleicht etwas mehr, bei dem Verkehr jetzt.«

Brunetti überlegte, ob diese Leute eigentlich jemals zu Fuß irgendwohin gingen, aber dann fiel ihm die tropische Hitze draußen ein, die wie eine Decke über der ganzen Region Veneto lag. Vielleicht war es klüger, in klimatisierten Autos von einem klimatisierten Gebäude zum anderen zu fahren, aber er hatte so seine Zweifel, ob er sich dabei je wohlfühlen würde. Er sprach das aber nicht aus, sondern ging nach unten und ließ sich von seinem Fahrer – offenbar war er einen eigenen Fahrer und einen Dienstwagen wert – zum Krankenhaus Umberto Primo bringen.

Vor der Leichenhalle saß an einem niedrigen Tisch ein Wärter, der eine Ausgabe des *Gazzettino* vor sich ausgebreitet hatte. Brunetti zeigte ihm seinen Ausweis und fragte, ob er den Ermordeten sehen könne, den man tags zuvor auf der Wiese gefunden hatte.

Der Wärter, ein kleiner Mann mit dickem Bauch und krummen Beinen, faltete seine Zeitung zusammen und stand auf. »Ach den, den habe ich drüben auf der anderen Seite. Niemand hat ihn bis jetzt sehen wollen, nur der Zeichner, und den haben bloß die Haare und die Augen interessiert. Auf den Fotos seien sie von dem Blitzlicht zu hell gewesen und nicht richtig rausgekommen. Er hat nur einen Blick auf ihn geworfen, einen Liddeckel angehoben und sich das Auge angeschaut. Hat ihm keinen Spaß gemacht, würde ich sagen, aber guter Gott, er hätte ihn mal vor der Autopsie sehen müssen, mit dem ganzen Make-up, vermengt mit all dem Blut. Es hat ewig gedauert, das abzuwaschen. Wie ein Clown hat der vorher ausgesehen, das kann ich Ihnen sagen. Diese Augenschminke hatte er im ganzen Gesicht. Oder in dem, was von seinem Gesicht übrig war. Komisch, wie schwer das Zeug oft weggeht. Muß die Frauen verdammt viel Zeit kosten, sich abzuschminken, meinen Sie nicht auch?«

Während er sprach, führte er Brunetti durch den gekühlten Saal, wobei er immer wieder stehen blieb und sich zu ihm umdrehte. Schließlich hielt er vor einer der vielen Metalltüren an, drehte an einem Griff und zog die flache Lade heraus, in der die Leiche lag. »Geht das so mit ihm, oder soll ich ihn für Sie hochhieven? Das macht keine Mühe, ist schnell passiert.«

»Nein, es ist schon gut so«, sagte Brunetti. Ohne zu fragen zog der Wärter das weiße Laken von dem Gesicht und sah Brunetti an, ob er es weiter herunterziehen solle. Brunetti nickte, und der Mann zog das Laken ganz weg und faltete es rasch zu einem ordentlichen Rechteck.

Obwohl Brunetti die Fotos gesehen hatte, war er nicht auf das Ausmaß der Verwüstung vorbereitet, das sich seinem Auge bot. Der Pathologe war nur an der Erforschung interessiert gewesen und hatte sich nicht um die Restaurierung gekümmert; wenn man die Familie je fand, konnte sie jemanden dafür bezahlen.

Auch an der Nase des Mannes war nichts verändert worden, so daß Brunetti auf eine konkave Oberfläche mit vier flachen Einbuchtungen blickte, als hätte ein zurückgebliebenes Kind aus Ton ein menschliches Gesicht formen wollen und statt der Nase einfach eine Höhlung hineingedrückt. Ohne Nase verflüchtigte sich alles erkennbar Menschliche.

Er betrachtete den Körper des Toten, um sich dadurch vielleicht eine Vorstellung vom Alter und der Kondition des Mannes machen zu können. Brunetti hörte sich selbst scharf Luft holen, als er merkte, wie erschreckend der Körper seinem eigenen ähnelte: die gleiche Figur, ein leichter Bauchansatz und die Blinddarmnarbe. Der einzige Unterschied schien die spärliche Behaarung zu sein, und er beugte sich vor, um sich die Brust näher zu betrachten, die der lange Autopsieschnitt brutal zweigeteilt hatte. Statt eines drahtigen, angegrauten Haarteppichs, wie er auf seiner eigenen Brust wuchs, sah er nur leichte Stoppeln. »Hat ihm der Pathologe vor der Autopsie die Brust rasiert?« fragte Brunetti den Wärter.

»Nein, Commissario. Das war ja keine Herzoperation, nur eine Autopsie.«

»Aber die Brust ist rasiert.«

»Die Beine auch, wenn Sie mal genau hinsehen.«

Brunetti tat es. Es stimmte.

»Hat der Doktor dazu irgend etwas gesagt?«

»Nicht während der Arbeit. Vielleicht steht ja was in seinem Bericht. Haben Sie jetzt genug?«

Brunetti nickte und trat von dem Leichnam zurück. Der Wärter breitete das Laken aus, schwenkte es durch die Luft wie ein Tischtuch und ließ es in genau der richtigen Position über den Toten sinken. Er schob die Leiche in das Fach zurück, schloß die Tür und drehte leise den Griff.

Auf dem Rückweg zu seinem Tisch sagte der Wärter: »Das hat er nicht verdient, wer er auch war. Es heißt, daß er auf die Straße gegangen ist, einer von denen, die sich als Frau verkleiden. Armer Teufel, der hat bestimmt keinen getäuscht, der wußte ja nicht mal, wie man sich richtig schminkt, jedenfalls soweit ich es erkennen konnte, als sie ihn brachten.«

Einen Moment lang dachte Brunetti, der Mann hätte es spöttisch gemeint, aber dann merkte er an seinem Unterton, daß es ihm ernst war mit seiner Bemerkung.

»Sollen Sie rausfinden, wer ihn umgebracht hat?«

»Ja.«

»Na, ich hoffe, Sie schaffen es. Ich glaube, ich kann noch verstehen, daß man jemanden umbringen will, aber ich verstehe nicht, wie man es so machen kann.« Er hielt inne und sah Brunetti fragend an. »Sie vielleicht?«

»Nein, ich auch nicht.«

»Wie gesagt, ich hoffe, Sie kriegen den Mann, der das getan hat. Hure oder nicht, keiner verdient es, so zu sterben.«

6

Haben Sie ihn gesehen?« fragte Gallo, als Brunetti in die Questura zurückkam.

»Ja.«

»Kein besonders schöner Anblick, nicht?«

»Sie haben ihn auch gesehen?«

»Ich versuche, sie mir immer anzuschauen«, antwortete Gallo mit unveränderter Stimme. »Dann nehme ich bereitwilliger die Arbeit auf mich, nach denen zu suchen, die sie umgebracht haben.«

»Was ist Ihre Meinung, Sergente?« fragte Brunetti, während er sich in dem Stuhl neben Gallos Schreibtisch niederließ und die blaue Mappe auf die Tischplatte legte, als sollte sie ein greifbares Symbol für den Mord sein.

Gallo überlegte lange, bevor er antwortete. »Ich meine, es könnte in einem furchtbaren Wutanfall geschehen sein.« Brunetti nickte zu dieser Möglichkeit. »Oder, wie Sie schon sagten, Dottore, um die Identität des Opfers zu verschleiern.« Nach kurzer Pause ergänzte er, vielleicht in Erinnerung an das, was er in der Leichenhalle gesehen hatte: »Oder zu zerstören.«

»Das ist in der heutigen Zeit so gut wie unmöglich, glauben Sie nicht, Sergente?«

»Unmöglich?«

»Es sei denn, ein Mensch ist irgendwo ganz fremd oder lebt ohne Familie oder Freunde. Sonst würde doch sein Verschwinden innerhalb weniger Tage – meist sogar weniger Stunden – bemerkt. Niemand kann mehr einfach verschwinden.«

»Dann kommt vielleicht doch eher Wut in Frage«, sagte Gallo. »Er könnte etwas zu einem Kunden gesagt oder etwas getan haben, womit er ihn in Rage versetzt hat. Ich weiß nicht viel über die Männer in dem Ordner, den ich Ihnen gestern mitgegeben habe. Ich bin kein Psychologe oder so etwas, habe also keine Ahnung, was sie bewegt, aber ich vermute, daß die Männer, die sie bezahlen, viel labiler sind als die Männer, die bezahlt werden. – Also doch Wut?«

»Und warum ihn in eine Gegend bringen, wo bekanntermaßen die Huren arbeiten?« fragte Brunetti. »Das deutet doch eher auf Intelligenz hin als auf Wut.«

Gallo reagierte schnell in diesem Test, dem der neue Commissario ihn unterzog: »Er könnte nach der Tat zur Besinnung gekommen sein. Vielleicht hat er ihn in seiner Wohnung umgebracht oder irgendwo, wo man einen von ihnen kannte, da mußte er die Leiche wegbringen. Und wenn er zu denen gehört – der Mörder, meine ich – wenn er zu denen gehört, die zu diesen Transvestiten gehen, dann weiß er auch, wo die Huren sind. Es wäre also gar nicht so unlogisch, ihn dorthin zu bringen, um den Verdacht auf die zu lenken, die zu den Huren gehen.«

»Ja«, meinte Brunetti gedehnt, und Gallo wartete auf das »aber«, das sich im Ton des Commissario schon ankündigte. »Aber damit würde man unterstellen, daß Huren und Huren dasselbe sind.«

»Wie bitte?«

»Daß männliche Huren dasselbe sind wie weibliche

oder daß sie zumindest in derselben Gegend arbeiten. Soweit ich gestern gehört und gesehen habe, sieht es aber so aus, als wäre die Gegend um den Schlachthof den weiblichen Huren vorbehalten.« Gallo dachte darüber nach, und Brunetti fügte ermunternd hinzu: »Aber dies ist Ihre Stadt, und Sie wissen sicher besser Bescheid darüber als ich, der ich hier mehr oder weniger fremd bin.«

Gallo grinste ein bißchen bei dem Kompliment und nickte. »Normalerweise sind es schon die Mädchen, die in den Wiesen draußen bei den Fabriken arbeiten. Aber wir haben auch immer mehr junge Männer – darunter viele Slawen und Nordafrikaner –, und vielleicht waren sie ja gezwungen, auf neues Gebiet auszuweichen.«

»Haben Sie irgendwelche Gerüchte darüber gehört?«

»Nicht persönlich, Commissario. Aber ich habe in der Regel nicht viel mit den Huren zu tun, es sei denn, sie sind in Gewaltverbrechen verwickelt.«

»Kommt das oft vor?«

Gallo schüttelte den Kopf. »Und wenn es vorkommt, haben die Frauen meist Angst, uns zu informieren; sie fürchten, im Gefängnis zu landen, egal, wer für die Gewalt verantwortlich war. Außerdem sind viele illegal hier und scheuen sich, zu uns zu kommen, weil sie Angst haben, abgeschoben zu werden, wenn sie in irgendwelche Schwierigkeiten geraten. Und viele Männer schlagen gerne zu. Die Mädchen lernen wahrscheinlich, solche Typen zu erkennen, oder bekommen Tips von anderen Mädchen und versuchen dann, ihnen aus dem Weg zu gehen.

Die Männer dürften eher in der Lage sein, sich zu verteidigen. In den Unterlagen haben Sie ja gesehen, wie kräftig einige von ihnen sind. Hübsche Kerle, manche sogar schön, aber eben doch Männer. Ich könnte mir vorstellen, daß sie solchen Ärger nicht so oft haben. Oder wenn doch, wüßten sie zumindest besser, wie sie sich verteidigen können.«

»Haben Sie den Autopsiebericht schon?« fragte Brunetti.

Gallo nahm ein paar Blätter und reichte sie ihm. »Er kam vorhin, als Sie im Krankenhaus waren.«

Brunetti überflog das Geschriebene rasch, Jargon und Terminologie waren ihm vertraut. Keine Einstichstellen, also hatte der Verstorbene sich keine Drogen gespritzt. Größe, Gewicht, allgemeine körperliche Verfassung, all die Dinge, die Brunetti gesehen hatte, waren aufgelistet, aber bis ins kleinste, meßbare Detail. Das Make-up, von dem der Wärter gesprochen hatte, wurde erwähnt, doch nur als »signifikante Spuren von Lippenstift- und Augen-Make-up«. Es gab keine Hinweise auf kürzliche sexuelle Betätigung, weder aktiver noch passiver Art. Die Untersuchung der Hände wies auf eine sitzende Beschäftigung hin; die Nägel waren kurz geschnitten, und die Handflächen zeigten keine Schwielen. Abschürfungen am Körper bestätigten die Annahme, daß der Mann an einem anderen Ort umgebracht und anschließend dahin geschafft worden war, wo man ihn gefunden hatte, aber durch die intensive Hitze, der er ausgesetzt gewesen war, konnte man unmöglich genauer bestimmen, wieviel Zeit zwischen dem Mord und seiner Entdeckung lag; man konnte äußerstenfalls von einem Zeitraum zwischen zwölf und zwanzig Stunden sprechen.

Brunetti sah zu Gallo und fragte: »Haben Sie es schon gelesen?«

»Ja, Commissario.«

»Und, was sagen Sie dazu?«

»Wir müssen uns wohl immer noch zwischen Wut und Gerissenheit entscheiden.«

»Aber erst einmal müssen wir herausfinden, wer er ist«, sagte Brunetti. »Wie viele Leute sind für den Fall eingeteilt?«

»Da wäre Scarpa.«

»Der Mann, der gestern draußen in der Sonne gestanden hat?«

Gallos ruhiges: »Ja, Commissario«, sagte Brunetti, daß er von dem Zwischenfall gehört hatte und ihn mißbilligte. »Er ist der einzige Beamte, der eingeteilt ist. Der Tod von Prostituierten hat keinen so großen Vorrang, besonders im Sommer nicht, wenn wir sowieso weniger sind.«

»Und sonst keiner?« fragte Brunetti.

»Der Fall wurde mir vorläufig zugeteilt, weil ich den Anruf entgegengenommen und die Squadra Mobile losgeschickt habe. Unser Vice-Questore hier in Mestre hat vorgeschlagen, daß Sergente Buffo ihn weiterverfolgen soll, weil er zum Fundort der Leiche gefahren ist.«

»Aha«, meinte Brunetti nachdenklich. »Gibt es eine Alternative?«

»Sie meinen, ob es eine Alternative zu Sergente Buffo gibt?«

»Ja.«

»Sie könnten darum nachsuchen, da Sie mit mir zuerst Kontakt hatten und wir den Fall lang und breit besprochen haben…« Hier legte Gallo eine Pause ein, als wollte er die Länge und Breite noch weiter ausdehnen. Dann fuhr er fort: »Es spart vielleicht Zeit, wenn ich weiter an dem Fall bleibe.«

»Wer ist der zuständige Vice-Questore?«

»Nasci.«

»Wird sie… ich meine, wird sie es für sinnvoll halten?«

»Ich bin sicher, daß sie zustimmen wird, wenn das Ersuchen von einem Commissario kommt. Ganz besonders, da Sie extra herkommen, um bei uns einzuspringen.«

»Gut. Lassen Sie das Ersuchen aufsetzen, ich unterschreibe es vor dem Mittagessen.« Gallo nickte, machte sich eine Notiz, und sah Brunetti dann abwartend an. »Und Ihre Leute sollen sich die Kleider und Schuhe vornehmen, die er anhatte.« Gallo nickte wieder und notierte auch das.

Brunetti schlug den blauen Ordner auf, den er am Abend zuvor durchgelesen hatte, und deutete auf eine Liste mit Namen und Adressen, die an die Innenseite des Deckels geheftet war. »Ich glaube, wir fangen am besten damit an, daß wir diese Leute hier über das Opfer befragen, ob sie wissen, wer der Mann war, ob sie ihn erkennen oder ihnen jemand einfällt, der ihn möglicherweise gekannt hat. Der Pathologe schätzt ihn auf Anfang vierzig. Von den Männern in dem Ordner hier ist keiner so alt, die meisten sind sogar unter dreißig, wenn er also aus der Gegend stammt, ist er schon wegen seines Alters aufgefallen, und man kennt ihn.«

»Wie wollen Sie es machen, Commissario?«

»Ich denke, wir sollten die Liste dreiteilen, dann können

Sie und ich und Scarpa gleich anfangen, das Bild herumzuzeigen und Fragen zu stellen.«

»Das sind aber keine Leute, die sich mit Polizisten unterhalten wollen, Commissario.«

»Dann sollten wir ein zweites Foto mitnehmen, eins von denen, die ihn zeigen, wie er auf der Wiese gefunden wurde. Ich denke, wenn wir die Leute überzeugen, daß ihnen das gleiche passieren könnte, werden sie vielleicht etwas bereitwilliger mit uns reden.«

»Ich lasse Scarpa heraufkommen«, sagte Gallo und griff zum Telefonhörer.

7

Auch wenn erst später Vormittag war – für die Männer auf ihrer Liste wahrscheinlich noch mitten in der Nacht –, einigten sie sich darauf, gleich zu ihnen zu gehen. Brunetti bat die anderen, da sie sich in Mestre auskannten, so etwas wie eine geographische Ordnung in die Adressenliste zu bringen, damit sie nicht alle kreuz und quer in der Stadt herumfuhren, während sie ihren Teil der Liste bearbeiteten.

Als das erledigt war, nahm Brunetti sich seine Adressen und ging nach unten, um den Fahrer zu suchen. Er bezweifelte, ob es klug war, zur Befragung dieser Männer im blau-weißen Streifenwagen mit einem uniformierten Polizisten am Steuer zu fahren, aber kaum hatte er einen Schritt in Mestres vormittägliche Luft getan, warf er um des schieren Überlebens willen schnell alle Bedenken über Bord.

Die Hitze schlug über ihm zusammen, und er hatte das Gefühl, als zerfresse die Luft ihm die Augen. Kein Hauch, nicht die leiseste Brise; der Tag lastete auf der Stadt wie eine schmierige Decke. Eine Autoschlange quälte sich an der Questura vorbei, und die Fahrer protestierten vergeblich mit der Hupe gegen umspringende Ampeln oder leichtsinnige Fußgänger. Hinter den Autos wirbelten Schmutz und leere Zigarettenpackungen hoch. Brunetti sah das alles, hörte es, atmete es ein und hatte das Gefühl, als umklammere jemand von hinten seine Brust. Wie konnten die Menschen das nur aushalten?

Brunetti floh in den kühlen Kokon des Streifenwagens und stieg eine Viertelstunde später vor einem achtgeschossigen Wohnhaus am westlichen Stadtrand wieder aus. Er blickte hinauf und sah, daß zwischen diesem und dem Haus gegenüber Leinen gespannt waren, an denen Wäsche hing. Hier wehte eine leichte Brise, so daß die vielfarbigen Wimpel aus Bettlaken, Handtüchern und Unterwäsche über ihm wogten und für einen Moment seine Stimmung hoben.

Drinnen saß der *portiere* in seinem käfigähnlichen Büro und war dabei, auf seinem Tisch Zeitungen und Umschläge zu sortieren, offenbar die Post für die Bewohner des Hauses. Es war ein alter Mann mit schütterem Bart und einer silberumrandeten Lesebrille auf der Nasenspitze. Er linste über seinen Brillenrand und sagte guten Morgen. Die Feuchtigkeit verstärkte den säuerlichen Geruch in dem Kabäuschen, und ein Ventilator auf dem Fußboden, der um die Beine des Alten blies, wirbelte den Geruch nur herum.

Brunetti sagte ebenfalls guten Morgen und fragte, wo er Giovanni Feltrinelli finden könne.

Bei dem Namen schob der *portiere* seinen Stuhl zurück und stand auf. »Ich habe ihm doch gesagt, er soll seine Kunden nicht mehr hierherbestellen. Wenn er seine dreckige Arbeit machen will, kann er das in euren Autos tun oder draußen auf der Wiese bei den anderen Tieren, aber nicht hier in diesem Haus. Sonst rufe ich die Polizei.« Dabei griff er mit der rechten Hand zum Telefon an der Wand hinter ihm und musterte Brunetti mit wütendem Blick von oben bis unten, ohne seinen Abscheu zu verbergen.

»Ich bin die Polizei«, sagte Brunetti ruhig, zog seinen

Dienstausweis aus der Brieftasche und hielt ihn dem alten Mann hin. Der nahm ihn unwirsch, als wollte er seinem Gegenüber zu verstehen geben, daß er sehr wohl wußte, wo man so etwas fälschen lassen konnte, und schob seine Brille zurecht, um ihn zu studieren.

»Sieht echt aus«, räumte er schließlich ein und gab Brunetti den Ausweis zurück. Dann zog er ein schmutziges Taschentuch heraus, nahm seine Brille ab und begann sorgfältig die Gläser zu putzen, erst das eine, dann das andere, als hätte er sein Leben lang nichts anderes getan. Er setzte die Brille wieder auf, sorgsam darauf bedacht, die Bügel ordentlich hinter die Ohren zu klemmen, steckte das Taschentuch weg und fragte Brunetti in verändertem Ton: »Was hat er denn jetzt wieder angestellt?«

»Nichts. Er soll ein paar Fragen über jemand anderen beantworten.«

»Einen von seinen Schwulis?« fragte der Alte, wieder in aggressivem Ton.

Brunetti ignorierte die Frage. »Ich möchte Signor Feltrinelli sprechen. Er kann uns vielleicht wichtige Informationen geben.«

»*Signor* Feltrinelli? *Signore*?« Der alte Mann wiederholte Brunettis Worte und machte aus der förmlichen Anrede eine Beleidigung. »Sie meinen Nino, den Adonis? Nino, den Schwanzlutscher?«

Brunetti seufzte müde. Warum konnten die Leute sich nicht angewöhnen, etwas überlegter zu hassen, etwas wählerischer? Vielleicht sogar etwas sinnvoller? Warum nicht die Christdemokraten hassen? Oder die Sozialisten? Oder warum nicht Leute hassen, die Homosexuelle haßten?

»Können Sie mir die Wohnungsnummer von Signor Feltrinelli sagen?«

Der alte Mann setzte sich wieder hinter seinen Tisch und fuhr fort, die Post zu sortieren. »Fünfter Stock. Der Name steht an der Tür.«

Brunetti wandte sich ohne ein Wort zum Gehen. Während er die Tür zur Eingangshalle öffnete, meinte er zu hören, wie der Alte noch ein verächtliches *»signore«* brummelte, aber es konnte auch nur ein ärgerliches Schnaufen gewesen sein. Am anderen Ende der marmorgefliesten Eingangshalle rief er den Fahrstuhl und wartete. Nach ein paar Minuten war der Aufzug immer noch nicht gekommen, aber Brunetti verspürte keine Lust zurückzugehen und den *portiere* zu fragen, ob er überhaupt in Betrieb war. Statt dessen machte er eine Tür zu seiner Linken auf, die tatsächlich zum Treppenhaus führte, und ging zu Fuß in den fünften Stock. Bis er oben ankam, mußte er seine Krawatte lockern und mehrmals den feuchten Stoff seiner Hosen von den Oberschenkeln abziehen. Er holte sein Taschentuch heraus und wischte sich den Schweiß vom Gesicht.

Wie der alte Mann gesagt hatte, stand der Name an der Tür. »Giovanni Feltrinelli – Architetto.«

Brunetti sah auf die Uhr: 11 Uhr 35. Er klingelte. Sogleich hörte er rasche Schritte. Die Tür wurde von einem jungen Mann geöffnet, der entfernte Ähnlichkeit mit dem Polizeifoto besaß, das Brunetti sich nachts zuvor angesehen hatte: kurze, blonde Haare, ein weiches, feminines Kinn und große, dunkle Augen.

»Si?« sagte er und sah Brunetti mit einem freundlich fragenden Lächeln an.

»Signor Giovanni Feltrinelli?« fragte Brunetti und hielt ihm gleichzeitig seinen Ausweis hin.

Der junge Mann sah den Ausweis kaum an, schien ihn aber sofort zu erkennen, und dieses Erkennen wischte das Lächeln von seinem Gesicht.

»Ja. Was wünschen Sie?« Die Stimme war so kühl wie nun das Lächeln.

»Ich möchte gern mit Ihnen sprechen, Signor Feltrinelli. Darf ich hereinkommen?«

»Warum fragen Sie überhaupt?« versetzte Feltrinelli müde, öffnete die Tür etwas weiter und trat zurück, um Brunetti hereinzulassen.

»*Permesso*«, sagte Brunetti und trat ein. Vielleicht traf die Berufsbezeichnung an der Tür ja zu, denn die Wohnung dahinter wirkte präzise und gekonnt geplant. Das Zimmer, in das Brunetti kam, war in gebrochenem Weiß gestrichen, das helle Parkett im Fischgrätmuster verlegt. Darauf verteilt lagen mehrere Kelims in gedämpften, verblichenen Farben, und zwei andere Teppiche – Brunetti hielt sie für persisch – hingen an den Wänden. Das Sofa an der Stirnseite des Raums war lang, niedrig und, wie es aussah, mit beigefarbener Seide bezogen. Davor stand ein rechteckiger Glastisch, auf dessen einem Ende ein großer Keramikteller ins Auge fiel. An einer Wand standen Bücherregale, an einer anderen hingen gerahmte Architekturentwürfe neben Fotos von fertigen Bauten, die alle niedrig und weitläufig und von riesigen Flächen karger Landschaft umgeben waren. In der hintersten Ecke stand ein hoher Zeichentisch, dessen Arbeitsplatte zur Zimmermitte hin gekippt und mit großen Transparentpapierbogen bedeckt war. Eine Zigarette brannte in einem Aschenbecher, der jeden Moment von der schrägen Tischplatte zu rutschen drohte.

Die perspektivische Anordnung lenkte den Blick des Betrachters immer wieder zur Raummitte hin, auf den schlichten Keramikteller. Brunetti hatte den Eindruck, daß die Wirkung gewollt war, wußte aber nicht, wie sie zustande kam.

»Signor Feltrinelli«, begann er. »Ich möchte Sie bitten, uns bei unseren Ermittlungen zu helfen, wenn Sie können.«

Feltrinelli schwieg.

»Ich zeige Ihnen das Bild eines Mannes, und Sie sagen mir dann, ob Sie ihn kennen oder schon einmal gesehen haben.«

Feltrinelli ging zu dem Zeichentisch hinüber und nahm seine Zigarette. Er zog gierig daran und drückte sie dann mit einer nervösen Geste aus. »Ich gebe keine Namen preis«, sagte er.

»Wie bitte?« fragte Brunetti, der dafür zwar Verständnis hatte, es aber nicht zeigen wollte.

»Ich gebe die Namen meiner Kunden nicht preis. Sie können mir so viele Fotos zeigen, wie Sie wollen, ich werde auf keinem einzigen jemanden erkennen, und Namen kenne ich auch nicht.«

»Ich frage Sie nicht nach Ihren Kunden, Signor Feltrinelli«, sagte Brunetti. »Und es interessiert mich nicht, wer dazu gehört. Aber wir glauben, daß Sie vielleicht etwas über diesen Mann wissen, und möchten Sie bitten, sich eine Skizze anzusehen und uns zu sagen, ob Sie ihn erkennen.«

Feltrinelli trat vom Zeichentisch an ein kleines Fenster linker Hand, und Brunetti wurde mit einemmal klar, warum der Raum so eingerichtet war: Das Ganze diente nur dem Zweck, die Aufmerksamkeit von diesem Fenster und der tristen Backsteinmauer abzulenken, die nur zwei Meter dahinter stand. »Und wenn nicht?« fragte Feltrinelli.

»Wenn was nicht? Wenn Sie ihn nicht erkennen?«

»Nein, wenn ich mir das Bild nicht ansehe?«

In dem Zimmer war weder eine Klimaanlage noch ein Ventilator, und es roch nach billigen Zigaretten; Brunetti glaubte regelrecht zu fühlen, wie der Geruch sich in seinen feuchten Kleidern und seinen Haaren einnistete. »Signor Feltrinelli, ich bitte Sie, Ihrer Bürgerpflicht nachzukommen und der Polizei bei den Ermittlungen in einem Mordfall zu helfen. Wir wollen nur das Opfer identifizieren. Vorher können wir mit unseren Ermittlungen nicht anfangen.«

»Ist es der, den Sie gestern auf der Wiese draußen gefunden haben?«

»Ja.«

»Und Sie glauben, es könnte einer von uns sein?« Was er mit »uns« meinte, brauchte Feltrinelli nicht zu erklären.

»Ja.«

»Warum?«

»Das spielt für Sie keine Rolle.«

»Aber Sie glauben, daß er ein Transvestit ist?«

»Ja.«

»Und einer, der als Hure arbeitet?«

»Vielleicht«, antwortete Brunetti.

Feltrinelli wandte sich vom Fenster ab und kam durchs Zimmer auf Brunetti zu. Er streckte die Hand aus. »Zeigen Sie mir das Bild.«

Brunetti schlug die Mappe auf, die er in der Hand hielt, und nahm eine Fotokopie der Skizze heraus. Dabei sah er, daß die knallblaue Mappe auf seine feuchte Handfläche abgefärbt hatte. Er reichte das Blatt Feltrinelli, der es einige Augenblicke eingehend betrachtete, dann mit der freien Hand den Haaransatz des Mannes auf dem Bild abdeckte und es erneut genau ansah. Schließlich gab er Brunetti das Blatt zurück und schüttelte den Kopf. »Nein, den habe ich noch nie gesehen.«

Brunetti glaubte ihm. Er legte die Skizze in die Mappe zurück. »Wissen Sie jemanden, der uns vielleicht helfen könnte, den Mann zu identifizieren?«

»Ich nehme an, Sie gehen nach einer Liste vor, auf der diejenigen von uns stehen, die schon mal festgenommen wurden«, sagte Feltrinelli, dessen Stimme nicht mehr ganz so unwillig klang.

»Ja. Wir kommen an keine anderen Leute heran, denen wir das Bild zeigen könnten.«

»Sie meinen bisher noch nie Festgenommene, wenn ich Sie recht verstehe«, sagte Feltrinelli und fragte dann: »Haben Sie noch so eine Skizze?«

Brunetti nahm eine aus der Mappe und gab sie ihm nebst seiner Visitenkarte. »Sie müßten allerdings dann bei der Questura in Mestre anrufen, aber Sie können nach mir fragen. Oder nach Sergente Gallo.«

»Wie ist er umgebracht worden?«

»Das steht in den Morgenzeitungen.«

»Ich lese keine Zeitungen.«

»Er wurde erschlagen.«

»Auf der Wiese?«

»Das kann ich Ihnen nicht sagen, Signore.«

Feltrinelli legte das Blatt mit dem Gesicht nach oben auf den Zeichentisch und zündete sich eine neue Zigarette an.

»Also gut«, sagte er. »Ich habe das Bild. Ich werde es ein paar Leuten zeigen. Wenn ich etwas erfahre, lasse ich es Sie wissen.«

»Sind Sie Architekt, Signor Feltrinelli?«

»Ja. Ich habe eine *laurea d'architettura*. Aber ich arbeite nicht. Ich meine, ich bin arbeitslos.«

Mit einer Kopfbewegung zu dem Transparentpapier auf dem Zeichenbrett fragte Brunetti: »Aber Sie arbeiten an einem Projekt?«

»Nur zu meinem Vergnügen, Commissario. Meine Stelle habe ich verloren.«

»Das tut mir leid, Signore.«

Feltrinelli steckte die Hände in die Hosentaschen und sah zu Brunetti hinüber. Mit betont neutraler Stimme sagte er: »Ich war in Ägypten und habe dort im Auftrag der Regierung Häuser für den sozialen Wohnungsbau entworfen. Aber dann beschlossen sie, alle Ausländer einem jährlichen AIDS-Test zu unterziehen. Ich habe meinen letztes Jahr nicht bestanden; daraufhin haben sie mich rausgeworfen und nach Hause geschickt.«

Brunetti sagte nichts dazu, und Feltrinelli fuhr fort: »Als ich hierher zurückkam, habe ich versucht, eine Arbeit zu finden, aber Sie wissen wahrscheinlich, daß es Architekten gibt wie Sand am Meer. Daraufhin«, er hielt inne, als überlegte er, wie er sich ausdrücken sollte, »daraufhin habe ich einen anderen Beruf ergriffen.«

»Meinen Sie die Prostitution?« fragte Brunetti.

»Ja.«

»Machen Sie sich keine Gedanken über das Risiko?«

»Risiko?« Feltrinelli lächelte fast wieder so wie vorhin an der Tür. Brunetti sagte nichts. »Sie spielen auf AIDS an?« fügte Feltrinelli unnötigerweise hinzu.

»Ja.«

»Für mich gibt es kein Risiko«, meinte Feltrinelli und wandte sich ab. Er ging zum Zeichentisch und nahm seine Zigarette. »Sie finden ja allein hinaus, Commissario«, sagte er noch, während er sich wieder über seine Zeichnung beugte.

8

Brunetti trat auf die Straße hinaus, zurück in die Sonne und den Lärm, und ging in eine Bar rechts neben dem Gebäude. Er bestellte sich ein Glas Mineralwasser, dann ein zweites. Nachdem er auch dieses fast geleert hatte, schüttete er den Rest in sein Taschentuch und rieb damit vergeblich an dem blauen Farbfleck auf seiner Hand herum.

War es eine kriminelle Handlung, wenn ein aidskranker *prostituto* Sex hatte? Ungeschützten Sex? Die Polizei behandelte Prostitution schon so lange nicht mehr als Straftat, daß es Brunetti schwerfiel, sie als solche zu betrachten. Aber wenn jemand, der AIDS hatte, wissentlich ungeschützten Sexualverkehr hatte, war das doch sicher ein Verbrechen, obwohl es durchaus möglich war, daß die Gesetze hier hinter der Wahrheit herhinkten und es darum nicht illegal war. Er merkte, in welche moralischen Untiefen diese Unterscheidung führte, bestellte ein drittes Glas Sprudel und nahm sich den nächsten Namen auf seiner Liste vor.

Francesco Crespo wohnte nur vier Straßen von Feltrinelli entfernt, aber es lagen Welten dazwischen. Brunetti stand vor einem eleganten, rechteckigen Bau mit viel Glas, der bei seiner Entstehung vor zehn Jahren der letzte Schrei in Sachen Urbanität gewesen sein mußte. Aber Italien ist ein Land, in dem neue Designideen nie länger gewürdigt werden, als bis sie umgesetzt sind, dann lassen die immer vorwärts Schauenden sie schon wieder fallen und folgen neuen bunten Fahnen, wie jene verdammten Seelen in Dantes *Inferno*, die für alle Ewigkeit ruhelos umherirren auf der Suche nach einer Fahne, die sie weder erkennen noch benennen können.

Das Jahrzehnt, das seit dem Bau dieses Hauses verstrichen war, hatte den Zeitgeist mit sich fortgenommen, und das Gebäude sah jetzt höchstens noch wie eine hochkant gestellte Schachtel *spaghettini* aus. Das Glas der Fenster glänzte, und das Stückchen Land zwischen Haus und Straße war sorgsam gepflegt, aber nichts konnte verhindern, daß der Bau völlig deplaziert wirkte zwischen den niedrigeren, bescheideneren Gebäuden ringsum, in deren Mitte er mit solch naiver Gedankenlosigkeit errichtet worden war.

Diesmal hatte Brunetti die Wohnungsnummer, und der klimatisierte Fahrstuhl brachte ihn rasch in den siebten Stock. Als die Tür zur Seite glitt, trat er in einen marmorgefliesten Korridor, der ebenfalls klimatisiert war. Er wandte sich nach rechts und drückte auf den Klingelknopf des *appartamento* D.

Von drinnen hörte er ein Geräusch, aber niemand kam an die Tür. Er klingelte noch einmal. Das Geräusch wiederholte sich nicht, und die Tür blieb verschlossen. Er klingelte ein drittes Mal, dabei hielt er den Finger fest auf dem Knopf. Selbst durch die geschlossene Tür konnte er das Schrillen der Klingel hören, dann rief eine Stimme: »*Basta. Vengo.*«

Er nahm den Finger vom Klingelknopf, und gleich darauf wurde die Tür von einem großen, kräftigen Mann aufgerissen, der eine Leinenhose und einen Pullover trug,

Kaschmir offenbar. Brunetti warf einen kurzen Blick auf das Gesicht des Mannes und sah zwei dunkle Augen, wütende Augen, und eine schon mehrfach gebrochene Nase, doch dann fiel sein Blick wieder auf den hochgeschlossenen Pullover und blieb dort hängen. Es war Mitte August, die Leute kippten auf der Straße um vor Hitze, und dieser Mann trug einen Kaschmirpullover! Brunetti richtete den Blick wieder aufs Gesicht des Mannes und fragte: »*Signor Crespo?*«

»Wer will was von ihm?« fragte der Mann zurück, ohne seine Verärgerung und Aggressivität im mindesten zu verhehlen.

»Commissario Guido Brunetti«, antwortete er und zückte wieder einmal seinen Ausweis. Dieser Mann mußte, genau wie Feltrinelli, nur einen flüchtigen Blick darauf werfen, um zu erkennen, was es war. Er machte unvermittelt einen Schritt auf Brunetti zu, vielleicht in der Hoffnung, ihn durch seine aggressive Haltung in den Hausflur zurückzudrängen. Aber Brunetti rührte sich nicht von der Stelle, und der andere wich zurück. »Er ist nicht da.«

Irgendwo in der Wohnung hörte man etwas Schweres zu Boden fallen.

Diesmal war es Brunetti, der einen Schritt nach vorn machte und den anderen damit von der Tür wegdrängte. Brunetti ging weiter ins Wohnzimmer zu einem thronähnlichen Ledersessel neben einem Tisch, auf dem ein riesiger Gladiolenstrauß in einer Kristallvase stand. Er setzte sich in den Sessel, schlug die Beine übereinander und sagte: »Vielleicht warte ich dann hier auf Signor Crespo.« Er lächelte. »…Wenn Sie nichts dagegen haben, Signor…?«

Der Mann knallte die Eingangstür zu, drehte sich um und ging rasch zu einer zweiten Tür am anderen Ende des Zimmers. »Ich hole ihn«, sagte er.

Er verschwand in dem angrenzenden Raum und zog die Tür hinter sich zu. Seine tiefe, ärgerliche Stimme war deutlich zu vernehmen. Brunetti hörte eine zweite Stimme, ein Tenor zu dem Baß. Und dann war es, als mischte sich noch eine dritte ein, auch ein Tenor, aber einen ganzen Ton höher als der erste. Was immer hinter der Tür gesprochen wurde, es dauerte einige Minuten, und Brunetti sah sich derweil im Zimmer um. Alle Einrichtungsgegenstände waren neu, und alle waren sichtbar teuer, aber er hätte nichts davon haben wollen, weder das perlgraue Ledersofa, noch den eleganten Mahagonitisch daneben.

Die Tür zu dem anderen Zimmer ging auf, und das Schwergewicht kam heraus, gefolgt von einem zweiten Mann, der zehn Jahre jünger und mindestens drei Konfektionsgrößen kleiner war.

»Das ist er«, sagte der im Pullover und deutete auf Brunetti.

Der jüngere Mann trug eine weitgeschnittene, hellblaue Hose und ein offenes, weißes Seidenhemd. Er kam auf Brunetti zu, der sich erhob und fragte: »Signor Francesco Crespo?«

Der Jüngere baute sich vor ihm auf, aber dann kam angesichts eines Mannes von Brunettis Aussehen und Alter offenbar der Instinkt oder die professionelle Routine durch. Er trat einen winzigen Schritt näher an Brunetti heran, hob mit gespreizten Fingern anmutig die Hand und legte sie an den Halsansatz. »Ja. Was kann ich für Sie tun?«

Es war die höhere Tenorstimme von den beiden, die Brunetti durch die Tür gehört hatte, aber Crespo bemühte sich, sie tiefer klingen zu lassen, als machte sie das interessanter oder verführerischer.

Crespo war etwas kleiner als Brunetti und wog sicher zehn Kilo weniger. Es war entweder Zufall oder Berechnung, daß seine Augen, die sich von seinem sonnengebräunten Gesicht abhoben, dasselbe helle Grau wie das Sofa hatten. Hätte eine Frau dieses Gesicht gehabt, hätte man sie höchstens als hübsch bezeichnet, doch die markanten Züge, die seine Männlichkeit beisteuerte, machten es schön.

Diesmal war es Brunetti, der einen kleinen Schritt zurücktrat. Er hörte, wie der im Pullover verächtlich schnaubte, und drehte sich nach der Mappe um, die er auf den Tisch neben sich gelegt hatte.

»Signor Crespo, ich möchte Sie bitten, sich ein Bild anzusehen und mir zu sagen, ob Sie den Mann darauf kennen.«

»Ich sehe mir gern alles an, was Sie mir zeigen«, sagte Crespo mit Betonung auf dem »Sie«, wobei er mit der Hand unter seinen Hemdkragen fuhr, um sich über den Nacken zu streichen.

Brunetti schlug die Mappe auf und reichte Crespo das Bild, das der Zeichner von dem Toten gemacht hatte. Crespo blickte kaum eine Sekunde darauf, dann sah er Brunetti an, lächelte und meinte: »Keine Ahnung, wer das sein könnte.« Er hielt Brunetti das Bild hin, aber der nahm es nicht entgegen.

»Ich möchte, daß Sie es sich genauer ansehen, Signor Crespo.«

»Er hat doch gesagt, daß er ihn nicht kennt«, blaffte der Bullige aus dem Hintergrund.

Brunetti beachtete ihn nicht. »Der Mann ist zu Tode geprügelt worden, und wir müssen herausfinden, wer er war. Ich wäre Ihnen also dankbar, wenn Sie noch einmal genauer hinsehen würden, Signor Crespo.«

Crespo schloß einen Moment die Augen und strich sich eine widerspenstige Locke hinters linke Ohr. »Wenn Sie darauf bestehen«, meinte er und schaute wieder auf das Bild. Diesmal senkte er den Kopf und betrachtete das abgebildete Gesicht eingehend. Brunetti konnte seine Augen nicht sehen, aber er beobachtete, wie seine Hand plötzlich vom Ohr zum Hals wanderte, diesmal ganz ohne Koketterie.

Einen Moment später blickte er zu Brunetti auf, lächelte gewinnend und sagte: »Ich habe ihn noch nie gesehen, Commissario.«

»Zufrieden?« fragte der andere und machte einen Schritt in Richtung Tür.

Brunetti nahm die Zeichnung, die Crespo ihm hinhielt, und legte sie wieder in die Mappe. »Das ist nur die Vorstellung, die der Zeichner sich vom Aussehen des Mannes gemacht hat, Signor Crespo. Wenn es Ihnen nichts ausmacht, würde ich Ihnen gern noch ein Foto zeigen.« Brunetti setzte sein verführerischstes Lächeln auf, und Crespos Hand flog wie ein Vogel zu der sanften Höhlung zwischen seinen Schlüsselbeinen zurück. »Aber natürlich, Commissario. Natürlich, wenn Sie wollen.«

Brunetti lächelte wieder und griff nach dem dünnen Stapel Fotos in seiner Mappe. Er nahm eines davon und betrachtete es kurz. Es erfüllte seinen Zweck so gut wie jedes andere. Dann sah er Crespo an, der wieder dicht an ihn herangetreten war. »Es besteht die Möglichkeit, daß er von einem Mann getötet wurde, der für seine Dienste bezahlt hat. Das heißt, daß Männern wie ihm Gefahr von demselben Mann drohen könnte.« Er hielt Crespo das Foto hin.

Der nahm es und berührte dabei wie zufällig Brunettis Finger. Dann hielt er das Bild zwischen ihnen hoch, bedachte Brunetti mit einem langen Lächeln und neigte, immer noch lächelnd, den Kopf darüber. Gleich darauf flog seine Hand vom Hals an seinen halb geöffneten Mund. »Nein, nein«, keuchte er, den Blick immer noch auf dem Foto. »Nein, nein«, wiederholte er und sah mit schreckgeweiteten Augen zu Brunetti auf. Dann rammte er das Foto mit ausgestrecktem Arm gegen Brunettis Brust und machte ein paar Schritte rückwärts, als ginge ein Pesthauch von Brunetti aus. Das Foto fiel zu Boden. »Das können sie mit mir nicht machen. Das passiert mir nicht«, sagte er, während er weiter zurückwich. Mit jedem Wort wurde seine Stimme schriller, bis sie überschnappte. »Nein, das passiert mit mir nicht. Mir passiert nichts. Niemals.« Seine Stimme forderte hysterisch die Welt heraus, in der er lebte. »Mir nicht, nein, mir nicht«, schrie er, während er immer weiter vor Brunetti zurückwich. In der Mitte des Zimmers stieß er an einen Tisch, geriet in Panik, als seine Flucht vor dem Foto und dem Mann, der es ihm gezeigt hatte, blockiert war, und schlug wild um sich. Eine Vase, das Gegenstück zu der neben Brunetti, fiel krachend auf den Boden.

Die Tür zum anderen Zimmer ging auf, und ein weiterer

Mann kam mit raschen Schritten herein. »Was ist denn los?« fragte er. »Was ist passiert?«

Er blickte zu Brunetti hinüber, und beide erkannten sich augenblicklich. Giancarlo Santomauro war nicht nur einer der bekanntesten Anwälte Venedigs, der dem *patriarca* oft kostenlosen juristischen Rat erteilte, sondern auch Präsident und treibende Kraft der *Lega della Moralità,* einer Vereinigung christlicher Laien, die sich »der Bewahrung und dem Fortbestand von Glauben, Familie und Tugend« verschrieben hatte.

Brunetti nickte nur kurz. Falls diese Männer aus irgendeinem Grund nicht wußten, wer Crespos Kunde war, dann war es für den Anwalt besser, wenn es dabei blieb.

»Was machen Sie denn hier?« fragte Santomauro ärgerlich. Er drehte sich zu dem älteren Mann um, der jetzt neben dem Sofa stand, auf das Crespo schluchzend niedergesunken war, beide Hände vors Gesicht geschlagen. »Können Sie ihn nicht zum Schweigen bringen?« rief Santomauro. Brunetti sah zu, wie der Ältere sich über Crespo beugte, etwas zu ihm sagte und dann die Hände auf seine Schultern legte und ihn so lange schüttelte, bis sein Kopf hin und her flog. Crespo hörte auf zu weinen, behielt aber die Hände vor dem Gesicht.

»Was haben Sie in dieser Wohnung zu suchen, Commissario? Ich bin Signor Crespos Anwalt und werde nicht zulassen, daß die Polizei meinen Klienten weiterhin so brutal behandelt.«

Brunetti antwortete nicht, sondern beobachtete immer noch das Paar auf dem Sofa. Der ältere Mann hatte sich inzwischen neben Crespo gesetzt und legte ihm jetzt schützend den Arm um die Schultern, worauf sich Crespo allmählich beruhigte.

»Ich habe Ihnen eine Frage gestellt, Commissario«, sagte Santomauro.

»Ich hatte Signor Crespo gebeten, uns bei der Identifizierung eines Gewaltopfers behilflich zu sein. Ich habe ihm ein Foto des Mannes gezeigt. Seine Reaktion sehen Sie. Eine ziemlich heftige Art, auf den Tod eines Mannes zu reagieren, den er angeblich nicht kannte, meinen Sie nicht?«

Der Mann im Pullover sah Brunetti bei den Worten an, aber Santomauro gab die Antwort. »Wenn Signor Crespo gesagt hat, daß er ihn nicht kennt, dann haben Sie ja Ihre Antwort und können gehen.«

»Natürlich«, sagte Brunetti, klemmte sich die Mappe unter den rechten Arm und machte einen Schritt zur Tür hin. Dann sagte er halb über die Schulter und ganz beiläufig zu Santomauro: »Sie haben vergessen, Ihre Schuhe zuzubinden, *avvocato*.«

Santomauro schaute nach unten und sah sofort, daß beide Schuhe ordentlich geschnürt waren. Er warf Brunetti einen Blick zu, mit dem man Glas hätte schneiden können, sagte aber nichts.

Brunetti blieb vor dem Sofa stehen und blickte auf Crespo hinunter. »Mein Name ist Brunetti«, sagte er. »Wenn Ihnen noch irgend etwas einfällt, können Sie mich in der Questura in Venedig anrufen.«

Santomauro wollte etwas sagen, hielt sich jedoch zurück. Brunetti verließ die Wohnung.

9

Der Rest des Tages brachte keine weiteren Ergebnisse, weder für Brunetti noch für die beiden anderen Polizisten, die sich durch ihre Listen ackerten. Als sie sich am Spätnachmittag wieder in der Questura trafen, berichtete Gallo, drei der Befragten von seiner Liste hätten erklärt, sie wüßten nicht, wer der Mann sei, was seiner Ansicht nach der Wahrheit entsprach. Zwei weitere seien nicht zu Hause gewesen, und ein anderer habe gemeint, der Mann komme ihm irgendwie bekannt vor, aber er könne nicht sagen, warum oder inwiefern. Scarpa hatte ähnliche Erfahrungen gemacht; alle Männer, mit denen er gesprochen hatte, waren sicher, den Toten nie gesehen zu haben.

Sie kamen überein, daß sie am nächsten Tag versuchen wollten, den Rest ihrer Adressen abzuhaken. Brunetti bat Gallo, eine zweite Liste von den weiblichen Huren vorzubereiten, die draußen bei den Fabriken und auf der Via Cappuccina arbeiteten. Auch wenn er wenig Hoffnung hatte, daß diese Frauen ihnen weiterhelfen konnten, bestand immerhin die Möglichkeit, daß sie die Konkurrenz bemerkt hatten und den Mann erkannten.

Als Brunetti die Treppen zu seiner Wohnung hinaufstieg, phantasierte er sich zusammen, was ihn dort erwarten würde, wenn er die Tür aufschloß. Durch einen Zauber hätten Feen im Lauf des Tages eine Klimaanlage installiert; andere hätten eine dieser Duschen eingebaut, wie er sie bisher nur aus Broschüren von Luxusbädern und aus amerikanischen Seifenopern kannte. Zwanzig verschiedene Duschköpfe würden seinen Körper mit nadelfeinen, duftenden Wasserstrahlen besprühen, und wenn er mit dem Duschen fertig war, würde er sich in ein riesiges, flauschiges Handtuch hüllen. Und dann wäre da eine Bar, vielleicht so eine, wie sie oft an Swimmingpools waren, und ein Barmann in weißem Jackett würde ihm einen kühlen Longdrink anbieten, auf dem eine Hibiskusblüte schwamm. Nachdem seine unmittelbaren körperlichen Bedürfnisse befriedigt waren, wandte er sich dem Utopischen zu und beschwor zwei gehorsame und pflichtbewußte Kinder herauf, dazu eine Fee von einer Ehefrau, die ihm beim Heimkommen als erstes erzählte, daß der Fall gelöst sei und sie am nächsten Morgen alle zusammen in die Ferien fahren könnten.

Die Wirklichkeit war dann, wie sie das so an sich hat, etwas anders. Seine Familie hatte sich auf die Dachterrasse zurückgezogen, wo die erste Kühle des Abends zu spüren war. Chiara blickte von ihrem Buch auf, sagte: »*Ciao, papà*«, reckte das Kinn, um seinen Kuß entgegenzunehmen, und steckte die Nase wieder in ihr Buch. Raffi hob den Blick von der neuesten Ausgabe des *Gente Uomo*, wiederholte Chiaras Begrüßungsworte und gab sich erneut der Überlegung hin, ob Leinen eine dringende Notwendigkeit sei. Paola sah seine Verfassung, stand auf, schlang die Arme um ihn und küßte ihn auf den Mund.

»Guido, geh duschen, ich hole dir inzwischen etwas zu trinken.« Irgendwo links von ihnen schlug eine Glocke, Raffi blätterte eine Seite um, und Brunetti lockerte seine Krawatte.

»Aber mit Hibiskusblüte«, sagte er und verschwand Richtung Bad.

Zwanzig Minuten später saß er in bequemen Baumwollhosen und einem Leinenhemd draußen, die nackten Füße auf der Terrassenbrüstung, und erzählte Paola von seinem Tag. Die Kinder waren verschwunden, zweifellos, um pflichtbewußt und gehorsam irgendeiner Tätigkeit nachzugehen.

»Santomauro?« fragte sie. »Giancarlo Santomauro?«

»Genau der.«

»Wie pikant«, meinte sie mit echtem Entzücken in der Stimme. »Ich wünschte, ich hätte dir nie versprechen müssen, nicht über das zu reden, was du mir erzählst; das ist ja herrlich.« Und sie wiederholte genüßlich Santomauros Namen.

»Du erzählst doch nichts weiter, Paola, oder?« fragte er unnötigerweise.

Sie wollte schon eine ärgerliche Antwort abfeuern, aber dann beugte sie sich herüber und legte ihm die Hand aufs Knie. »Nein, Guido. Ich habe noch nie etwas weitergegeben. Und ich werde es auch nie tun.«

»Tut mir leid, daß ich gefragt habe«, sagte er, den Blick auf seinem Campari Soda.

»Kennst du seine Frau?« fragte sie, aufs Thema zurückkommend.

»Ich glaube, ich bin ihr vor ein paar Jahren mal irgendwo bei einem Konzert vorgestellt worden. Aber ich würde sie wohl kaum erkennen, wenn ich ihr begegnete. Wie ist sie denn so?«

Paola nippte an ihrem Drink und stellte das Glas auf die

Brüstung, etwas, was sie den Kindern immer wieder verbot. »Also«, fing sie an, während sie überlegte, wie sie ihre Antwort am beißendsten formulieren konnte. »Wenn ich Signor, nein, Avvocato Santomauro wäre und, von meiner Veranlagung mal ganz zu schweigen, die Wahl hätte zwischen meiner großen, dürren, tadellos angezogenen Frau mit ihrer Margaret-Thatcher-Frisur und einem jungen Mann, gleich welcher Größe, Haarfarbe oder Veranlagung, dann würde ich zweifellos die Arme nach dem Jungen ausstrecken.«

»Woher kennst du sie?« fragte Brunetti, die Rhetorik wie immer ignorierend und ganz auf die Sache konzentriert.

»Sie ist Kundin bei Biba«, erklärte Paola, einen ihrer Freunde erwähnend, der Juwelier war. »Ich habe sie ein paarmal in seinem Laden getroffen, und außerdem einmal mit ihrem Mann im Haus meiner Eltern, bei einem dieser Abendessen, zu denen du nicht mitgegangen bist.« Brunetti nahm das als Revanche dafür, daß er sie gefragt hatte, ob sie Dinge weitergab, die er ihr erzählte, und ließ es durchgehen.

»Wie sind die beiden zusammen?«

»Sie besorgt das Reden, und er steht nur mit arroganter Miene herum, als gäbe es im Umkreis von zehn Kilometern nichts und niemanden, der ihm das Wasser reichen könnte. Ich fand immer, daß sie zwei scheinheilige Wichtigtuer sind. Ich mußte ihr nur fünf Minuten zuhören, da war es mir klar; sie ist wie eine Nebenfigur aus einem Roman von Dickens, eine von den frömmlerischen, bösartigen. Weil andauernd nur sie redet, wußte ich bei ihm nicht so genau, woran ich war, ich mußte mich auf meinen Instinkt verlassen, aber es freut mich zu hören, daß ich recht hatte.«

»Paola«, warnte er. »Ich habe keinen Anlaß anzunehmen, daß er aus einem anderen Grund dort war, als um Crespo juristisch zu beraten.«

»Und dazu mußte er die Schuhe ausziehen?« fragte sie mit einem ungläubigen Schnauben. »Guido, erinnere dich doch bitte, in welchem Jahrhundert du lebst. Avvocato Santomauro war nur aus einem einzigen Grund dort, und der hatte nichts mit seinem Beruf zu tun, es sei denn, er hat einen interessanten Finanzierungsplan für Signor Crespo ausgearbeitet.«

Paola hatte den Hang, übers Ziel hinauszuschießen, das wußte er aus über zwei Jahrzehnten Erfahrung. Er war sich, selbst nach all diesen Jahren, noch immer nicht klar darüber, ob das ein Laster oder eine Tugend war, fest stand, daß es zu ihren unveränderlichen Charakterzügen gehörte. Sie bekam in solchen Momenten einen wild entschlossenen Blick, und den sah Brunetti jetzt. Er hatte zwar keine Ahnung, was kommen würde, aber er wußte, gleich war es soweit.

»Meinst du, er hat für den *patriarca* den gleichen Finanzierungsplan ausgeklügelt?«

In ebenjenen Jahren hatte er auch die Erfahrung gemacht, daß es das beste war, einfach nicht darauf einzugehen.

»Wie gesagt«, fuhr Brunetti fort, »die Tatsache, daß er sich in der Wohnung aufgehalten hat, beweist gar nichts.«

»Ich hoffe, du hast recht, sonst müßte ich mir jedesmal

Sorgen machen, wenn ich ihn aus dem Palazzo des Erz-bischofs oder aus der Basilika kommen sehe, oder?«

Brunetti warf ihr nur einen ganz kurzen Blick zu.

»Also gut, Guido, er war geschäftlich dort, beruflich.« Sie ließ ein paar Sekunden verstreichen und meinte dann in völlig anderem Ton, der ihm sagen sollte, daß sie sich jetzt wieder anständig benehmen und die Sache ernst nehmen wollte: »Aber du hast doch gesagt, daß Crespo den Mann auf dem Foto erkannt hat.«

»Ich hatte zuerst den Eindruck, aber als er dann zu mir aufsah, hatte er einen Moment Zeit gehabt, sich zu sammeln, und sein Gesichtsausdruck wirkte wieder normal.«

»Dann könnte der auf dem Bild ein x-beliebiger Mann sein, nicht? Einer vom Strich, sogar ein Kunde. Hast du das bedacht, Guido, daß es ein Kunde sein könnte, der sich als Frau anzieht, wenn er, na ja, wenn er zu diesen anderen Männern geht?«

Auf dem sexuellen Markt, den die moderne Gesellschaft darstellte, machte das Alter des Mannes ihn, wie Brunetti wußte, viel wahrscheinlicher zum Käufer als zum Verkäu-fer. »Das würde heißen, daß wir nach einem suchen soll-ten, der sich eher männliche Prostituierte gekauft, als sich selbst verkauft hat«, sagte er.

Paola nahm ihr Glas, schwenkte die Flüssigkeit ein paar-mal und trank aus. »Tja, das wäre dann wohl eine erheblich längere Liste. Und wenn ich bedenke, was du mir eben über den *avvocato del patriarca* erzählt hast, auch eine er-heblich interessantere.«

»Ist das eine von deinen Konspirationstheorien, Paola, daß die Stadt voll ist von scheinbar glücklich verheirateten

Männern, die es nicht erwarten können, mit einem dieser Transvestiten in den Büschen zu verschwinden?«

»Himmel noch mal, Guido, worüber redet ihr Männer eigentlich, wenn ihr euch trefft? Über Fußball? Politik? Hockt ihr nie zusammen und klatscht?«

»Worüber denn? Über die Jungs von der Via Cappuccina?« Er stellte sein Glas unnötig hart ab und kratzte sich am Knöchel, wo ihn gerade eine der ersten Mücken des Abends gestochen hatte.

»Das kommt wahrscheinlich daher, daß du keine schwulen Freunde hast«, sagte sie ruhig.

»Wir haben jede Menge schwuler Freunde«, entgegnete er, wobei ihm bewußt war, daß er nur in einer Auseinandersetzung mit Paola auf die Idee kam, sich damit zu brüsten.

»Sicher haben wir die, aber du redest nicht mit ihnen, Guido, nicht richtig.«

»Was soll ich denn tun, Kochrezepte mit ihnen austauschen oder die Geheimnisse meiner Schönheit preisgeben?«

Sie wollte etwas sagen, hielt inne, sah ihn durchdringend an und meinte dann mit völlig ausdrucksloser Stimme: »Ich bin mir nicht sicher, ob das jetzt eine beleidigende oder eine dumme Bemerkung war.«

Er kratzte an seinem Knöchel und dachte darüber nach, was sie beide eben gesagt hatten. »Wahrscheinlich eher dumm, aber sie war auch ziemlich beleidigend.«

Paola warf ihm einen mißtrauischen Blick zu.

»Tut mir leid«, fügte er hinzu.

Sie lächelte.

»Also gut, erzähl mir, was ich darüber wissen sollte«, bat er, während er wieder an seinem Knöchel kratzte.

»Ich wollte dir klarmachen, daß es unter den Schwulen in meinem Bekanntenkreis einige gibt, die mir versichern, viele Männer seien durchaus scharf auf Sex mit ihnen – Familienväter, verheiratete Männer, Ärzte, Anwälte, Priester. Vieles ist wahrscheinlich übertrieben, und Eitelkeit spielt sicher auch eine Rolle, aber bestimmt ist auch viel Wahres daran.« Er dachte, sie sei fertig, aber sie setzte noch hinzu: »Als Polizist hast du wahrscheinlich davon gehört, aber ich könnte mir vorstellen, daß die meisten Männer es einfach nicht hören wollen. Oder wenn sie es hören, wollen sie es nicht glauben.« Sie zählte ihn anscheinend nicht dazu, aber sicher konnte er natürlich nicht sein.

»Von wem hast du deine Informationen in erster Linie?« fragte er.

»Von Ettore und Basilio«, antwortete sie und nannte damit zwei ihrer Kollegen von der Universität. »Außerdem sagen ein paar von Raffis Freunden dasselbe.«

»Was?«

»Zwei von Raffis Schulfreunden. Schau nicht so erstaunt, Guido. Sie sind beide siebzehn.«

»Sie sind beide siebzehn, und was noch?«

»Und schwul, Guido. Schwul.«

»Sind das enge Freunde?« fragte er, bevor er sich bremsen konnte.

Paola stand abrupt auf. »Ich gehe Wasser für die Pasta aufsetzen. Ich glaube, wir warten lieber bis nach dem Essen, bevor wir diese Debatte fortsetzen. Dann hast du etwas Zeit, über einige Dinge nachzudenken, die du gesagt

hast, und einige Vermutungen, die du offenbar anstellst.«
Sie griff sich ihr Glas, nahm ihm seines aus der Hand, ging
nach drinnen und überließ ihn seinen Vermutungen.

Das Abendessen verlief weitaus friedvoller, als er gedacht
hatte, angesichts Paolas abrupten Abgangs zu dessen Zu-
bereitung. Sie hatte eine Soße mit frischem Thunfisch, Tomaten und Paprika zubereitet, ganz offensichtlich ein
neues Rezept, dazu die dicken Martelli-Spaghetti, die er so
mochte. Danach gab es Salat, ein Stück *pecorino*, das die
Eltern von Raffis Freundin aus Sardinien mitgebracht hatten, und zum Nachtisch frische Pfirsiche. Ganz wie in seinem Tagtraum erboten sich die Kinder, den Abwasch zu
erledigen, zweifellos in der Hoffnung, daß ihm das Ta-
schengeld für ihren Urlaub in den Bergen dann um so
lockerer saß.

Er zog sich mit einem Gläschen eisgekühlten Wodkas
auf die Dachterrasse zurück und setzte sich wieder auf seinen Platz. Über ihm und um ihn durchschnitten Fledermäuse mit ihrem Zickzackflug den Himmel. Brunetti waren die Fledermäuse willkommen, sie fraßen Mücken. Ein
paar Minuten später setzte Paola sich zu ihm. Er hielt ihr
sein Glas hin, und sie nahm einen kleinen Schluck. »Ist das
aus der Flasche im Tiefkühlfach?« fragte sie.

Er nickte.

»Woher hast du sie?«

»Man könnte es ein Bestechungsgeschenk nennen.«

»Von wem?«

»Donizelli. Er hatte mich gebeten, den Urlaubsplan so
zu arrangieren, daß er nach Rußland – Ex-Rußland – fah-

ren konnte. Als er zurückkam, hat er mir die Flasche mitgebracht.«

»Es heißt immer noch Rußland.«

»Hä?«

»Es ist die Ex-Sowjetunion, aber immer noch das alte Rußland.«

»Oh. Danke.«

Sie nickte gnädig.

»Meinst du, sie fressen sonst noch was?« fragte er.

»Wer?« fragte Paola zurück, ausnahmsweise einmal ratlos.

»Die Fledermäuse.«

»Ich weiß es nicht. Frag Chiara. Normalerweise weiß sie solche Sachen.«

»Ich habe über das nachgedacht, was ich vor dem Essen gesagt habe«, erklärte er und nippte an seinem Glas.

Er erwartete eine scharfe Antwort, aber sie sagte nur: »Ja?«

»Ich glaube, du könntest recht haben.«

»Womit?«

»Daß er möglicherweise ein Kunde war und gar kein *prostituto*. Ich habe die Leiche gesehen. Es war, glaube ich, kein Körper, den ein Mann sich etwas kosten lassen würde.«

»Was war es denn für ein Körper?«

Er trank noch einen Schluck. »Es mag ja seltsam klingen, aber als ich ihn sah, fiel mir auf, wie sehr er meinem eigenen ähnelt. Wir haben etwa dieselbe Größe und Figur, wahrscheinlich sind wir im gleichen Alter. Es war schon sehr eigenartig, Paola, ihn da liegen zu sehen, tot.«

»Ja, das kann ich mir vorstellen«, sagte sie, aber mehr nicht.

»Sind diese Jungen gut mit Raffi befreundet?«

»Einer ja. Er hilft ihm bei seinen Hausaufgaben in Italienisch.«

»Gut.«

»Was ist gut, daß er ihm bei den Hausaufgaben hilft?«

»Nein. Gut, daß er Raffis Freund ist, oder Raffi seiner.«

Sie lachte laut auf und schüttelte den Kopf. »Ich werde nie schlau aus dir, Guido. Nie.« Sie legte ihm eine Hand auf den Nacken, beugte sich vor und nahm ihm das Glas ab. Dann trank sie einen Schluck und gab es ihm zurück. »Wenn du das ausgetrunken hast, könntest du dir dann vorstellen, daß ich mir deinen Körper etwas kosten lasse?«

10

Die nächsten beiden Tage verliefen nicht viel anders, nur daß es noch heißer war. Vier der Männer auf seiner Liste hatte Brunetti noch immer nicht unter der verzeichneten Adresse angetroffen, und die Nachbarn hatten keine Ahnung, wo sie waren oder wann sie zurückkamen. Zwei weitere auf der Liste konnten ihm nicht weiterhelfen. Gallo und Scarpa hatten ebensowenig Glück, obwohl diesmal einer der Männer auf Scarpas Liste meinte, der Mann auf der Zeichnung käme ihm irgendwie bekannt vor, wobei er allerdings nicht sagen konnte, wo oder warum er ihn gesehen haben könnte.

Die drei Männer gingen in eine Trattoria nahe der Questura zum Mittagessen und besprachen, was sie bisher wußten und was noch nicht.

»Also, jedenfalls hatte er keine Ahnung, wie man sich die Beine rasiert«, meinte Gallo, nachdem es aussah, als hätten sie nichts mehr aufzuzählen. Brunetti war nicht sicher, ob das ein Witz sein sollte oder ob der Sergente nach Strohhalmen griff.

»Warum sagen Sie das?« fragte Brunetti, trank seinen Wein aus und sah sich wegen der Rechnung nach dem Ober um.

»Na, die Leiche. An den Beinen waren viele kleine Kratzer, so als ob er es nicht gewohnt wäre, sie zu rasieren.«

»Wäre es denn irgendeiner von uns gewohnt?« fragte

Brunetti, und erklärend fügte er hinzu: »Von uns Männern, meine ich.«

Scarpa grinste in sein Glas. »Ich würde mir wahrscheinlich die Kniescheibe abrasieren, ich weiß wirklich nicht, wie sie das machen«, sagte er und schüttelte den Kopf ob dieses weiteren Geheimnisses der Frauen.

In dem Moment erschien der Ober mit der Rechnung. Gallo kam Brunetti zuvor, indem er den Bon nahm, seine Brieftasche herauszog und einige Scheine auf den Tisch legte. Bevor Brunetti etwas einwenden konnte, erklärte er: »Wir sind angewiesen, Sie als Gast der Stadt zu behandeln.« Brunetti überlegte, was Patta wohl dazu sagen würde, außer daß er es nicht verdiente.

»Mit den Namen auf der Liste sind wir durch«, sagte Brunetti. »Dann müssen wir wohl jetzt mit denen reden, die nicht auf unserer ursprünglichen Liste stehen.«

»Soll ich ein paar auf die Questura bestellen?« fragte Gallo.

Brunetti schüttelte den Kopf; das war kaum dazu angetan, sie zur Mitarbeit zu ermuntern. »Nein, ich glaube, wir sollten zu ihnen gehen.«

Hier mischte sich Scarpa ein. »Aber von den meisten haben wir weder Namen noch Adressen.«

»Dann muß ich sie wohl da aufsuchen, wo sie arbeiten«, erklärte Brunetti.

Die Via Cappuccina ist eine breite, von Bäumen gesäumte Straße, die ein paar Häuserblocks rechts hinter dem Bahnhof von Mestre beginnt und ins Geschäftszentrum der Stadt führt. Auf beiden Seiten sind Geschäfte und kleine

Lebensmittelläden, Büros und ein paar Wohnblocks. Tagsüber ist es eine ganz normale Straße in einer ganz normalen italienischen Kleinstadt. Kinder spielen unter den Bäumen und in den kleinen Parkanlagen, die es entlang der Straße hie und da gibt. Ihre Mütter sind meist dabei, um sie vor den Autos zu warnen, aber auch, um sie vor gewissen anderen Leuten zu schützen und zu bewahren, die sich von der Via Cappuccina angezogen fühlen. Die Geschäfte schließen um halb eins; dann hält die Via Cappuccina ein paar Stunden Mittagsschlaf. Der Verkehrsstrom bricht ab, die Kinder gehen zum Essen und Schlafen nach Hause, das Geschäft ruht, und auch die Erwachsenen gehen heim, um zu essen und sich auszuruhen. Nachmittags spielen weniger Kinder draußen, obwohl der Verkehr wieder strömt und die Via Cappuccina sich mit Leben und Bewegung füllt, sobald Läden und Büros öffnen.

Zwischen halb acht und acht Uhr abends machen dann die Läden, Büros und kleinen Geschäfte zu, die Kaufleute und Ladenbesitzer ziehen Metallgitter herunter, schließen sorgfältig ab, kehren zum Abendessen nach Hause zurück und überlassen die Via Cappuccina denen, die anschließend dort ihrer Arbeit nachgehen.

Abends herrscht immer noch Verkehr auf der Via Cappuccina, aber niemand scheint es mehr sonderlich eilig zu haben. Die Autos fahren langsam, aber Parken ist kein Problem mehr, und die Fahrer suchen keine Parkplätze. Italien ist ein wohlhabendes Land geworden, die meisten Autos sind klimatisiert. Deshalb fließt der Verkehr langsamer, denn jetzt müssen die Fenster heruntergekurbelt werden, bevor man Preise herüberrufen oder hören kann.

Manche der Autos sind neu und stromlinienförmig, BMW und Mercedes, gelegentlich auch Ferraris, obgleich letztere auf der Via Cappuccina eher aus dem Rahmen fallen. Meist sind es gesetzte, wohlgenährte Limousinen, Autos für Familien, der Wagen, der morgens die Kinder in die Schule bringt, der am Sonntag die Familie zur Kirche und danach zum Essen bei den Großeltern fährt. Normalerweise werden sie von Männern gelenkt, die sich in Anzug und Krawatte wohler fühlen als in jedem anderen Aufzug, wohlhabenden Männern, die von dem wirtschaftlichen Aufschwung profitiert haben, der es in den letzten Jahrzehnten so gut mit Italien gemeint hat.

Immer häufiger müssen in privaten Entbindungsheimen und auf den Stationen italienischer Kliniken, in die sich begibt, wer reich genug ist, um private ärztliche Versorgung in Anspruch nehmen zu können, Ärzte frischgebackenen Müttern sagen, daß sie und ihr Kind mit dem AIDS-Virus infiziert sind. Die meisten Frauen sind wie vor den Kopf geschlagen, denn sie haben ihr Eheversprechen ernst genommen, und ihrer Ansicht nach muß bei ihrer medizinischen Behandlung ein furchtbarer Fehler passiert sein. Aber vielleicht findet sich die Antwort leichter auf der Via Cappuccina und in dem Handel, der sich zwischen den Fahrern jener soliden Autos und den Männern und Frauen auf den Gehsteigen abspielt.

Brunetti bog an dem Abend gegen halb zwölf in die Via Cappuccina ein, nachdem er wenige Minuten zuvor am Bahnhof angekommen war. Er war zum Abendessen nach Hause gefahren, hatte eine Stunde geschlafen und sich dann so angezogen, daß er seiner Ansicht nach nicht direkt wie ein Polizist aussah. Scarpa hatte sowohl von der Zeichnung als auch von den Fotos des Toten etwas kleinere Kopien machen lassen, und Brunetti trug ein paar davon in der Innentasche seines blauen Leinenjacketts.

Von rechts hinter sich hörte er das entfernte Brausen des Verkehrs, der immer noch auf der *tangenziale* vorbeirauschte. Obwohl er wußte, daß es unwahrscheinlich war, hatte Brunetti das Gefühl, die Abgase drifteten allesamt hier herüber, so dick und schwer war die unbewegte Luft. Er überquerte eine Straße, eine weitere, und noch eine, und dann bemerkte er allmählich den Verkehr. Da waren die Autos, langsam glitten sie vorwärts, die Fenster geschlossen, während die Köpfe der Fahrer zum Gehsteig gewandt waren, um den Durchgangsverkehr der anderen Sorte zu begutachten.

Brunetti sah, daß er nicht als einziger zu Fuß unterwegs war, dafür unter den Fußgängern einer der ganz wenigen in Hemd und Krawatte und offenbar der einzige, der nicht stillstand.

»*Ciao, bello.*«

»*Cosa vuoi, amore?*«

»*Ti faccio tutto che vuoi, caro.*«

Die Angebote tönten ihm von beinah jeder Gestalt entgegen, an der er vorbeikam: Freude, Wonne, Seligkeit. Die Stimmen boten unerhörte Genüsse, versprachen ihm die Verwirklichung jeglicher Phantasie. Er blieb unter einer Straßenlaterne stehen und wurde sofort von einer großen Blondine angesprochen, die einen weißen Minirock und sonst wenig anhatte.

»Fünfzigtausend«, sagte sie. Sie lächelte mit entblößten Zähnen, als erhöhte das den Anreiz.

»Ich will einen Mann«, sagte Brunetti.

Sie wandte sich ohne ein Wort ab und stakste zum Randstein. Dort rief sie einem vorbeifahrenden Audi denselben Preis zu. Der Wagen fuhr weiter. Brunetti blieb, wo er war, und sie drehte sich wieder zu ihm um. »Vierzig«, sagte sie.

»Ich will einen Mann.«

»Die kosten viel mehr, und sie können nichts für dich tun, was ich nicht auch kann, *bello*.« Sie zeigte wieder ihre Zähne.

»Sie sollen sich ein Bild ansehen«, sagte Brunetti.

»*Gesù bambino*«, murmelte sie leise, »so einer also.« Dann lauter: »Das kostet dich extra. Bei denen. Ich mache alles für einen Preis.«

»Sie sollen sich das Bild eines Mannes ansehen und mir sagen, ob sie ihn erkennen.«

»Polizei?« fragte sie.

Brunetti nickte.

»Ich hätte es wissen müssen«, meinte sie. »Sie sind weiter oben, die Jungen, die Straße rauf, auf der anderen Seite vom Piazzale Leonardo da Vinci.«

»Danke«, sagte Brunetti und ging weiter. Am nächsten Randstein schaute er sich um und sah, wie die Blonde in einen dunkelblauen Volvo stieg.

Ein paar Minuten später war er am Piazzale. Er überquerte ihn mühelos zwischen den dahinschleichenden Autos und entdeckte auf der anderen Seite ein paar Gestalten, die in einem Grüppchen an einer niedrigen Mauer lehnten.

Im Näherkommen hörte er andere Stimmen, Tenöre diesmal, die gleichen Angebote rufen und die gleichen Freuden versprechen. So viel Glückseligkeit war hier zu haben.

Er ging auf die Gruppe zu und sah dabei vieles, was er schon auf seinem Weg vom Bahnhof gesehen hatte: mit grellrotem Lippenstift größer gemalte Münder, alle zu einem Lächeln verzogen, das einladend sein sollte; Wolken gefärbter Haare und Beine, Oberschenkel und Busen, die genauso echt aussahen wie die anderen, die er vorher gesehen hatte.

Zwei kamen und umflatterten ihn, Motten im Flammenschein seiner Zahlungsfähigkeit.

»Ganz, wie du's gern hättest, Süßer. Ohne Gummi. Genuß pur.«

»Mein Wagen steht gleich um die Ecke, *caro*. Dein Wunsch ist mir Befehl.«

Aus der Gruppe an der Mauer rief einer dem zweiten zu: »Frag ihn doch, ob er euch nicht beide will, Paolina.« Und an Brunetti gewandt: »Die beiden sind gemeinsam unübertroffen, *amore*; sie machen dir ein Sandwich, das du nie vergißt.« Worauf die anderen in schallendes Gelächter ausbrachen, ein tiefes Lachen, das nichts Feminines hatte.

Brunetti sprach den an, den die anderen Paolina genannt hatten. »Würden Sie sich das Bild eines Mannes ansehen und mir sagen, ob Sie ihn kennen?«

Paolina drehte sich um und rief den anderen zu: »Mädels, es ist ein Bulle. Ich soll mir Bilder ansehen.«

Ein Chor von Stimmen antwortete: »Sag ihm, das Echte ist besser als dreckige Bilder, Paolina.« – »Bullen kennen nicht mal den Unterschied.« – »Ein Bulle? Laß ihn das Doppelte zahlen.«

Brunetti wartete, bis ihnen nichts mehr einfiel, und fragte dann: »Sehen Sie sich das Bild an?«

»Was springt denn für mich raus, wenn ich es tue?« wollte Paolina wissen, und sein Gefährte mußte lachen, weil sein Freund sich so etwas einem Polizisten gegenüber herausnahm.

»Es ist das Bild des Mannes, den wir am Montag draußen auf den Wiesen gefunden haben.« Bevor Paolina sich unwissend stellen konnte, fügte Brunetti hinzu: »Ich bin sicher, Sie alle wissen von dem Mann und was ihm passiert ist. Wir müssen ihn identifizieren, um den Mörder zu finden. Ich denke, gerade Sie können verstehen, warum das wichtig ist.«

Ihm fiel auf, daß Paolina und sein Freund fast gleich angezogen waren, beide trugen hautenge Tunneltops und kurze Röcke, unter denen glatte, muskulöse Beine hervorsahen. Beide trugen spitze, hochhackige Schuhe; keiner der beiden hätte darin einem Angreifer davonlaufen können.

Paolinas Freund, dessen knallgelbes Perückenhaar bis auf die Schultern wallte, streckte die Hand aus: »Also gut, zeigen Sie her.« Der Mann mochte ja seine Füße in diesen Schuhen verstecken, aber die breite, kräftige Hand ließ sich nicht verbergen.

Brunetti holte die Zeichnung aus der Tasche und reichte sie ihm mit einem: »Danke, Signore.« Der Mann warf ihm einen verständnislosen Blick zu, als hätte Brunetti etwas Unsinniges gesagt. Die beiden Männer beugten sich über die Zeichnung und unterhielten sich in einem Dialekt, den Brunetti für Sardisch hielt.

Der Blonde hielt Brunetti das Blatt wieder hin. »Nein, ich kenne ihn nicht. Haben Sie nur das eine Bild von ihm?«

»Ja«, antwortete Brunetti und fragte dann: »Würden Sie Ihre Freunde fragen, ob sie ihn kennen?« Er nickte zu dem Grüppchen von Männern, die noch immer hinter ihnen an der Mauer herumhingen und hin und wieder vorbeifahrenden Autos Bemerkungen zuwarfen, während sie Brunetti und die beiden Männer bei ihm nicht aus den Augen ließen.

»Klar. Warum nicht?« sagte Paolinas Freund und drehte sich zu den anderen um. Paolina folgte ihm, vielleicht aus Nervosität, sonst mit einem Polizisten allein bleiben zu müssen.

Sie gingen zu den anderen, die sich von der Mauer lösten und ihnen entgegenkamen. Der mit der Zeichnung in der Hand stolperte, und hätte er sich nicht an Paolinas Schulter festgehalten, wäre er gefallen. Er fluchte wüst. Die Gruppe grell gekleideter Männer scharte sich um die beiden, und Brunetti beobachtete, wie sie das Bild herumreichten. Einer von ihnen, ein großer, schlaksiger Junge mit roter Perücke, gab das Bild weiter und griff es sich dann plötzlich wieder, um es noch einmal genauer anzusehen. Er zog einen anderen zu sich heran, deutete auf das Bild und sagte etwas zu ihm. Der zweite schüttelte den Kopf, und der Rothaarige tippte wieder heftig auf das Bild. Als der andere immer noch nicht zustimmte, tat er ihn mit einer ärgerlichen Handbewegung ab. Das Bild machte noch etwas weiter die Runde, dann kam Paolinas Freund zu Brunetti zurück, den Rotschopf im Schlepptau.

»*Buona sera*«, sagte Brunetti, als sie bei ihm waren. Er hielt dem Rothaarigen die Hand hin. »Guido Brunetti.«

Die beiden Männer standen wie auf ihren hohen Absätzen festgenagelt. Paolinas Freund blickte auf seinen Rock und wischte sich nervös die Hand daran ab. Der Rotschopf hob die Hand kurz an den Mund und reichte sie dann Brunetti. »Roberto Canale«, sagte er. »Freut mich, Sie kennenzulernen.« Sein Händedruck war fest, die Hand warm.

Brunetti streckte auch dem anderen die Hand hin, der sich unbehaglich nach dem Grüppchen hinter ihnen umsah, aber als er nichts hörte, ergriff er Brunettis Hand und schüttelte sie. »Paolo Mazza.«

Brunetti wandte sich an den Rothaarigen. »Sie kennen den Mann auf dem Bild, Signor Canale?«

Der sah zur Seite, bis Mazza sagte: »Er redet mit dir, Roberta, weiß du nicht mal mehr deinen eigenen Namen?«

»Natürlich weiß ich meinen Namen«, entgegnete der Rotschopf ärgerlich. Und zu Brunetti sagte er: »Ja, ich kenne den Mann, aber ich kann Ihnen nicht sagen, wer er ist. Ich weiß nicht einmal, warum er mir bekannt vorkommt. Er sieht einfach aus wie jemand, den ich schon mal gesehen habe.«

Als er merkte, wie unbefriedigend das klingen mußte, erklärte Canale: »Wissen Sie, das ist so, als wenn man dem Mann aus dem Käseladen ohne seine Schürze auf der Straße begegnet, man weiß, daß man ihn kennt, aber man kann sich nicht erinnern, wer er ist. Man weiß, man kennt ihn, aber er ist nicht da, wo er hingehört, darum kann man ihn nicht einordnen. So ist das mit dem Mann auf dem Bild. Ich weiß, daß ich ihn kenne oder schon gesehen habe, so wie man den Mann im Käseladen kennt, aber mir fällt nicht ein, wo er hingehört.«

»Wäre er hier am richtigen Platz?« fragte Brunetti. Und als Canale ihn verständnislos ansah, fügte er erklärend hinzu: »Ich meine hier, auf der Via Cappuccina? Würden Sie ihn da erwarten?«

»Nein, nein. Ganz und gar nicht. Das ist ja das Eigenartige. Wenn ich ihn mal irgendwo gesehen habe, dann hatte das mit dem allem hier gar nichts zu tun.« Er machte eine ausholende Geste, als wollte er die Antwort in der Luft suchen. »Es ist, als ob mir hier einer meiner Lehrer über den Weg liefe. Oder mein Arzt. Er gehört nicht hierher. Es ist nur so ein Gefühl, aber es ist ziemlich eindeutig.« Und als suchte er Bestätigung, fragte er Brunetti: »Verstehen Sie, was ich meine?«

»O ja, sehr gut sogar. In Rom hat mich mal ein Mann auf der Straße angesprochen. Ich wußte, daß ich ihn kenne, aber ich konnte mich nicht mehr erinnern, warum und woher.« Brunetti lächelte und riskierte es: »Ich hatte ihn zwei Jahre zuvor festgenommen. Aber in Neapel.«

Glücklicherweise lachten beide Männer. Canale sagte: »Kann ich das Bild behalten? Vielleicht fällt es mir wieder ein, wenn ich es mir hin und wieder ansehen kann. Vielleicht kommt dann die Erinnerung ganz plötzlich.«

»Natürlich. Ich weiß Ihre Hilfe zu schätzen«, sagte Brunetti.

Jetzt riskierte Mazza etwas. »War er schlimm zugerichtet? Ich meine, als sie ihn gefunden haben?« Er verschränkte dabei krampfhaft die Arme vor seinem Körper.

Brunetti nickte.

»Ist es nicht genug, daß sie uns vögeln wollen?« mischte Canale sich ein. »Warum wollen sie uns auch noch umbringen?«

Auch wenn das eine Frage war, die sich an Mächte weit über denen richtete, für die Brunetti arbeitete, beantwortete er sie dennoch: »Ich habe keine Ahnung.«

11

Am nächsten Tag, einem Freitag, hielt es Brunetti für besser, kurz in der Questura in Venedig vorbeizuschauen, um zu sehen, was für Post und Büroarbeit sich angesammelt hatte. Außerdem interessierte es ihn, wie er Paola beim Frühstück gestand, ob es Neues gab im Fall Patta.

»In *Gente* und in *Oggi* stand nichts«, meinte sie, womit sie zugab, die beiden bekanntesten Klatschmagazine durchgeblättert zu haben. »Allerdings bin ich nicht sicher, ob Signora Patta diesen Blättern wichtig genug ist.«

»Laß sie das nicht hören«, warnte Brunetti lachend.

»Wenn ich Glück habe, wird Signora Patta nie ein Wort von mir hören.« Und etwas freundlicher fragte sie: »Was, glaubst du, wird Patta tun?«

Brunetti trank seinen Kaffee aus und setzte die Tasse ab, bevor er antwortete. »Ich glaube, er kann nicht sehr viel tun, außer zu warten, bis sie zurückkommt, weil Burrasca ihrer überdrüssig ist oder sie seiner.«

»Was weiß man denn so über ihn?« Paola verschwendete keine Zeit darauf zu fragen, ob bei der Polizei eine Akte über Burrasca existierte. Sobald in Italien jemand genug Geld machte, gab es garantiert irgendwo eine Akte über ihn.

»Soweit ich gehört habe, ist er ein Schwein. Er gehört zu dieser Mailänder Kokainclique, Autos mit spritzigen Motoren und Mädchen mit lahmem Verstand.«

»Na, da hat er ja wenigstens das eine«, sagte Paola.

»Wie meinst du das?«

»Signora Patta. Ein Mädchen ist sie nicht mehr, aber einen lahmen Verstand, den hat sie.«

»Kennst du sie denn näher?« Brunetti wußte nie genau, wen Paola eigentlich kannte. Oder was.

»Nein. Ich ziehe nur meine Schlüsse aus der Tatsache, daß sie Patta geheiratet hat und mit ihm zusammengeblieben ist. Ich könnte mir vorstellen, daß es schwierig ist, so einen aufgeblasenen Esel zu ertragen.«

»Aber du erträgst mich«, sagte Brunetti lächelnd und in der Hoffnung auf ein Kompliment.

Ihr Blick war ausdruckslos. »Du bist nicht aufgeblasen, Guido. Manchmal bist du schwierig, und manchmal bist du unmöglich, aber aufgeblasen bist du nicht.« Von wegen Kompliment.

Er schob seinen Stuhl zurück. Vielleicht war es ja an der Zeit, in die Questura zu gehen.

In seinem Büro angekommen, sah er die Zeitungen durch, die ihn auf dem Schreibtisch erwarteten, und war enttäuscht, daß er nichts über den toten Mann in Mestre darin fand. Da unterbrach ihn ein Klopfen. »*Avanti*«, rief er in dem Glauben, es sei vielleicht Vianello mit Neuigkeiten aus Mestre. Aber statt des Sergente trat eine dunkelhaarige Frau ins Zimmer, einen Stapel Akten in der rechten Hand. Sie lächelte ihm zu, kam an seinen Schreibtisch und blätterte in ihren Mappen herum.

»Commissario Brunetti?« fragte sie.

»Ja.«

Sie zog einige Papiere aus einer der Mappen und legte sie

vor ihn auf den Schreibtisch. »Man hat mir unten gesagt, daß Sie das hier vielleicht interessiert, Dottore.«

»Danke, Signorina«, sagte er und zog die Blätter näher zu sich heran.

Sie blieb weiter vor seinem Schreibtisch stehen, eindeutig in Erwartung seiner Frage, wer sie sei, möglicherweise zu schüchtern, um sich selbst vorzustellen. Er blickte auf und sah große, braune Augen und einen knallroten Mund in einem attraktiven, vollen Gesicht. »Und Sie sind?« erkundigte er sich mit einem Lächeln.

»Elettra Zorzi, Commissario. Ich habe letzte Woche als Sekretärin bei Vice-Questore Patta angefangen.« Das erklärte den neuen Schreibtisch in Pattas Vorzimmer. Patta hatte schon seit Monaten lamentiert, daß er zuviel Papierkram zu erledigen habe und es allein nicht mehr schaffe. Und er hatte es fertiggebracht, wie ein besonders eifriges Trüffelschwein so lange im Etat herumzuschnüffeln, bis er das Geld für eine Sekretärin ausfindig gemacht hatte.

»Sehr erfreut, Signorina Zorzi«, sagte Brunetti. Der Name kam ihm irgendwie bekannt vor.

»Ich glaube, ich soll auch für Sie arbeiten, Commissario«, sagte sie lächelnd.

Wohl kaum, wie er Patta kannte. Trotzdem sagte er: »Das wäre ja sehr schön«, und schaute auf die Papiere, die sie ihm hingelegt hatte.

Er hörte, wie sie sich zurückzog, und folgte ihr mit dem Blick bis zur Tür. Ein Rock, weder kurz noch lang, und ausgesprochen hübsche Beine. Sie drehte sich noch einmal um, bemerkte seinen Blick und lächelte wieder. Er sah auf seine Papiere. Wer würde sein Kind Elettra nennen? Vor wie vielen Jahren? Fünfundzwanzig? Und Zorzi; er kannte viele Zorzis, aber keiner von ihnen würde seine Tochter Elettra nennen. Die Tür fiel hinter ihr ins Schloß, und er wandte sich wieder den Akten zu, aber sie hatten wenig Interessantes zu bieten; Venedigs Verbrecherwelt war offenbar in Urlaub.

Er ging nach unten zu Pattas Büro und blieb erstaunt stehen, als er das Vorzimmer betrat. Jahrelang hatte hier nur ein angeschlagener Schirmständer aus Porzellan gestanden, dazu ein Tisch voller alter Zeitschriften der Sorte, wie man sie häufig beim Zahnarzt findet. Jetzt waren diese Zeitschriften einem Computer gewichen, verbunden mit einem Drucker, der links davon auf einem niedrigen Metalltischchen stand. Vor dem Fenster war statt des Schirmständers ein Holztischchen plaziert, auf dem in einer Glasvase ein riesiger Strauß gelber und orangefarbener Gladiolen prangte.

Entweder wollte Patta der Zeitschrift *Ambiente* ein Interview geben, oder die neue Sekretärin fand, daß die Üppigkeit, die Patta in seinem Büro für angemessen hielt, sich auch dort widerspiegeln sollte, wo die niederen Ränge arbeiteten. Wie durch Brunettis Gedanken herbeigerufen, kam sie plötzlich herein.

»Das sieht ja wirklich gut aus«, sagte er lächelnd und machte eine ausladende Handbewegung.

Sie kam durchs Zimmer, legte einen Stapel Ordner auf ihrem Schreibtisch ab und drehte sich zu ihm um. »Schön, daß es Ihnen gefällt, Commissario. So, wie es war, hätte man unmöglich hier arbeiten können. Diese Zeitschriften«, setzte sie mit leisem Schaudern hinzu.

»Die Blumen sind wunderschön. Ist das Ihr Einstands-strauß?«

»Aber nein«, erwiderte sie nachsichtig. »Ich habe bei Fantin einen Dauerauftrag gegeben; von jetzt an schicken sie jeden Montag und Donnerstag frische Blumen.« Fantin, der teuerste Blumenladen der Stadt. Zweimal die Woche. Hundertmal im Jahr? Sie unterbrach seine Berechnungen und erklärte: »Da ich auch das Spesenkonto des Vice-Questore führen soll, habe ich mir gedacht, ich setze die Blumen als feste Ausgabe mit darauf.«

»Und liefert Fantin auch Blumen fürs Büro des Vice-Questore?«

Ihr Erstaunen schien echt zu sein. »Gütiger Himmel, nein. Ich bin sicher, die könnte der Vice-Questore selbst bezahlen. Es wäre nicht recht, das Geld des Steuerzahlers dafür auszugeben.« Sie ging um ihren Schreibtisch herum und schaltete den Computer ein. »Kann ich etwas für Sie tun, Commissario?« fragte sie, nachdem die Sache mit den Blumen für sie offenbar erledigt war.

»Im Augenblick nicht, Signorina«, sagte er, während sie sich schon über die Tastatur beugte.

Er klopfte an Pattas Tür und wurde hereingerufen. Obwohl Patta wie immer hinter seinem Schreibtisch saß, war sonst kaum etwas wie immer. Sein Schreibtisch, gewöhnlich frei von allem, was an Arbeit erinnern konnte, war mit Mappen und Papieren bedeckt, sogar eine zerlesene Zeitung war dabei. Und zwar nicht Pattas üblicher *Osservatore Romano*, wie Brunetti feststellte, sondern die fast schon skurrile *La Nuova*, ein Blatt, dessen hohe Leserzahlen offenbar auf der allgemeinen Annahme beruhten, daß Menschen nicht nur gemeine und niederträchtige Dinge taten, sondern daß andere auch darüber lesen wollten. Selbst die Klimaanlage – Pattas Büro war eines der wenigen, das überhaupt eine hatte – schien heute nicht in Betrieb zu sein.

»Setzen Sie sich, Brunetti«, sagte der Vice-Questore.

Wie von Brunettis Blick angesteckt, sah Patta auf die Papiere vor sich und begann sie zusammenzuraffen. Er legte sie in wilder Unordnung übereinander, schob sie beiseite und saß dann still, die eine Hand selbstvergessen auf dem Stapel.

»Wie geht es in Mestre?« fragte er schließlich.

»Das Opfer konnte noch nicht identifiziert werden, Vice-Questore. Wir haben sein Bild vielen Transvestiten gezeigt, die dort arbeiten, aber keiner hat ihn erkannt.«

Patta sagte nichts.

»Von denen, die ich befragt habe, meinten zwei, der Mann käme ihnen irgendwie bekannt vor, aber eindeutig identifizieren konnte ihn keiner, woraus man alles mögliche schließen kann. Oder gar nichts. Ich glaube, daß ihn noch ein anderer der von mir Befragten erkannt hat, aber er wollte es nicht zugeben. Ich würde gern noch einmal mit ihm reden, allerdings könnte es dabei Probleme geben.«

»Santomauro?« fragte Patta, womit es ihm zum erstenmal in all den Jahren ihrer Zusammenarbeit gelang, Brunetti zu überraschen.

»Woher wissen Sie von Santomauro?« fuhr Brunetti auf. Schnell setzte er hinzu: »Vice-Questore«, wie um seinen scharfen Ton abzumildern.

»Er hat mich dreimal angerufen«, erklärte Patta, und dann murmelte er leiser, aber doch eindeutig für Brunettis Ohren bestimmt: »Der Mistkerl.«

Bei dieser ungewohnten – und sorgsam geplanten – Unbedachtheit von Pattas Seite ging Brunetti sofort in Habachtstellung und begann wie eine Spinne, die ihr Netz webt, in Gedanken die verschiedenen Fäden abzutasten, die möglicherweise zwischen diesen beiden Männern verliefen. Santomauro war ein berühmter Anwalt, seine Klienten waren Geschäftsleute und Politiker aus ganz Venetien. Schon das allein würde Patta normalerweise den Staub zu seinen Füßen küssen lassen. Aber dann fiel es ihm ein: Die Heilige Mutter Kirche und Santomauros *Lega della Moralità*, deren Frauenorganisation unter der Schirmherrschaft keiner Geringeren als der abwesenden Maria Lucrezia Patta stand. Was für eine Predigt über die Ehe im allgemeinen und deren heilige Verpflichtungen im besonderen hatte Santomauros Telefonate mit dem Vice-Questore begleitet?

»Stimmt«, sagte Brunetti, der sich entschieden hatte, die Hälfte dessen zuzugeben, was er wußte, »er ist Crespos Anwalt.« Wenn Patta glauben wollte, ein Commissario der Polizei fände nichts Seltsames an der Tatsache, daß ein Anwalt vom Kaliber des Giancarlo Santomauro als Rechtsberater eines *prostituto travestito* fungierte, war es am besten, ihn in diesem Glauben zu lassen. »Was hat er denn gesagt, Vice-Questore?«

»Er meinte, Sie hätten seinen Klienten belästigt und geängstigt, Sie wären, um es mit seinen Worten zu sagen, ›unnötig brutal‹ vorgegangen, um ihn dazu zu bringen, Informationen preiszugeben.« Patta fuhr sich mit der Hand übers Kinn, und Brunetti stellte fest, daß der Vice-Questore sich heute offenbar noch nicht rasiert hatte.

»Ich habe ihm natürlich erklärt, daß ich mir diese Art der Kritik an einem Commissario nicht anhöre, daß er herkommen und offiziell Beschwerde einlegen kann, wenn er will.« Normalerweise hätte Patta auf die Beschwerde eines so wichtigen Mannes wie Santomauro hin versprochen, den Übeltäter zur Ordnung zu rufen, wenn nicht gar zu degradieren und für drei Jahre nach Palermo zu versetzen. Und normalerweise hätte Patta es getan, noch bevor er sich nach Einzelheiten erkundigt hatte. Jetzt aber spielte er weiter den Verteidiger des Grundsatzes, daß vor dem Gesetz alle Menschen gleich seien. »Ich dulde nicht, daß Zivilpersonen sich in die Arbeitsweise staatlicher Organe einmischen.« Das konnte für Brunetti frei übersetzt nur bedeuten, daß Patta mit Santomauro ein privates Hühnchen zu rupfen hatte und bereitwillig mitspielen würde, wenn es darum ging, den anderen lächerlich zu machen.

»Dann meinen Sie also, ich sollte Crespo ruhig noch einmal befragen, Vice-Questore?«

Mochte er momentan auch noch so verärgert über Santomauro sein, konnte man von Patta nicht erwarten, daß er die Gewohnheit langer Jahre aufgab und einen seiner Mitarbeiter anwies, etwas zu tun, was dem Willen eines Mannes mit wichtigen politischen Verbindungen zuwiderlief.

»Tun Sie, was Sie für richtig halten, Brunetti.«

»Noch etwas, Vice-Questore?«

Patta antwortete nicht, also stand Brunetti auf. »Eines

wäre da noch, Commissario«, sagte Patta, bevor Brunetti sich zum Gehen wandte.

»Ja?«

»Sie haben doch Freunde in Journalistenkreisen, nicht?«

Du liebe Güte, wollte Patta ihn etwa um Hilfe bitten? Brunetti sah an seinem Vorgesetzten vorbei und nickte vage.

»Ich habe überlegt, ob es Ihnen wohl etwas ausmachen würde, sich mit ihnen in Verbindung zu setzen.« Brunetti räusperte sich und betrachtete seine Schuhe. »Ich befinde mich derzeit in einer mißlichen Lage, Brunetti, und es wäre mir sehr lieb, wenn die Verbreitung dieser Nachricht sich in Grenzen halten ließe.« Mehr sagte Patta nicht.

»Ich werde tun, was ich kann«, meinte Brunetti lahm, während er an seine Freunde »in Journalistenkreisen« dachte, zwei Wirtschaftsredakteure, einen politischen Kolumnisten und einen Kunstkritiker.

»Gut«, sagte Patta und machte eine Pause, bevor er hinzufügte: »Ich habe diese neue Sekretärin gebeten, sich Informationen über seine Steuern zu beschaffen.« Patta mußte nicht erklären, wessen Steuern er meinte. »Und ich habe sie angewiesen, Ihnen alles zu geben, was sie findet.« Das kam so überraschend, daß Brunetti nur nicken konnte.

Patta beugte sich über seine Papiere, und Brunetti, der sich damit entlassen sah, verließ das Zimmer. Signorina Elettra war nicht an ihrem Schreibtisch, weshalb Brunetti ihr einen Zettel schrieb. »Können Sie bitte nachsehen, was Ihr Computer Ihnen über die Geschäfte von Avvocato Giancarlo Santomauro sagen kann?«

Er ging wieder nach oben in sein Büro und merkte dabei, wie sich die Hitze breitmachte und ohne Rücksicht auf dicke Mauern und Marmorböden jede Ecke und Ritze des Gebäudes in Besitz nahm. Hinzu kam eine drückende Feuchtigkeit, die das Papier wellte und es an den Händen festkleben ließ. Die Fenster standen offen, und Brunetti stellte sich davor, aber es kam nur noch mehr feuchtheiße Hitze herein, und jetzt, bei Ebbe, drang der allzeit unter dem Wasser lauernde Gestank der Verwesung sogar hierher, bis dicht an den breiten Canale di San Marco. So stand er am Fenster, während der Schweiß ihm Hemd und Hose rund um den Gürtel durchnäßte, und dachte an die Berge bei Bozen und an die dicken Daunendecken, unter denen sie dort in den Augustnächten immer schliefen.

Schließlich ging er zu seinem Schreibtisch, rief unten im Hauptbüro an und bat den Beamten am Telefon, ihm Vianello heraufzuschicken. Vianello, dessen Haut sonst um diese Jahreszeit schon so rötlichbraun wie *bresaola* war – dieses luftgetrocknete Rinderfilet, das Chiara so gerne aß –, hatte immer noch seine blasse Winterfarbe. Wie die meisten Italiener seines Alters und seiner Herkunft hatte Vianello sich immer immun gegen statistische Wahrscheinlichkeit geglaubt. Lungenkrebs vom Rauchen bekamen andere, einen erhöhten Cholesterinspiegel von zu fettem Essen hatten andere, und nur diese anderen starben demzufolge an Herzinfarkt. Er las seit Jahren jeden Montag die Gesundheitsseite im *Corriere della Sera*, obwohl er wußte, daß alle diese Schrecklichkeiten nur die anderen betrafen.

Im Frühling dieses Jahres jedoch hatte man ihm fünf Pigmentflecken im Vorkrebsstadium aus dem Rücken geschnitten und ihm dringend geraten, die Sonne zu meiden.

Wie Saulus auf dem Weg nach Damaskus hatte Vianello eine Bekehrung erfahren, und wie Paulus hatte er versucht, seine Heilslehre zu verbreiten. Dabei hatte Vianello allerdings eine Grundeigenschaft des italienischen Charakters nicht bedacht, nämlich die Allwissenheit. Mit wem er auch sprach, alle wußten mehr über das Thema als er, mehr über die Ozonschicht, mehr über FCKW und seine Wirkung auf die Atmosphäre. Und darüber hinaus wußten sie alle bis zum letzten Mann, daß dieses Gerede über Gefahr durch die Sonne nur wieder *bidonata* war, ein neuer Schwindel, ein neuer Trick, wenn auch keiner genau sagen konnte, wozu dieser Schwindel eigentlich dienen sollte.

Als Vianello, noch immer vom Geiste des Paulus erfüllt, versucht hatte, mit den Narben auf seinem Rücken zu argumentieren, bekam er zu hören, daß sein spezieller Fall nichts beweise, daß alle Statistiken falsch seien; außerdem würde ihnen so etwas nicht passieren. Und da hatte er jene bemerkenswerte Erkenntnis über die Italiener gewonnen: Es existierte keine Wahrheit jenseits der persönlichen Erfahrung, und alle Beweise, die im Widerspruch zur eigenen Ansicht standen, waren vernachlässigbar. Und so hatte Vianello, ganz im Gegensatz zu Paulus, seine Mission aufgegeben und sich statt dessen eine Tube Sonnenschutzfaktor 30 gekauft, womit er das ganze Jahr sein Gesicht eincremte.

»Ja, Dottore?« fragte er, als er in Brunettis Büro trat. Vianello hatte Krawatte und Jackett unten gelassen und trug ein kurzärmeliges, weißes Hemd zu seiner dunkelblauen Uniformhose. Seit der Geburt seines dritten Kindes im vergangenen Jahr hatte er abgenommen und Brunetti erzählt, er versuche gerade, weiter abzunehmen und seine allgemeine Fitness zu verbessern. Als Mann Ende vierzig mit einem Baby müsse man aufpassen und sich gesund erhalten. Doch bei dieser Hitze und der hohen Luftfeuchtigkeit, jene Daunendecken noch vor Augen, hatte Brunetti anderes im Sinn als seine oder Vianellos Gesundheit.

»Setzen Sie sich.« Vianello nahm seinen Stammplatz ein, und Brunetti setzte sich hinter seinen Schreibtisch.

»Was wissen Sie über diese *Lega della Moralità*?« fragte Brunetti.

Vianello sah zu ihm auf und kniff fragend die Augen zusammen, doch als keine weiteren Informationen folgten, überdachte er die Frage ein paar Augenblicke und antwortete dann: »Sehr viel weiß ich nicht darüber. Ich glaube, sie treffen sich in irgendeiner Kirche – Santi Apostoli? Nein, das sind die *catecumeni*, die mit den Gitarren und den vielen kleinen Kindern. Die *Lega* trifft sich in Privathäusern, glaube ich, und in einigen Gemeindehäusern. Sie sind nicht politisch, soweit ich gehört habe. Ich weiß nicht genau, was sie eigentlich tun, aber dem Namen nach sitzen sie wahrscheinlich herum und reden darüber, wie gut sie sind und wie schlecht alle anderen.« Seine Verachtung für solche Narretei war deutlich am wegwerfenden Ton zu erkennen.

»Kennen Sie zufällig ein Mitglied, Vianello?«

»Ich, Commissario? Also, hoffentlich nicht, würde ich sagen.« Er grinste, aber dann sah er Brunettis Gesicht. »Oh, Sie meinen es ernst, wie? Na, dann lassen Sie mich mal einen Moment nachdenken.« Das tat er, die Hände um ein Knie gefaltet, das Gesicht zur Decke erhoben. »Einer fällt mir ein, Commissario, die Frau in der Bank. Nadia kennt sie besser als ich. Das heißt, sie hat öfter mit ihr zu tun als ich, weil sie unsere Bankangelegenheiten erledigt. Aber ich erinnere mich, daß Nadia mal gesagt hat, sie fände es eigenartig, daß eine solch nette Frau sich mit so etwas abgibt.«

»Was meinen Sie, warum sie das gesagt hat?« fragte Brunetti.

»Was?«

»Warum sie davon ausgeht, daß es keine netten Leute sind?«

»Na, denken Sie doch nur an den Namen. *Lega della Moralità*, als ob sie die Moral für sich gepachtet hätten. Das muß ja eine Horde von *basabanchi* sein, wenn Sie mich fragen.« Mit diesem urvenezianischen Ausdruck, der sich über Leute lustig machte, die in der Kirche so tief gebeugt niederknieten, daß sie das Gestühl küssen konnten, stellte Vianello wieder einmal die Findigkeit ihres gemeinsamen Dialekts sowie seinen eigenen gesunden Menschenverstand unter Beweis.

»Wissen Sie, wie lange diese Frau schon Mitglied ist oder wie sie dazu kam?«

»Nein, Commissario, aber ich könnte Nadia bitten, es herauszufinden. Warum?«

Brunetti erzählte ihm kurz von seinem Zusammentreffen mit Santomauro in Crespos Wohnung und dessen anschließenden Anrufen bei Patta.

»Interessant, nicht?« meinte Vianello.

»Kennen Sie ihn denn?«

»Santomauro?« fragte Vianello unnötigerweise. Crespo gehörte kaum zu denen, die er kennen würde.

Brunetti nickte.

»Er war mal der Anwalt meines Vetters, bevor er berühmt wurde. Und teuer.«

»Und was sagt Ihr Vetter über ihn?«

»Nichts weiter. Er war ein guter Anwalt, aber er war immer bereit, die Gesetze so hinzubiegen, wie er sie gerade brauchte.« Eine durchaus normale Erscheinung in Italien, dachte Brunetti, wo oft der Buchstabe des Gesetzes galt, ohne daß der Sinn eindeutig war.

»Noch was?« fragte Brunetti.

Vianello schüttelte den Kopf. »Nicht, daß ich wüßte. Es ist Jahre her.« Und bevor Brunetti ihn noch darum bitten konnte, fügte er hinzu: »Ich rufe meinen Vetter an und frage ihn. Vielleicht kennt er ja andere Leute, für die Santomauro tätig war.«

Brunetti nickte anerkennend. »Ich möchte auch alles wissen, was sich über diese *Lega* in Erfahrung bringen läßt, wie viele Mitglieder sie hat, wer sie sind und was sie eigentlich tun.«

Wenn er es recht überlegte, fand Brunetti es eigenartig, wie eine Organisation, die so bekannt war, daß die Leute schon Witze darüber machten, es geschafft hatte, so wenig über sich preiszugeben. Jeder kannte die *Lega*, aber soviel Brunetti aus seinen eigenen Erfahrungen schließen konnte, hatte niemand eine klare Vorstellung davon, was diese *Lega* eigentlich tat.

Vianello hatte mittlerweile sein Notizbuch herausgeholt und schrieb sich alles auf. »Soll ich über Signora Santomauro auch Erkundigungen einziehen?«

»Ja, alles, was Sie rausbekommen können.«

»Ich glaube, sie stammt ursprünglich aus Verona. Aus einer Bankiersfamilie.« Er sah Brunetti an. »Noch etwas, Commissario?«

»Ja, dieser Transvestit in Mestre, Francesco Crespo. Erwähnen Sie seinen Namen hier und da, mal sehen, ob er jemandem etwas sagt.«

»Was haben die in Mestre über ihn?«

»Nichts weiter, außer daß er zweimal wegen Drogen festgenommen wurde. Die Kollegen von der Sitte führen ihn noch auf ihrer Liste, aber er hat längst eine Wohnung im Viale Ronconi, eine sehr schöne Wohnung, und das bedeutet ja wohl, daß er die Via Cappuccina und die öffentlichen Parks hinter sich gelassen hat. Und fragen Sie, ob Gallo schon die Namen der Hersteller des Kleides und der Schuhe hat.«

»Ich werde sehen, was ich herausfinden kann«, sagte Vianello, während er sich weitere Notizen machte. »War's das, Commissario?«

»Ja. Und behalten Sie die Vermißtenmeldungen im Auge. Alles, was hereinkommt. Wir suchen einen Mann Anfang vierzig, auf den die Beschreibung des Toten paßt. Sie ist in der Akte. Vielleicht kann die neue Sekretärin mit ihrem Computer etwas dazu beitragen.«

»Aus welcher Gegend, Commissario?« wollte Vianello wissen, während er seinen Stift bereithielt. Daß er nicht weiter nach der Sekretärin fragte, genügte Brunetti, um zu wissen, daß ihre Ankunft sich bereits herumgesprochen hatte.

»Wenn sie das kann, aus dem ganzen Land. Ebenso vermißte Touristen.«

»Sie können sich wohl mit dem Gedanken, daß er ein *prostituto* war, nicht recht anfreunden, Commissario?«

Brunetti mußte an den nackten Körper denken, der so schrecklich seinem eigenen glich. »Nein, es ist einfach kein Körper, für den jemand bezahlen würde.«

12

Am Samstagmorgen fuhr Brunetti mit seiner Familie zum Bahnhof, aber es herrschte gedämpfte Stimmung, während sie an der Anlegestelle San Silvestro ins Vaporetto Nummer eins stiegen. Paola war verärgert, daß Brunetti »seinen Transvestiten«, wie sie inzwischen sagte, nicht verlassen wollte, um wenigstens für das erste Urlaubswochenende mit nach Bozen zu fahren; Brunetti ärgerte sich, daß sie ihn nicht verstand. Raffaele trauerte dem jungfräulichen Charme seiner Freundin Sara Paganuzzi nach, wenn ihn auch die Aussicht, in einer Woche wieder mit ihr vereint zu sein, etwas tröstete – außerdem konnte man ja bis dahin die Wälder nach frischen Pilzen durchstreifen. Chiara war, wie so häufig, ganz und gar uneigennützig in ihrem Kummer, denn sie wollte nur, daß ihr Vater, der ständig zu viel arbeitete, wegfahren und richtig Urlaub machen konnte.

Die Familienetikette wollte es, daß jeder sein Gepäck selbst trug, aber da Brunetti nur bis Mestre mitfuhr und darum keines hatte, nutzte Paola die Gelegenheit und überließ ihm ihren großen Koffer, während sie nur ihre Handtasche zu tragen hatte, samt »Henry James, *Briefe*« – ein so entsetzlich umfangreiches Buch, daß Brunetti überzeugt war, sie hätte sowieso keine Zeit für ihn gehabt. Weil Brunetti nun Paolas Koffer trug, trat augenblicklich das Dominoprinzip in Kraft: Chiara stopfte ein paar von ihren Büchern in den Koffer ihrer Mutter, womit sie wiederum in ihrem eigenen Platz für Raffis zweites Paar Bergstiefel schuf. Woraufhin seine Mutter diesen Platz für ihre Ausgabe von *The sacred Fount* beanspruchte, nachdem sie beschlossen hatte, daß in diesem Jahr endlich genügend Zeit wäre, es zu lesen.

Sie stiegen alle in ein Abteil des 8.35-Uhr-Zuges, der Brunetti binnen zehn Minuten nach Mestre und die anderen rechtzeitig zum Mittagessen nach Bozen bringen würde. Keiner wußte viel zu sagen während der kurzen Fahrt über die Lagune; Paola vergewisserte sich, daß er die Telefonnummer des Hotels in der Brieftasche hatte, und Raffaele erklärte ihm, Sara werde nächsten Samstag mit genau diesem Zug fahren, worauf Brunetti überlegte, ob nun von ihm erwartet wurde, daß er dann auch ihr das Gepäck trug.

In Mestre gab er den Kindern einen Abschiedskuß, und Paola ging mit ihm den Gang entlang zur Tür. »Ich hoffe, du kannst nächstes Wochenende kommen, Guido. Besser noch, du bringst die Sache ganz schnell zu Ende und kommst früher.«

Er lächelte, wollte ihr aber nicht sagen, für wie unwahrscheinlich er das hielt; sie wußten noch nicht einmal, wer der Tote überhaupt war. Er küßte sie auf beide Wangen, stieg aus und ging auf dem Bahnsteig zurück bis zum Abteil, in dem die Kinder saßen. Chiara aß bereits einen Pfirsich. Während er durchs Fenster zu ihnen hineinschaute, sah er Paola ins Abteil zurückkommen, automatisch ein Taschentuch herausziehen und es Chiara hinhalten. Der Zug setzte sich genau in dem Augenblick in Bewegung, als Chiara den Kopf drehte, um sich den Mund abzuwischen, und ihn dabei auf dem Bahnsteig stehen sah. Ihr Gesicht, am Kinn noch glänzend feucht vom Pfirsichsaft, leuchtete in reinster Freude auf, und sie sprang ans Fenster. »*Ciao, papà, ciao, ciao*«, rief sie durch den Zuglärm. Sie stand auf dem Sitz, beugte sich hinaus und schwenkte wie wild Paolas Taschentuch. Brunetti stand da und winkte, bis die winzige weiße Liebesflagge in der Ferne entschwand.

Als er in der Questura von Mestre zu Gallos Büro kam, traf er den Sergente schon an der Tür. »Es kommt jemand, um sich die Leiche anzusehen«, sagte Gallo ohne Einleitung.

»Wer? Wieso?«

»Ihre Leute haben heute früh einen Anruf bekommen. Von einer«, er warf einen Blick auf einen Zettel in seiner Hand, »von einer Signora Mascari. Ihr Mann ist Direktor der venezianischen Filiale der Banca di Verona. Er ist seit Samstag verschwunden.«

»Das war vor einer Woche«, sagte Brunetti. »Warum hat es so lange gedauert, bis sie sein Verschwinden bemerkt hat?«

»Er wollte eine Geschäftsreise machen. Nach Messina. Er ist am Samstagnachmittag abgefahren, und seither hat sie nichts mehr von ihm gehört.«

»Eine Woche? Sie hat eine Woche vergehen lassen, bevor sie uns angerufen hat?«

»Ich habe nicht selbst mit ihr gesprochen«, erklärte Gallo, fast so als hätte Brunetti *ihn* der Tatenlosigkeit bezichtigt.

»Wer war am Apparat?«

»Ich weiß es nicht. Ich hatte nur einen Zettel auf dem Schreibtisch, daß sie heute vormittag zum Umberto Primo fährt und sich die Leiche ansieht. Gegen halb zehn wollte sie dort sein.«

Die Männer tauschten einen Blick. Gallo schob seinen Ärmel zurück und sah auf die Uhr.

»Ja«, sagte Brunetti, »gehen wir.«

Darauf folgte ein Durcheinander, das in seinem Irrwitz fast filmreif war. Ihr Wagen geriet ins morgendliche Verkehrschaos; der Fahrer entschied sich für einen Umweg, der zur Rückseite des Krankenhauses führte, worauf sie nur in einen noch längeren Stau gerieten und ankamen, als Signora Mascari nicht nur die Leiche bereits als ihren Mann Leonardo identifiziert hatte, sondern auch mit demselben Taxi, das sie von Venedig hergebracht hatte, zur Questura von Mestre weitergefahren war, wo die Polizei, wie man ihr gesagt hatte, ihre Fragen beantworten würde.

Das alles führte dazu, daß Signora Mascari, als Brunetti und Gallo schließlich zur Questura zurückkamen, schon über eine Viertelstunde auf sie wartete. Aufrecht und ganz allein saß sie auf einer Holzbank im Flur vor Gallos Büro. Sie war eine Frau, aus deren Kleidung und Auftreten nicht sprach, daß ihre Jugend dahin war, sondern daß es nie eine gegeben hatte. Ihr Kostüm aus mitternachtsblauer Wildseide war klassisch geschnitten, der Rock etwas länger, als die Mode verlangte. Die dunkle Farbe stand in scharfem Kontrast zu ihrer blassen Haut.

Sie blickte hoch, als die beiden Männer auf sie zukamen, und Brunetti stellte fest, daß ihr Haar den Rotton hatte, der bei Frauen in Paolas Alter so beliebt war. Sie war kaum geschminkt, so daß er um ihre Augenwinkel und den Mund die haarfeinen Linien erkennen konnte, die entweder durch Alter oder durch Kummer verursacht worden waren, welches von beidem, konnte Brunetti nicht sagen. Signora Mascari erhob sich und trat einen Schritt auf die beiden Männer zu. Brunetti blieb vor ihr stehen und streckte die Hand aus. »Signora Mascari, ich bin Commissario Brunetti von der venezianischen Polizei.«

Sie nahm seine Hand und drückte sie rasch und nur schwach. Ihm fiel auf, daß ihre Augen stark glänzten, ob von ungeweinten Tränen oder durch die Spiegelung ihrer Brillengläser, wußte er nicht.

»Mein herzliches Beileid, Signora Mascari«, sagte er. »Ich weiß, wie schmerzlich und schockierend all dies für Sie sein muß.« Sie gab immer noch nicht zu erkennen, daß sie seine Worte aufgenommen hatte. »Können wir jemanden anrufen, den Sie hier bei sich haben möchten?«

Sie schüttelte den Kopf. »Sagen Sie mir, was passiert ist.«

»Wir gehen vielleicht am besten in Sergente Gallos Büro«, schlug Brunetti vor und griff nach der Türklinke. Er ließ Signora Mascari den Vortritt. Dann sah er über seine Schulter hinweg zu Gallo, der fragend die Brauen hochzog; Brunetti nickte, und der Sergente kam mit ihnen ins Büro. Brunetti stellte einen Stuhl für Signora Mascari bereit und hielt ihn, bis sie saß und zu ihm aufsah.

»Können wir Ihnen etwas anbieten, Signora? Ein Glas Wasser vielleicht, oder einen Tee?«

»Nein. Nichts. Erzählen Sie mir, was vorgefallen ist.«

Gallo nahm leise hinter seinem Schreibtisch Platz; Brunetti setzte sich in die Nähe von Signora Mascari.

»Die Leiche Ihres Mannes wurde am Montagmorgen in Mestre gefunden. Wenn Sie mit den Leuten im Krankenhaus gesprochen haben, wissen Sie, daß die Todesursache ein Schlag auf den Kopf war.«

Sie unterbrach ihn: »Es waren auch Schläge ins Gesicht.« Nach diesen Worten wandte sie den Blick ab und sah starr auf ihre Hände.

»Kennen Sie irgendwen, der Ihrem Mann übelwollte, Signora? Fällt Ihnen jemand ein, der ihn schon einmal bedroht hat oder mit dem er eine ernste Auseinandersetzung hatte?«

Sie schüttelte ohne Zögern energisch den Kopf. »Leonardo hatte keine Feinde«, sagte sie.

Nach Brunettis Erfahrung wurde man nicht Direktor einer Bank, ohne sich Feinde zu machen, aber das behielt er für sich.

»Hat Ihr Mann je von Problemen im Zusammenhang mit seiner Arbeit gesprochen? Eine Kündigung, die er aussprechen mußte vielleicht? Oder ein Kreditantrag, dem er nicht stattgeben konnte und wofür der Antragsteller ihn dann persönlich verantwortlich gemacht hat?«

Wieder schüttelte sie den Kopf. »Nein, nichts dergleichen. Es hat nie irgendwelche Probleme gegeben.«

»Und in der Familie, Signora? Hat Ihr Mann irgendwann einmal Schwierigkeiten mit einem Familienmitglied gehabt?«

»Was soll das?« wollte sie wissen. »Warum stellen Sie mir diese Fragen?«

»Signora«, begann Brunetti beschwichtigend, »die Art und Weise, wie Ihr Mann umgebracht wurde, allein die

Brutalität der Tat läßt darauf schließen, daß der Täter Grund hatte, Ihren Mann zu hassen, darum müssen wir uns, bevor wir anfangen können, nach dieser Person zu suchen, einen Eindruck verschaffen, was der Auslöser gewesen sein könnte. Es ist also notwendig, diese Fragen zu stellen, auch wenn sie, wie ich sehr wohl weiß, qualvoll sind.«

»Aber ich kann Ihnen nichts sagen. Leonardo hatte keine Feinde.« Nachdem sie das wiederholt hatte, blickte sie zu Gallo hinüber, als wollte sie ihn bitten, ihre Aussage zu bestätigen oder ihr zu helfen, Brunetti zu überzeugen, daß er ihr glauben müsse.

»Als Ihr Mann am letzten Samstag das Haus verlassen hat, war er auf dem Weg nach Messina?« fragte Brunetti. Sie nickte. »Waren Sie über den Zweck seiner Reise informiert, Signora?«

»Er sagte, es sei eine Geschäftsreise und er käme am Freitag, also gestern, zurück.«

»Aber Genaueres hat er Ihnen nicht erzählt?«

»Nein, das tat er nie. Er sagte immer, seine Arbeit sei nicht so interessant, und hat selten mit mir darüber gesprochen.«

»Haben Sie noch etwas von ihm gehört, nachdem er fort war, Signora?«

»Nein. Er ist am Samstagnachmittag zum Flughafen gefahren. Er hatte einen Flug nach Rom, wo er umsteigen mußte.«

»Hat Ihr Mann Sie danach angerufen, Signora? Aus Rom oder aus Messina?«

»Nein, aber das hat er nie getan. Wenn er auf Geschäftsreise ging, fuhr er dahin, wo er hinmußte, und kam danach wieder nach Hause, oder er hat mich aus seinem Büro in der Bank angerufen, wenn er nach seiner Rückkehr direkt dorthin ging.«

»Und das war normal, Signora?«

»Was meinen Sie mit normal?«

»Daß er auf Geschäftsreise ging und sich nicht bei Ihnen meldete.«

»Ich habe es Ihnen doch eben schon gesagt«, erklärte sie etwas ungeduldig. »Er ist gelegentlich für die Bank verreist, sechs- oder siebenmal im Jahr vielleicht. Manchmal hat er mir eine Postkarte geschickt oder mir etwas mitgebracht, aber angerufen hat er nie.«

»Wann haben Sie angefangen, sich Sorgen zu machen, Signora?«

»Gestern abend. Ich dachte, er sei nach seiner Rückkehr am Nachmittag vielleicht in die Bank gegangen und werde dann nach Hause kommen. Als er um sieben noch nicht da war, habe ich in der Bank angerufen, aber sie hatten schon geschlossen. Daraufhin habe ich es bei zwei seiner Kollegen versucht, aber sie waren beide nicht zu Hause.« Hier hielt sie inne, holte tief Luft und fuhr dann fort: »Ich habe mir gesagt, daß ich mich vielleicht im Tag geirrt hätte oder in der Zeit, aber heute morgen konnte ich mir nichts mehr vormachen. Ich habe einen Angestellten der Bank angerufen, der dann mit einem Kollegen in Messina gesprochen und mich anschließend zurückgerufen hat.«

Hier hörte sie auf zu sprechen.

»Was hat er Ihnen gesagt, Signora?« fragte Brunetti leise.

Sie hielt sich den Handrücken an den Mund, vielleicht

in der Hoffnung, die Worte zurückhalten zu können, aber sie hatte den Leichnam in der Leichenhalle gesehen, darum nützte es nichts. »Er hat mir gesagt, daß Leonardo gar nicht in Messina war. Da habe ich bei der Polizei angerufen. Bei Ihnen angerufen. Man hat mir gesagt… als ich eine Beschreibung meines Mannes gegeben habe… sagte man mir, ich soll hierher fahren. Das habe ich getan.« Ihre Stimme war immer brüchiger geworden, während sie das alles erklärte, und als sie fertig war, lagen ihre Hände zusammengekrampft in ihrem Schoß.

»Signora, sind Sie ganz sicher, daß es niemanden gibt, den Sie anrufen möchten oder den wir für Sie anrufen könnten, damit er herkommt und bei Ihnen bleibt? Vielleicht sollten Sie jetzt besser nicht allein sein«, sagte Brunetti.

»Nein. Nein, ich will niemanden sehen.« Sie stand abrupt auf. »Ich muß nicht hierbleiben, oder? Ich kann doch gehen?«

»Aber natürlich, Signora. Es war schon mehr als freundlich, daß Sie bereit waren, uns diese Fragen zu beantworten.«

Sie ging nicht darauf ein.

Brunetti gab Gallo ein Zeichen, während er aufstand und Signora Mascari zur Tür folgte. »Wir lassen Sie nach Venedig zurückfahren, Signora.«

»Ich will nicht, daß mich jemand in einem Streifenwagen ankommen sieht«, versetzte sie.

»Es ist ein neutraler Wagen, Signora, und der Fahrer trägt keine Uniform.«

Sie erwiderte nichts darauf, und da sie nichts sagte, hieß

das wahrscheinlich, daß sie einverstanden war, zum Piazzale Roma gebracht zu werden.

Brunetti öffnete die Tür und geleitete sie zur Treppe am Ende des Korridors. Er sah, daß sie mit der rechten Hand fest ihre Handtasche umklammert hielt, während sie die linke buchstäblich in die Tasche ihrer Kostümjacke gerammt hatte.

Brunetti begleitete sie bis vor die Tür der Questura, hinaus in die Hitze, die er ganz vergessen hatte. Eine dunkelblaue Limousine wartete mit laufendem Motor am Fuß der Treppe. Brunetti hielt Signora Mascari die Wagentür auf und stützte ihren Arm, als sie einstieg. Kaum hatte sie Platz genommen, wandte sie sich ab und blickte aus dem gegenüberliegenden Fenster, obwohl dort nur der Verkehr und die tristen Fassaden von Bürohäusern zu sehen waren. Brunetti drückte sanft die Tür zu und wies den Fahrer an, Signora Mascari zum Piazzale Roma zurückzufahren.

Als der Wagen sich in den fließenden Verkehr eingereiht hatte, ging Brunetti in Gallos Büro zurück. »Na, was hatten Sie für einen Eindruck?«

»Ich glaube nicht, daß es Menschen gibt, die keine Feinde haben.«

»Ganz besonders nicht Banker Mitte vierzig«, fügte Brunetti hinzu.

»Und nun?« fragte Gallo.

»Ich fahre nach Venedig und sehe, ob ich von meinen Leuten dort etwas erfahren kann. Wir haben jetzt einen Namen und wissen damit wenigstens, wo wir anfangen können zu suchen.«

»Wonach?« fragte Gallo.

Brunettis Antwort kam wie aus der Pistole geschossen. »Zuerst müssen wir das tun, was wir gleich hätten tun müssen, nämlich herausfinden, woher die Kleidung und die Schuhe stammen.«

Gallo verstand das als Rüge und antwortete ebenso schnell. »Über das Kleid gibt es noch nichts, aber dafür haben wir den Hersteller der Schuhe, und heute nachmittag bekomme ich wahrscheinlich eine Liste der Geschäfte, in denen sie verkauft wurden.«

Brunetti hatte seine Bemerkung nicht als Kritik an Mestre gemeint, aber er beließ es dabei. Es konnte nicht schaden, Gallo und seine Leute etwas anzustacheln, damit sie möglichst schnell in Erfahrung brachten, woher die Kleidung stammte, denn diese Schuhe und das Kleid waren sicher nicht gerade das, was ein Banker mittleren Alters ins Büro anziehen würde.

13

Falls Brunetti geglaubt hatte, an einem Samstagmorgen im August jemanden bei der Arbeit zu finden, so kannte er die Mitarbeiter der Questura schlecht; an der Tür standen zwar Wachen, und auf der Treppe begegnete er immerhin einer Putzfrau, aber die Büros waren leer, und er wußte, daß jede Hoffnung, vor Montag etwas erledigt zu bekommen, vergeblich war. Er spielte kurz mit dem Gedanken, sich in einen Zug nach Bozen zu setzen, aber dann wurde ihm klar, daß er erst nach dem Abendessen dort eintreffen würde, und ebenso war ihm klar, daß er den ganzen morgigen Tag nur im Sinn haben würde, möglichst schnell wieder in die Stadt zurückzukommen.

Er ging in sein Büro und riß die Fenster auf, obwohl er wußte, daß er damit nichts verbesserte. Es wurde drückender im Zimmer, vielleicht sogar noch etwas heißer. Auf seinem Schreibtisch lagen keine neuen Zeitungen, kein Bericht von Signorina Elettra.

Er zog die unterste Schublade auf und holte das Telefonbuch heraus. Er suchte unter L nach der *Lega della Moralità*, fand aber nichts, was ihn allerdings nicht weiter überraschte. Unter s fand er »Santomauro, Giancarlo, avv.« und eine Adresse in San Marco. Der verstorbene Leonardo Mascari wohnte, wie er anschließend feststellte, in Castello. Das überraschte ihn nun doch; Castello war das am wenigsten renommierte *sestiere* der Stadt, ein Bezirk, wo vorwiegend solide Arbeiterfamilien wohnten, wo Kin-

schaute erneut ins Telefonbuch und notierte sich die Anschrift. Dann suchte er sich die Hausnummer von Morellis Apotheke heraus. Sie befand sich in unmittelbarer Nachbarschaft. Er warf das Telefonbuch wieder in die Schublade und schob sie mit dem Fuß zu. Anschließend schloß er die Fenster und verließ die Questura.

Zehn Minuten später trat er aus den Bögen des *sottoportico* der Calle della Bissa auf den Campo San Bartolomeo hinaus. Sein Blick fiel auf die Bronzestatue Goldonis, der zwar nicht sein liebster Bühnenautor war, aber sicher derjenige, der ihn am meisten zum Lachen bringen konnte, besonders dann, wenn die Stücke in ihrem ursprünglichen venezianischen Dialekt gespielt wurden, wie es üblich war hier in der Stadt, die der Dichter in seinen Stücken porträtierte und die ihn genug liebte, um ihm ein Denkmal zu errichten. Goldoni war mitten in einem schwungvollen Schritt eingefangen, und darum war dieser Campo für seine Statue der richtige Platz, denn hier hatten es alle eilig, waren immer auf dem Weg irgendwohin: über die Rialtobrücke entweder zum Stadtteil San Marco oder Cannaregio. Wenn man im Herzen der Stadt wohnte, sorgte schon ihre Geographie dafür, daß man mindestens einmal am Tag den Campo San Bartolomeo überquerte.

Als Brunetti ankam, herrschte dichtester Fußgängerverkehr; viele hasteten noch rasch zum Markt, bevor geschlossen wurde, oder sie eilten, nachdem die Arbeitswoche endlich hinter ihnen lag, nach Hause. Er schlenderte an der Ostseite des Campo entlang und achtete dabei auf die Hausnummern über den Türen. Wie erwartet fand er die gesuchte Nummer über einem Eingang zwei Türen neben der Apotheke. Er blieb vor der Klingeltafel neben der Tür stehen und sah sich die Namen an. Die Banca di Verona war dabei, außerdem standen neben den Klingelknöpfen noch drei andere Namen, die wahrscheinlich zu privaten Wohnungen gehörten.

Brunetti drückte auf die erste Klingel über der Bank. Niemand machte ihm auf. Dasselbe bei der zweiten. Er wollte gerade auf den dritten Knopf drücken, als er hinter sich eine Frauenstimme in reinstem Veneziano fragen hörte: »Kann ich Ihnen helfen? Zu wem wollen Sie denn?«

Er drehte sich um und stand einer kleinen, alten Frau mit einem vollbeladenen Einkaufswagen gegenüber, der an ihrem Bein lehnte. Der Name neben der ersten Klingel fiel ihm ein, und so antwortete er im selben Dialekt: »Ja. Ich wollte zu den Mortonis. Ihr Versicherungsbeitrag ist fällig, und ich dachte, ich komme mal vorbei und frage, ob sie bei der Gelegenheit vielleicht die Versicherungssumme erhöhen wollen.«

»Die Mortonis sind nicht da«, sagte die Frau, wobei sie in einer riesigen Handtasche nach ihrem Schlüsselbund kramte. »Sind in die Berge gefahren. Ebenso die Gasparis, nur daß die in Jesolo sind.« Sie hatte es aufgegeben, ihre Schlüssel ertasten oder erspähen zu wollen, und versuchte nun, sie mit dem Gehör zu orten, es klappte, und sie zog ein Bund heraus, das so groß war wie ihre Hand.

»Darauf läuft alles hinaus«, sagte sie und hielt Brunetti die Schlüssel unter die Nase. »Sie haben mir ihre Schlüssel dagelassen, und ich gieße ihre Blumen und passe auf, daß hier nicht alles zusammenbricht.« Sie hob den Kopf und sah Brunetti an. Ihre Augen waren zu einem hellen Blau verblaßt und standen in einem runden, von einem Netzwerk feiner Linien durchzogenen Gesicht. »Haben Sie Kinder, Signore?«

»Ja«, antwortete er, ohne zu überlegen.

»Namen und Alter?«

»Raffaele ist sechzehn und Chiara dreizehn, Signora.«

»Gut«, meinte sie, als hätte er eine Art Test bestanden. »Sie sind ein kräftiger junger Mann. Glauben Sie, daß Sie mir den Einkaufswagen in den dritten Stock tragen können? Sonst muß ich mindestens dreimal laufen, um alles hochzubringen. Mein Sohn kommt morgen mit seiner Familie zum Mittagessen, da mußte ich ziemlich viel einkaufen.«

»Natürlich, ich helfe Ihnen gern, Signora«, sagte er und bückte sich gleichzeitig nach dem Wagen, der bestimmt fünfzehn Kilo wog. »Ist es eine große Familie?«

»Mein Sohn und seine Frau und die Kinder. Zwei bringen die Urenkel mit, dann sind wir, lassen Sie mich mal rechnen, dann sind wir zehn.«

Sie schloß die Tür auf und hielt sie, während Brunetti mit dem Wagen an ihr vorbeiging. Sie drückte auf den Lichtschalter und stieg vor ihm die Treppe hinauf. »Sie glauben gar nicht, was die mir für die Pfirsiche abgenommen haben. Mitte August, und immer noch dreitausend Lire das Kilo. Aber ich habe sie trotzdem gekauft. Marco schneidet sich gern vor dem Essen einen in Rotwein und ißt ihn dann zum Nachtisch. Und Fisch. Ich wollte ja eigentlich *rombo* haben, aber der war mir zu teuer. Einen guten gedünsteten *bosega* mögen ja auch alle, so habe ich den genommen, trotzdem hat der Fischmann mir noch zehntausend Lire fürs Kilo abgeknöpft. Drei Fische, und ich bin fast vierzigtausend Lire los.« Sie blieb auf dem ersten Treppenabsatz stehen und schaute zu Brunetti herunter. »Als ich ein kleines Mädchen war, haben wir *bosega* unserer Katze gegeben, und jetzt zahle ich zehntausend Lire fürs Kilo.«

Sie drehte sich um und nahm die nächste Treppe in Angriff. »Sie tragen ihn doch an den Griffen, oder?«

»Ja, Signora.«

»Gut. Ich habe nämlich obenauf ein Kilo Feigen gelegt, und die sollen nicht zerdrückt werden.«

»Nein, sie sind noch heil, Signora.«

»Ich war in der *Casa del Parmigiano* und habe *prosciutto* zu den Feigen gekauft. Ich kenne Giuliano, seit er ein Junge war. Er hat den besten Schinken in ganz Venedig, finden Sie nicht?«

»Meine Frau kauft auch immer da, Signora.«

»Kostet ein Vermögen, aber die Ware ist den Preis wert, meinen Sie nicht auch?«

»Ja, Signora.«

Dann waren sie oben. Den Schlüsselbund hatte sie noch in der Hand, so daß sie nicht wieder danach suchen mußte. Sie schloß auf, gab der Tür einen Stoß und ließ Brunetti an sich vorbei in die große Wohnung, die zum Campo hin vier hohe Fenster hatte – jetzt geschlossen und durch die zugezogenen Läden verdunkelt.

Sie ging voraus in den Wohnraum, ein Zimmer, wie es Brunetti aus seiner Jugend vertraut war: dicke Sessel und ein Sofa mit Roßhaarfüllung, die piekte, wenn man darauf saß; massive, dunkelbraune Kredenzen, auf deren Abstellflächen silberne Bonbondosen und Fotos in silbernen Rahmen standen; ein venezianischer Terrazzoboden, der sogar in dem schwachen Licht glänzte. Er hätte im Haus seiner Großeltern sein können.

In der Küche war es dasselbe. Der Ausguß war aus Stein, und in einer Ecke war ein riesiger, zylindrischer Boiler angebracht. Der Küchentisch hatte eine Marmorplatte, und er sah die Signora vor sich, wie sie darauf Pasta ausrollte oder bügelte.

»Stellen Sie's einfach da hin, bei der Tür«, sagte sie. »Möchten Sie etwas trinken?«

»Ein Glas Wasser wäre gut, Signora.«

Wie nicht anders erwartet, holte sie ein silbernes Tablett vom Schrank, legte ein kleines Spitzendeckchen in die Mitte und stellte ein Muranoweinglas darauf. Dann nahm sie aus dem Kühlschrank eine Flasche Mineralwasser und schenkte das Glas voll.

»*Grazie infinite*«, sagte er, bevor er trank. Er stellte das Glas vorsichtig in die Mitte des Spitzendeckchens und lehnte freundlich ab, als sie fragte, ob er noch mehr wolle.

»Soll ich Ihnen helfen, die Sachen auszupacken, Signora?«

»Nein, ich weiß, wo alles ist und wo alles hingehört. Sie waren sehr freundlich, junger Mann. Wie heißen Sie denn?«

»Brunetti, Guido.«

»Und Sie verkaufen Versicherungen?«

»Ja, Signora.«

»Na, dann vielen Dank«, sagte sie, stellte sein Glas in den Ausguß und griff in ihr Einkaufswägelchen.

Brunetti besann sich auf seinen wirklichen Beruf und

fragte: »Signora, nehmen Sie immer so einfach Leute mit in die Wohnung? Ohne zu wissen, wer sie sind?«

»Nein, ich bin ja nicht dumm. Ich lasse durchaus nicht jeden herein«, entgegnete sie. »Ich frage immer, ob sie Kinder haben. Und natürlich müssen es Venezianer sein.«

Natürlich. Wenn er es recht bedachte, war ihr System wahrscheinlich besser als Lügendetektoren oder Sicherheitskontrollen. »Danke für das Wasser, Signora. Ich finde allein hinaus.«

»Vielen Dank«, sagte sie über ihre Einkäufe gebeugt, wahrscheinlich auf der Suche nach den Feigen.

Er ging die ersten beiden Stockwerke hinunter und blieb auf dem Treppenabsatz oberhalb der Tür zur Banca di Verona stehen. Man hörte nichts, obwohl vom Campo hin und wieder Wortfetzen oder ein Ruf heraufdrang. Im schwachen Licht, das durch die kleinen Treppenhausfenster hereinfiel, sah er auf die Uhr. Kurz nach eins. Er blieb zehn Minuten stehen und hörte, bis auf zusammenhanglose Geräusche von draußen, immer noch nichts.

Langsam stieg er die Stufen hinunter, bis er vor der Tür zur Bank stand. Nicht ohne sich ziemlich lächerlich vorzukommen, legte Brunetti den Kopf schief und spähte durch das Schlüsselloch der metallenen *porta blindata*. Drinnen sah er einen schwachen Schein, als ob jemand vergessen hätte, das Licht auszumachen, nachdem er am Freitagnachmittag die Läden zugeklappt hatte. Oder als ob an diesem Samstagnachmittag jemand da drin arbeitete.

Er ging wieder die Treppe hinauf und lehnte sich gegen die Wand. Nach weiteren zehn Minuten holte er sein Taschentuch heraus, breitete es auf der zweiten Stufe aus, zog die Hosenbeine hoch und setzte sich. Er stützte die Ellbogen auf die Knie und legte das Kinn auf seine Fäuste. Nach einer, wie ihm schien, langen Zeit stand er auf, schob das Taschentuch näher an die Wand und setzte sich wieder, wobei er sich nun gegen die Wand lehnte. Kein Luftzug war zu spüren, er hatte den ganzen Tag noch nichts gegessen, und die Hitze drosch förmlich auf ihn ein. Er warf einen Blick auf seine Armbanduhr und sah, daß es schon nach zwei war. Bis drei, und keine Minute länger, entschied er.

Um zwanzig vor vier, immer noch an seinem Platz, jetzt aber fest entschlossen, um vier zu gehen, hörte er von unten ein metallisches Geräusch. Er stand auf, nahm sein Taschentuch an sich und zog sich nach oben zurück. Unter ihm ging eine Tür auf, aber er blieb, wo er war. Die Tür schlug zu, ein Schlüssel wurde im Schloß gedreht, und auf der Treppe waren Schritte zu hören. Brunetti reckte den Hals und sah unter sich eine Gestalt verschwinden. Bei der schlechten Beleuchtung war nur ein großer Mann in dunklem Anzug auszumachen, der ein Aktenköfferchen trug. Kurzgeschnittenes, dunkles Haar und ein gestärkter, weißer Kragen, der am Nacken gerade noch zu erkennen war. Der Mann drehte sich, um die nächste Treppe hinunterzugehen, aber im Halbdunkel des Treppenhauses war wirklich nicht viel zu erkennen. Brunetti schlich sich leise hinter ihm nach unten. An der Tür zur Bank sah er noch einmal durchs Schlüsselloch, aber drinnen war es jetzt dunkel.

Von unten hörte er die Haustür auf- und wieder zugehen und rannte bei dem Geräusch die restlichen Stufen hinunter. An der Tür hielt er kurz inne, öffnete sie dann rasch und trat hinaus auf den Campo. Einen Moment wurde er von der grellen Sonne geblendet und legte die Hand über die Augen. Als er sie wegnahm, ließ er seinen Blick über den Campo schweifen, sah aber nur pastellfarbene Shorts und weiße Hemden. Er ging nach rechts und schaute die Calle della Bissa hinunter. Kein Mann in dunklem Anzug. Er rannte quer über den Campo bis zur ersten Calle, die dort abging, sah den Mann aber nicht. Es gab mindestens noch fünf Calli, die vom Campo wegführten, und Brunetti war klar, daß der Mann längst fort sein würde, bevor er alle überprüfen konnte. Er beschloß, zur Anlegestelle Rialto zu gehen, vielleicht wollte der Mann ja ein Boot nehmen. Er schlängelte sich zwischen den Leuten hindurch, schubste andere aus dem Weg, rannte bis ans Wasser und dann zum *embarcadero* des zweiundachtziger Bootes. Als er ankam, legte das Boot in Richtung San Marcuola und Bahnhof gerade ab.

Er drängte sich durch eine schnatternde Schar japanischer Touristen, bis er am Canal Grande stand. Das Boot fuhr an ihm vorbei, und er ließ seinen Blick über die Passagiere an Deck und in der Kabine wandern. Es waren viele Leute auf dem Boot, die meisten in Freizeitkleidung. Endlich sah Brunetti auf der anderen Deckseite einen Mann in dunklem Anzug und weißem Hemd. Er zündete sich gerade eine Zigarette an und wandte sich ab, um das Streichholz ins Wasser zu werfen. Brunetti glaubte, den Hinterkopf zu erkennen, aber sicher konnte er nicht sein. Als der Mann sich wieder umdrehte, versuchte Brunetti, sich sein Profil einzuprägen. Dann glitt das Boot unter die Rialtobrücke, und der Mann war seinen Blicken entzogen.

14

Brunetti tat, was jeder vernünftige Mann tut, nachdem er eine Niederlage hatte einstecken müssen – er ging nach Hause und rief seine Frau an. Als man ihn mit Paolas Zimmer verbunden hatte, war Chiara am Apparat.

»*Oh, ciao papà*, du hättest mitfahren sollen. Stell dir vor, wir sind kurz vor Vicenza steckengeblieben und mußten fast zwei Stunden warten. Niemand wußte, was passiert war, aber dann hat der Schaffner uns erzählt, daß sich zwischen Vicenza und Verona eine Frau vor einen Zug geworfen hat, deshalb mußten wir so lange warten. Wahrscheinlich haben sie erstmal alles saubermachen müssen, oder? Als wir wieder losfahren durften, habe ich die ganze Zeit aus dem Fenster geschaut, bis Verona, aber ich habe nichts gesehen. Meinst du, die haben das so schnell weggewischt?«

»Ich nehme es an, *cara*. Ist deine Mutter da?«

»Ja, sie ist da, *papà*. Aber vielleicht habe ich ja auf der falschen Seite aus dem Fenster geschaut, und der ganze Matsch war auf der anderen Seite vom Zug. Könnte es das gewesen sein?«

»Kann sein, Chiara. Läßt du mich jetzt mit *mamma* sprechen?«

»Klar, *papà*. Sie sitzt hier neben mir. Was glaubst du, warum jemand so etwas tut, sich vor einen Zug werfen?«

»Wahrscheinlich, weil sie nicht mit dem Menschen reden durfte, mit dem sie reden wollte, Chiara.«

»Ach, *papà*, du sagst immer so komische Sachen. Hier ist sie.«

Komisch? Komisch? Er fand, er war ganz ernst gewesen.

»*Ciao*, Guido«, sagte Paola. »Hast du das eben gehört? Unsere Tochter hat eine makabre Ader.«

»Wann seid ihr denn angekommen?«

»Vor einer guten halben Stunde. Wir mußten im Zug essen. Grauenhaft. Was hast du so gemacht? Hast du die *insalata di calamari* gefunden?«

»Nein, ich bin eben erst gekommen.«

»Mestre? Hast du zu Mittag gegessen?«

»Nein, ich mußte etwas erledigen.«

»Also, der Salat ist im Kühlschrank. Iß ihn heute oder morgen, viel länger hält er sich bei dieser Hitze nicht.« Er hörte Chiaras Stimme im Hintergrund, dann fragte Paola: »Kommst du morgen?«

»Nein, ich kann nicht. Die Leiche ist identifiziert.«

»Wer ist es?«

»Mascari, Leonardo. Er ist Direktor der Banca di Verona hier. Kennst du ihn?«

»Nein, nie gehört. Ist er Venezianer?«

»Ich glaube, ja. Seine Frau jedenfalls.«

Wieder hörte er Chiara mit ihrer Mutter sprechen. Es dauerte eine Ewigkeit. Dann war Paola wieder da. »Tut mir leid, Guido. Chiara will spazierengehen und konnte ihren Pullover nicht finden.« Schon bei dem Wort Pullover spürte Brunetti die brütende Hitze in der Wohnung doppelt, obwohl alle Fenster offenstanden.

»Paola, hast du Padovanis Telefonnummer? Ich habe

hier im Telefonbuch gesucht, aber er steht nicht drin.« Er wußte, daß sie nicht fragen würde, warum er die Nummer haben wollte, darum erklärte er: »Er ist mir als einziger eingefallen, von dem ich etwas über die hiesige Schwulenszene erfahren könnte.«

»Er ist seit Jahren in Rom, Guido.«

»Ich weiß, ich weiß, Paola, aber er kommt doch alle paar Monate her, um über Kunstausstellungen zu schreiben, außerdem lebt seine Familie noch hier.«

»Na ja, kann sein«, meinte sie, wobei der Zweifel in ihrer Stimme deutlich zu hören war. »Warte einen Moment, ich hole mein Adreßbuch.« Sie legte den Hörer hin und war so lange weg, daß Brunetti allmählich glaubte, ihr Adreßbuch müßte in einem anderen Zimmer, ja vielleicht sogar in einem anderen Gebäude sein. Endlich kam sie wieder. »Guido? Die Nummer ist 522 44 04. Ich glaube, sie steht immer noch unter dem Namen der Leute im Buch, die ihm die Wohnung verkauft haben. Wenn du mit ihm sprichst, sag ihm einen Gruß von mir.«

»Ja, mach ich. Wo ist Raffi?«

»Ach, der war verschwunden, sobald wir die Koffer abgestellt hatten. Ich rechne vor dem Abendessen nicht mit ihm.«

»Grüße ihn. Ich rufe dich im Lauf der Woche wieder an.« Mit dem gegenseitigen Versprechen, wieder anzurufen, und einer erneuten Mahnung, die *insalata di calamari* nicht zu vergessen, legten sie auf, und Brunetti dachte, wie eigenartig es war, als Mann eine Woche wegzufahren und seine Frau nicht anzurufen. Vielleicht war es anders, wenn man keine Kinder hatte, aber er glaubte das eigentlich nicht.

Er wählte Padovanis Nummer und hatte, wie es in Italien heute zunehmend der Fall ist, einen Anrufbeantworter am Apparat, der ihm sagte, daß Professore Padovani momentan leider nicht ans Telefon kommen könne, aber so bald als möglich zurückrufen werde. Brunetti hinterließ eine Nachricht, bat Professore Padovani um Rückruf und legte auf.

Er ging in die Küche und holte die vielbesprochene *insalata* aus dem Kühlschrank. Er entfernte die Plastikfolie und pickte sich mit den Fingern ein Stück Tintenfisch heraus. Kauend entnahm er dem Kühlschrank eine Flasche Soave und goß sich ein Glas davon ein. In der einen Hand den Wein, in der anderen den Salat, ging er auf die Dachterrasse und stellte beides auf dem niedrigen Glastisch ab. Brot fiel ihm ein, also ging er noch einmal in die Küche, um sich rasch ein *panino* zu holen, und da er schon einmal dort war, dachte er an seine gute Kinderstube und nahm noch eine Gabel aus der Schublade mit.

Draußen brach er sich ein Stück Brot ab, legte ein Stückchen Tintenfisch darauf und steckte das Ganze in den Mund. Natürlich mußten in Banken auch samstags Dinge erledigt werden – keine Ferien in Geldangelegenheiten. Und natürlich würde sich jemand, der am Wochenende arbeitete, nicht gern vom Telefon stören lassen und vielleicht sagen: »Falsch verbunden«, und den nächsten Anruf gar nicht erst annehmen. Um nicht gestört zu werden.

Im Salat war etwas mehr Sellerie, als ihm lieb war, weshalb er die kleinen Stückchen mit der Gabel zur Seite schob. Er goß sich Wein nach und dachte an die Bibel. Irgendwo, soweit er sich erinnerte im Markusevangelium, gab es eine Geschichte, wie Jesus nach seinem ersten Besuch in Jerusalem auf dem Rückweg nach Nazareth plötzlich verschwunden war. Maria dachte, er sei bei Joseph und den anderen Männern, und der wiederum glaubte den Jungen bei seiner Mutter und den Frauen. Erst als die Karawane anhielt, um ihr Nachtlager aufzuschlagen, sprachen sie wieder miteinander und entdeckten, daß Jesus nicht da war; wie sich herausstellte, war er nach Jerusalem zurückgegangen und lehrte dort im Tempel. Die Banca di Verona glaubte, Mascari sei in Messina; also mußte das Büro in Messina ihn woanders vermuten, sonst hätten sie sicher angerufen, um sich nach ihm zu erkundigen.

Brunetti ging ins Wohnzimmer, wo er in einem Wust von Stiften und anderem Schreibkram eines von Chiaras Heften fand. Da es leer war und ihm das Mickymausbild auf dem Umschlag gefiel, nahm er es und trug es zusammen mit einem Kugelschreiber auf die Terrasse hinaus.

Er fing an, sich eine Reihe von Dingen zu notieren, die er am Montagmorgen erledigen wollte. Bei der Banca di Verona nachprüfen, wohin Mascari reisen sollte, und anschließend dort anrufen, um zu erfahren, welchen Grund man angegeben hatte, daß er dann doch nicht gekommen war. Nachfragen, warum die Herkunft der Schuhe und des Kleides noch nicht festgestellt worden war. Mascaris Vergangenheit überprüfen, die persönliche wie auch die finanzielle. Und den Autopsiebericht noch einmal daraufhin durchlesen, ob die rasierten Beine erwähnt wurden. Außerdem mußte er Vianello fragen, was er über die *Lega* herausgefunden hatte und über Avvocato Santomauro.

Das Telefon klingelte, und in der Hoffnung, es sei Paola, obwohl er gleichzeitig wußte, daß sie es gar nicht sein konnte, ging er nach drinnen und nahm den Hörer ab.

»*Ciao*, Guido, hier ist Damiano. Ich habe deine Nachricht bekommen.«

»Professore?« fragte Brunetti.

»Ach das«, antwortete der Journalist wegwerfend. »Es klingt so nett, darum probiere ich es diese Woche mal auf meinem Anrufbeantworter aus. Warum? Gefällt es dir nicht?«

»Doch, natürlich«, hörte Brunetti sich sagen. »Es klingt sehr gut. Aber was bist du denn für ein *professore*?«

An Padovanis Ende trat ein langes Schweigen ein. »Ich habe in den Siebzigern mal an einer Mädchenschule ein paar Malkurse gegeben. Meinst du, das zählt?«

»Gut möglich«, räumte Brunetti ein.

»Na ja, vielleicht sollte ich die Ansage mal wieder ändern. Wie findest du Commendatore? Commendatore Padovani? Ja, ich glaube, das gefällt mir. Soll ich es gleich ändern, und du rufst mich dann wieder an?«

»Nein, ich glaube nicht, Damiano. Ich möchte gern über etwas anderes mit dir reden.«

»Auch gut. Es dauert immer ewig, die Ansage zu ändern. So viele Knöpfe, die man drücken muß. Beim ersten Mal habe ich mich versehentlich selbst dabei aufgenommen, wie ich diesen Apparat beschimpfe. Eine Woche lang hat kein Mensch eine Nachricht hinterlassen, und ich dachte schon, das Ding funktioniert nicht, bis ich mich schließlich aus einer Zelle selbst angerufen habe. Schockierend, was diese Maschine mir alles an den Kopf geworfen hat. Ich bin nach Hause gerast und habe es sofort geändert. Aber ich finde es immer noch alles sehr verwirrend. Bist du sicher, daß du mich nicht doch lieber in zwanzig Minuten zurückrufen willst?«

»Nein, ich glaube nicht, Damiano. Hast du jetzt Zeit für mich?«

»Für dich, Guido, bin ich, wie ein englischer Dichter in ganz anderem Zusammenhang einmal sagte: ›frei wie die Flucht, wild wie der Wind‹.«

Brunetti wußte, daß er jetzt eigentlich nachfragen sollte, aber er tat es nicht. »Es könnte ein längeres Gespräch werden, Damiano. Würdest du irgendwo mit mir essen gehen?«

»Und was ist mit Paola?«

»Sie ist mit den Kindern in die Berge gefahren.«

Auf Padovanis Seite herrschte einen Moment lang Schweigen, ein Schweigen, das Brunetti nur als sehr nachdenklich interpretieren konnte. »Ich muß hier einen Mordfall aufklären, das Hotel war aber schon seit Monaten gebucht, darum ist Paola mit den Kindern allein nach Bozen gefahren. Wenn ich rechtzeitig fertig bin, fahre ich auch hin. Aus dem Grund habe ich dich angerufen. Ich dachte, du könntest mir vielleicht helfen.«

»Bei einem Mordfall? Wie aufregend. Seit AIDS habe ich so wenig mit den kriminellen Kreisen zu tun.«

»Ach ja«, sagte Brunetti, dem so schnell keine passende Antwort einfiel. »Wollen wir zusammen essen gehen? Wo immer du magst.«

Padovani überlegte ein Weilchen, dann sagte er: »Guido, ich fahre morgen nach Rom zurück und habe das ganze

Haus voller Lebensmittel. Wäre es dir genehm, zu mir zu kommen und mir beim Vertilgen der Reste zu helfen? Es gibt nichts Großartiges, nur Pasta, und was ich sonst noch so finde.«

»Ja, gern. Wo wohnst du?«

»In Dorsoduro. Weißt du, wo der Ramo dietro gli Incurabili ist?«

Es war ein kleiner Campo mit einem Brunnen, gleich hinter den Fondamenta della Zattere. »Ja, kenne ich.«

»Stell dich mit dem Rücken zum Brunnen, mit Blick auf den kleinen Kanal, dann ist es die erste Tür rechts.« Das war viel klarer als eine Hausnummer oder ein Straßenname, und jeder Venezianer würde problemlos hinfinden.

»Gut, um welche Zeit?«

»Acht Uhr.«

»Soll ich etwas mitbringen?«

»Bloß nicht. Alles, was du mitbringst, müssen wir nur aufessen, und ich habe genug für eine Fußballmannschaft. Also nichts. Bitte.«

»Na gut. Bis acht Uhr dann. Und vielen Dank, Damiano.«

»Ich freue mich. Worüber willst du mich denn ausquetschen? Oder sollte ich lieber sagen, über wen? Vielleicht kann ich ja inzwischen mein Gedächtnis anstrengen oder sogar ein paar Telefonate führen.«

»Über zwei Männer. Einer ist Leonardo Mascari.«

»Nie gehört«, unterbrach Padovani.

»Der andere ist Giancarlo Santomauro.«

Padovani pfiff durch die Zähne. »Soso. Da habt ihr also endlich den frommen Avvocato am Wickel?«

»Wir sehen uns um acht«, sagte Brunetti.

»Keine Antwort ist auch eine Antwort«, sagte Padovani mit einem Lachen und legte auf.

Um acht Uhr drückte Brunetti, frisch geduscht und rasiert und mit einer Flasche Barbera bewaffnet, auf die Klingel an der Tür rechts von dem kleinen Brunnen in der Ramo dietro gli Incurabili. Vor dem Haus, das nur eine Klingel hatte und damit wohl den größten denkbaren Luxus darstellte – ein Einzelhaus und nur von einer Person bewohnt –, ragten links und rechts neben der Tür aus zwei Terrakottakübeln Jasminbüsche und verströmten ihren Duft. Padovani öffnete fast augenblicklich und streckte Brunetti die Hand entgegen. Sein Händedruck war fest und warm, er zog Brunetti ins Haus. »Komm aus der Hitze. Ich muß verrückt sein, jetzt nach Rom zurückzufahren, aber wenigstens hat meine Wohnung dort eine Klimaanlage.«

Er ließ Brunettis Hand los und trat zurück. Wie alle Leute, die sich lange nicht gesehen haben, versuchten beide unauffällig festzustellen, ob der andere sich verändert hatte. War er dicker, dünner, grauhaariger, älter geworden?

Nachdem Brunetti gesehen hatte, daß Padovani sich immer noch als das untersetzte Rauhbein gab, das er so eindeutig nicht war, wandte er sich dem Raum zu, in dem sie standen. In der Mitte reichte der Blick über zwei Stockwerke hinauf bis unters Dach mit eingelassenen Oberlichtern. Dieser offene Raum wurde an drei Seiten von einer Galerie umrahmt, zu der man über eine Holztreppe gelangte. Die vierte Seite war geschlossen und barg wahrscheinlich das Schlafzimmer.

»Was war das hier früher, ein Bootshaus?« fragte Brunetti, der an den kleinen Kanal draußen dachte. Von dort aus hätte man Boote, die zur Reparatur gebracht wurden, leicht hereinziehen können.

»Gut geraten. Stimmt. Als ich es kaufte, wurde hier drin noch an Booten gearbeitet, und das Dach hatte Löcher so groß wie Wassermelonen.«

»Wie lange hast du es schon?« erkundigte sich Brunetti, während er sich umsah und grob überschlug, wieviel Arbeit und Geld wohl investiert worden war, um das Ganze in den jetzigen Zustand zu versetzen.

»Acht Jahre.«

»Du hast viel reingesteckt. Und wie angenehm für dich, daß du keine Nachbarn hast.« Brunetti gab ihm die in weißes Seidenpapier gewickelte Flasche.

»Ich habe doch gesagt, du sollst nichts mitbringen.«

»Der wird nicht schlecht«, meinte Brunetti lächelnd.

»Danke, aber es war nicht nötig«, sagte Padovani, obwohl er wußte, daß man als Essensgast ebensowenig ohne Gastgeschenk erscheinen wie als Gastgeber Sägespäne und Brennesseln servieren durfte. »Mach's dir bequem und schau dich ein bißchen um, ich gehe mal nach dem Essen sehen«, sagte Padovani und wandte sich einer Tür mit Buntglasfüllung zu, die in die Küche führte. »In dem Behälter da ist Eis, falls du einen Drink möchtest.«

Er verschwand hinter der Tür, und Brunetti hörte die vertrauten Geräusche von Töpfen und Deckeln und fließendem Wasser. Sein Blick fiel auf den Fußboden aus dunklem Eichenparkett – etwas Unbehagen bereitete ihm ein angekohlter Halbkreis vor dem offenen Kamin, weil er sich nicht entscheiden konnte, ob er es gut fand, Bequemlichkeit vor Sicherheit zu setzen, oder ob er es nicht gut fand, einen so schönen Boden zu ruinieren. Über dem Kamin war ein langer Balken eingemauert, auf dem bunte Commedia-dell'arte-Figurinen aus Keramik paradierten. Zwei Wände hingen voller Bilder, bei deren Anordnung keinerlei Versuch gemacht worden war, sie nach Stil oder Schule zu sortieren; sie hingen nur da und warben um die Aufmerksamkeit des Betrachters. Selbst die kühnsten unter ihnen zeugten von Geschmack. Er erkannte einen Guttuso, ein Maler, den er nie besonders geschätzt hatte, und einen Morandi, den er mochte. Drei Ferruzzis waren darunter, die alle Zeugnis von der Schönheit der Stadt ablegten. Gleich links neben dem Kamin blickte eine Madonna, eindeutig florentinische Schule und wahrscheinlich 15. Jahrhundert, verzückt auf wieder so ein häßliches Kind. Eines der Geheimnisse, von denen Paola und Brunetti keinem erzählten, war ihre jahrzehntelange Suche nach dem häßlichsten Jesuskind der abendländischen Kunst. Derzeit wurde dieser Titel von einem besonders abstoßenden Geschöpf im Ausstellungsraum Nummer dreizehn der Pinacoteca di Siena gehalten. Auch wenn das Baby vor Brunettis Augen bestimmt keine Schönheit war, es machte Siena den Titel nicht streitig. Entlang der einen Wand war ein langes Bord aus geschnitztem Holz angebracht, das wohl einmal zu einem Schrank oder einer Vitrine gehört hatte. Darauf standen Keramikschüsseln in leuchtenden Farben, deren streng geometrische Muster und schwungvolle Kalligraphie eindeutig auf ihren islamischen Ursprung verwies.

Die Tür ging auf, und Padovani kam herein. »Möchtest du keinen Aperitif?«

»Nein, aber ein Glas Wein wäre schön. Ich trinke nicht gern Hochprozentiges, wenn es so heiß ist.«

»Ich weiß, was du meinst. Ich habe seit drei Jahren keinen Sommer mehr hier verbracht und hatte ganz vergessen, wie fürchterlich es sein kann. An manchen Abenden, bei Ebbe, wenn ich irgendwo auf der anderen Seite des Kanals bin, habe ich das Gefühl, mich von dem Gestank übergeben zu müssen.«

»Merkst du hier nichts davon?« wollte Brunetti wissen.

»Nein, der Canale della Giudecca ist offenbar tiefer oder fließt schneller oder so etwas. Wir haben den Gestank hier nicht. Jedenfalls noch nicht. Wenn sie weiterhin die Kanäle ausbaggern, um diese Monsterschiffe – wie nennt man sie? Supertanker? – durchfahren zu lassen, dann Gnade Gott der *laguna*.«

Während er das sagte, ging Padovani zu dem langen Holztisch, der für zwei gedeckt war, und goß aus einer schon geöffneten Flasche Dolcetto etwas in die beiden Gläser. »Die Leute glauben, daß eine Überschwemmung oder sonst eine Naturkatastrophe der Stadt den Garaus machen wird. Meiner Ansicht nach ist die Anwort viel einfacher«, sagte er im Zurückkommen und reichte Brunetti ein Glas.

»Und die wäre?« erkundigte der sich, nippte an seinem Wein und befand ihn für gut.

»Ich glaube, wir haben die Meere kaputtgemacht, und es ist nur eine Frage der Zeit, bevor sie anfangen zu stinken. Und da die *laguna* nur eine Darmschlinge der Adria ist, die wiederum eine Darmschlinge des Mittelmeers ist, das…

du merkst, worauf ich hinauswill? Ich glaube, die Gewässer werden schlicht sterben, woraufhin wir die Stadt aufgeben oder die Kanäle auffüllen müssen, und in dem Fall hat es keinen Sinn mehr, hier noch leben zu wollen.«

Das war eine neue Theorie, sicher nicht weniger düster als viele andere, die er schon gehört hatte, als viele, an die er selbst mehr oder weniger glaubte. Alle redeten dauernd vom bevorstehenden Untergang der Stadt, und doch verdoppelten sich die Kaufpreise für Wohnungen alle paar Jahre, und die Mieten kletterten immer weiter über das hinaus, was der Durchschnittsverdiener noch bezahlen konnte. Aber die Venezianer hatten Immobilien schon zur Zeit der Kreuzzüge gekauft und verkauft, während der Pest und allerlei Besetzungen durch fremde Heere; da konnte man wohl sicher darauf setzen, daß sie es auch weiterhin tun würden, egal was für Ökokatastrophen sie erwarteten.

»Alles ist fertig«, sagte Padovani, während er sich in einem der tiefen Sessel niederließ. »Ich muß nur noch die Pasta ins Wasser werfen. Aber warum erzählst du mir nicht, was du eigentlich von mir wissen willst, damit ich etwas zum Nachdenken habe, während ich rühre?«

Brunetti saß ihm gegenüber auf dem Sofa. Er trank noch einen Schluck Wein, bevor er mit wohlüberlegten Worten anfing. »Ich habe Grund anzunehmen, daß Santomauro mit einem *prostituto travestito* zu tun hat, der in Mestre wohnt und anscheinend auch arbeitet.«

»Was meinst du mit ›zu tun hat‹?« fragte Padovani in ausgesucht neutralem Ton.

»Sexuell«, antwortete Brunetti schlicht. »Aber er behauptet, auch sein Anwalt zu sein.«

»Das eine schließt das andere ja nicht aus, oder?«

»Nein. Wohl kaum. Aber seit ich ihn in der Wohnung dieses jungen Mannes getroffen habe, versucht er zu verhindern, daß ich mich näher mit ihm befasse.«

»Mit wem?«

»Mit dem jungen Mann.«

»Aha«, sagte Padovani und nippte an seinem Weinglas. »Noch etwas?«

»Der andere, den ich dir genannt habe, Leonardo Mascari, ist der Mann, dessen Leiche am Montag auf einer Wiese in Mestre gefunden wurde.«

»Der Transvestit?«

»Wie es aussieht.«

»Und welchen Zusammenhang gibt es da?«

»Der junge Mann, Santomauros Klient, hat behauptet, Mascari nicht zu kennen. Aber er kennt ihn.«

»Woher weißt du das?«

»Das mußt du mir schon glauben, Damiano. Ich weiß es einfach. Ich habe es zu oft gesehen, um es nicht zu wissen. Er hat ihn auf dem Bild erkannt und es dann geleugnet.«

»Wie heißt der junge Mann?« fragte Padovani.

»Das kann ich dir nicht sagen«, versetzte Brunetti. Worauf beide in Schweigen versanken.

»Guido«, sagte Padovani endlich, während er sich vorbeugte, »ich kenne einige dieser Jungen aus Mestre. Früher kannte ich viele. Wenn ich dir in dieser Angelegenheit als schwuler Berater dienen soll«, er sagte das ganz ohne Ironie oder Verbitterung, »muß ich den Namen wissen. Ich versichere dir, daß von dem, was du mir erzählst, nichts weitergeht, aber ich kann keine Verbindungen herstellen, wenn ich seinen Namen nicht kenne.« Brunetti sagte immer noch nichts. »Guido, du hast mich angerufen, nicht umgekehrt.« Padovani stand auf. »Ich setze nur die Pasta auf. Fünfzehn Minuten.«

Während er wartete, daß Padovani aus der Küche zurückkam, sah Brunetti sich die Bücher an, die ein Wandregal füllten. Er zog eines über chinesische Archäologie heraus und nahm es mit zum Sofa, wo er darin herumblätterte, bis er die Tür aufgehen hörte und Padovani hereinkommen sah.

»*A tavola, tutti a tavola. Mangiamo*«, rief Padovani. Brunetti klappte das Buch zu, legte es beiseite und durchquerte das Zimmer, um seinen Platz am Tisch einzunehmen. »Du sitzt hier links«, sagte Padovani. Er stellte die Schüssel ab und fing gleich an, Pasta auf Brunettis Teller zu häufen.

Brunetti blickte auf seinen Teller, wartete, bis Padovani sich genommen hatte, und begann zu essen: Tomaten, Zwiebeln und Speckwürfel mit ganz wenig *peperoncino* auf *penne rigate*, seiner Lieblingspasta.

»Sehr gut«, sagte er aufrichtig. »Ich mag den Hauch von *peperoncino*.«

»Ah, fein. Ich weiß nie, ob es den Leuten nicht zu scharf ist.«

»Nein, es ist perfekt«, erklärte Brunetti und aß weiter. Als er seine Portion aufgegessen hatte und Padovani ihm noch einmal vorlegte, sagte Brunetti: »Er heißt Francesco Crespo.«

»Ich hätte es wissen müssen«, versetzte Padovani mit einem müden Seufzer. Dann fragte er in wesentlich muntererem Ton: »Und es ist dir bestimmt nicht zuviel *peperoncino*?«

Brunetti schüttelte den Kopf und vertilgte den Rest seiner zweiten Portion, um gleich darauf die Hände über seinen Teller zu decken, als Padovani nach dem Vorlegelöffel griff.

»Ich würde es dir aber raten«, beharrte Padovani. »Es gibt so gut wie nichts weiter.«

»Nein, wirklich nicht, Damiano.«

»Wie du willst, aber Paola soll mir keine Vorwürfe machen, wenn du verhungerst, während sie weg ist.« Er nahm ihre beiden Teller, stellte sie in die Schüssel und ging damit in die Küche.

Er sollte den Weg noch zweimal machen, bevor er sich wieder hinsetzte. Beim erstenmal brachte er einen kleinen Braten aus Putenbrust, mit Speckscheiben umwickelt, umkränzt von Kartoffeln, beim zweitenmal eine Platte gegrillte Paprikaschoten in Olivenöl und eine große Schüssel mit gemischtem Salat. »Das ist alles, was ich habe«, sagte er, als er sie absetzte, und Brunetti vermutete, er sollte das als Entschuldigung verstehen.

Brunetti nahm von dem Braten und den Kartoffeln und begann zu essen.

Padovani schenkte Wein nach und tat sich Putenbrust und Kartoffeln auf. »Crespo stammt, glaube ich, ursprünglich aus Mantua. Vor etwa vier Jahren zog er nach Padua, um dort Pharmazie zu studieren. Aber er hat schnell gemerkt, daß sein Leben viel interessanter war, wenn er seiner natürlichen Neigung nachgab und sich als *prostituto* sein Geld verdiente, und bald entdeckte er, daß dies am besten ging, wenn er sich einen älteren Mann suchte, der ihn aushielt. Das übliche: Wohnung, Auto und viel Geld für Kleidung, und als Gegenleistung mußte er nur da sein, wenn der Mann, der seine Rechnungen bezahlte, sich von der Bank oder der Stadtratssitzung oder seiner Frau loseisen konnte. Ich glaube, da war er erst achtzehn. Und sehr, sehr hübsch.« Padovani hielt inne, die Gabel in der Luft. »Genaugenommen erinnerte er mich immer an den Bacchus von Caravaggio, schön, aber allzu wissend, und hart an der Grenze zur Verworfenheit.«

Padovani bot Brunetti von den Paprika an und nahm sich selbst welche. »Das letzte, was ich aus erster Hand über ihn gehört habe, ist, daß er sich mit einem Buchhalter aus Treviso eingelassen hatte. Aber Franco war immer ein Streuner, und der Buchhalter hat ihn rausgeworfen. Erst zusammengeschlagen, soviel ich weiß, und dann rausgeworfen. Ich kann nicht sagen, wann er angefangen hat, sich als Transvestit zu verkaufen; diese Variante hat mich nie auch nur im mindesten interessiert. Wahrscheinlich geht mir das Verständnis dafür ab. Wenn man eine Frau will, sollte man eine Frau nehmen.«

»Vielleicht ist es eine Möglichkeit, sich vorzumachen, es wäre eine Frau«, meinte Brunetti. Das war Paolas Theorie, aber jetzt hielt er sie für plausibel.

»Vielleicht. Aber doch sehr traurig, oder?« Padovani schob seinen Teller beiseite und lehnte sich zurück. »Ich meine, wir machen uns doch andauernd etwas vor, darüber, ob wir jemanden lieben oder warum wir es tun, oder warum wir die Lügen erzählen, die wir erzählen. Aber man sollte doch annehmen, daß wir uns wenigstens ehrlich eingestehen könnten, mit wem wir ins Bett gehen wollen. Es erscheint mir wenig genug.« Er zog sich die Schüssel mit dem Salat heran, streute Salz darüber, goß reichlich Olivenöl darauf und gab einen großzügigen Schuß Essig hinzu.

Brunetti reichte ihm seinen Teller und nahm dafür das saubere Salatschälchen entgegen. Padovani schob ihm die Schüssel hin. »Nimm dir. Es gibt keinen Nachtisch. Nur Obst.«

»Ich bin froh, daß du dir keine große Mühe machen mußtest«, sagte Brunetti, und Padovani lachte.

»Also, ich hatte wirklich alles im Haus. Bis auf das Obst.«

Brunetti nahm eine sehr kleine Portion Salat; Padovani nahm noch weniger.

»Was weißt du sonst noch über Crespo?« fragte Brunetti.

»Ich habe gehört, daß er sich als Frau verkleidet und sich Francesca nennt. Aber ich wußte nicht, daß er auf der Via Cappuccina gelandet ist. Oder spielt sich das alles in den öffentlichen Parks von Mestre ab?«

»Sowohl als auch«, antwortete Brunetti. »Und ob er dort gelandet ist, weiß ich nicht. Die Adresse, die er angegeben hat, ist durchaus eine gute, und sein Name stand an der Tür.«

»An der Tür kann jeder beliebige Name stehen. Es hängt ganz davon ab, wer die Miete bezahlt«, meinte Padovani, der sich in diesen Dingen offenbar besser auskannte.

»Wahrscheinlich hast du recht«, sagte Brunetti.

»Viel mehr weiß ich nicht über ihn. Er ist kein schlechter Kerl, zumindest war er das nicht, als ich ihn kannte. Aber kriecherisch und leicht verführbar. Solche Eigenschaften verändern sich nicht; er wird dich also wahrscheinlich anlügen, wenn er sich davon einen Vorteil verspricht.«

»Wie die meisten Menschen, mit denen ich zu tun habe«, sagte Brunetti.

Padovani lächelte und ergänzte: »Wie die meisten Menschen, mit denen wir alle ständig zu tun haben.«

Brunetti mußte über die bittere Wahrheit dieser Worte lachen.

»Ich hole das Obst«, sagte Padovani, stellte die Salatschälchen zusammen und trug sie hinaus. Gleich darauf kam er mit einer blaßblauen Keramikschale zurück, in der sechs vollkommene Pfirsiche lagen. Er reichte Brunetti einen neuen kleinen Teller und stellte ihm die Schale hin. Brunetti nahm einen Pfirsich und begann, ihn mit Messer und Gabel zu schälen.

»Was kannst du mir über Santomauro sagen?« fragte er und hielt den Blick auf seinen Pfirsich geheftet.

»Du meinst den Präsidenten, oder wie immer er sich nennt, der *Lega della Moralità*?« erkundigte sich Padovani, der den letzten Worten einen übertrieben feierlichen Unterton verlieh.

»Ja.«

»Ich weiß genug über ihn, um dir versichern zu können, daß die Nachricht von der Gründung der *Lega* in bestimmten Kreisen mit denselben Lachsalven aufgenommen wurde, mit denen wir uns Rock Hudsons Angriffe auf die Tugend von Doris Day angesehen haben oder mit denen wir heute die etwas aggressiveren Filmauftritte gewisser lebender Schauspieler verfolgen, seien es nun Italiener oder Amerikaner.«

»Du meinst, es ist allgemein bekannt?«

»Ja und nein. Die meisten von uns wissen es, aber wir beachten immer noch die Gentlemenregeln, im Gegensatz zu den Politikern, und wir plaudern normalerweise nicht aus der Schule. Wenn wir das täten, dann bliebe keiner übrig, um die Regierung zu führen, oder den Vatikan, wenn wir schon dabei sind.«

Brunetti war froh, den richtigen Padovani wieder zum Vorschein kommen zu sehen, oder vielleicht eher den zwanglosen Plauderer, von dem Brunetti immer geglaubt hatte, es sei der richtige Padovani.

»Aber so etwas wie die *Lega*? Das ist doch der blanke Hohn. Wie konnte man ihm das nur durchgehen lassen?«

»Eine sehr gute Frage. Aber wenn du dir die Geschichte der *Lega* mal ansiehst, wirst du feststellen, daß Santomauro in ihren Kindertagen nicht viel mehr als eine graue Eminenz war. Ich glaube sogar, daß er bis vor zwei Jahren gar nichts damit zu tun hatte, jedenfalls nicht offiziell, und bekannt wurde er erst im vergangenen Jahr, als er zur Oberschwester oder Gouvernante gewählt wurde, oder wie sie ihren Anführer nennen, *grande priore*? Irgend so etwas Aufgeblasenes.«

»Aber warum hat damals niemand etwas gesagt?«

»Ich glaube, weil die meisten von uns die *Lega* lieber als Witz betrachten wollen. Meiner Ansicht nach übrigens ein schwerer Fehler.« In seinem Ton lag etwas uncharakteristisch Ernstes.

»Warum sagst du das?«

»Weil ich meine, daß der politische Trend in Zukunft zu Gruppen wie der *Lega* geht, Grüppchen, deren Ziel es ist, größere Gruppen zu spalten, größere Einheiten in kleinere zu zersplittern. Sieh dir nur Osteuropa und Jugoslawien an. Sieh dir unsere eigenen politischen *Leghe* an, die Italien wieder in viele kleine, unabhängige Einheiten zerstückeln wollen.«

»Machst du da nicht aus einer Mücke einen Elefanten, Damiano?«

»Möglicherweise ja. Die *Lega della Moralità* könnte genausogut ein Häufchen harmloser alter Damen sein, die gern zusammenkommen und über die guten alten Zeiten reden. Aber wer weiß denn schon, wie viele Mitglieder sie haben? Was wirklich ihre Ziele sind?«

In Italien werden Verschwörungstheorien schon mit der Muttermilch eingesogen, und Italiener neigen dazu, überall Verschwörungen zu wittern. Infolgedessen zog jede Gruppierung, die sich nicht offen zu erkennen gab, sofort alle möglichen Verdächtigungen auf sich; das war früher bei den Jesuiten so, und heute bei den Zeugen Jehovas. Bei den Jesuiten sogar immer noch, verbesserte sich Brunetti. Verschwörungen führten zweifellos zu Heimlichtuerei, aber Brunetti wollte nichts davon wissen, daß dies auch andersherum galt und jede Heimlichtuerei gleichbedeutend mit einer Verschwörung war.

»Na?« fragte Padovani gespannt.

»Na, was?«

»Wieviel weißt du über die *Lega*?«

»Sehr wenig«, gab Brunetti zu. »Aber wenn ich einem Verdacht nachzugehen hätte, würde ich mich nicht um ihre Ziele kümmern, sondern um ihre Finanzen.« In zwanzig Jahren Polizeiarbeit hatte Brunetti nur wenige Regeln aufgestellt, aber eine davon lautete, daß Menschen von hehren Prinzipien oder politischen Idealen selten so stark bestimmt wurden wie von ihrer Gier nach Geld.

»Ich bezweifle sehr, daß Santomauro an etwas so Prosaischem wie Geld interessiert wäre.«

»Dami, jeder ist an Geld interessiert, und die meisten Menschen werden dadurch motiviert.«

»Motive hin, Ziele her, eines steht fest, wenn Giancarlo Santomauro sich an die Spitze einer Sache stellt, dann stinkt sie. Das ist wenig genug, aber es ist sicher.«

»Weißt du etwas über sein Privatleben?« fragte Brunetti und dachte dabei, wie viel feinsinniger »Privatleben« klang, im Gegensatz zu »Sexualleben«, das er meinte.

»Ich weiß nur, was man so redet, was man aus beiläufigen Bemerkungen und Kommentaren heraushört. Du weißt ja, wie so etwas ist.« Brunetti nickte. Ja, das kannte er. »Also, dann weiß ich, und ich wiederhole, daß ich es eigentlich nicht weiß – auch wenn ich es weiß –, daß er kleine Jungen mag, je jünger, desto besser. Wenn du dir seine Vergangenheit ansiehst, wirst du feststellen, daß er mindestens einmal im Jahr in Bangkok war. Ohne die unsägliche Signora Santomauro, wohlgemerkt. Aber in den letzten Jahren ist er nicht mehr hingefahren. Erklären kann ich das nicht, aber ich weiß, daß sich solche Vorlieben nicht ändern, sie verschwinden nicht einfach, und sie können auf keine andere Weise befriedigt werden, als durch das Objekt der Begierde.«

»Wie viele, äh, gibt es denn hier davon?« Warum nur waren manche Dinge mit Paola so leicht zu bereden und so schwierig mit anderen?

»Gar nicht so wenige, allerdings sind die Zentren Rom und Mailand.«

Brunetti hatte darüber in Polizeiberichten gelesen. »Und Filme?«

»Filme ganz sicher, aber auch das Echte, für den, der bereit ist zu zahlen. Beinah hätte ich gesagt, und den, der willens ist, das Risiko auf sich zu nehmen, aber von Risiko kann man kaum mehr reden, nicht heutzutage.«

Brunetti blickte auf seinen Teller und sah seinen geschälten, aber unberührten Pfirsich daliegen. Er mochte ihn nicht mehr. »Damiano, wenn du von ›kleinen Jungen‹ redest, welches Alter meinst du da?«

Padovani lächelte plötzlich. »Weißt du, Guido, ich kann mich des Eindrucks nicht erwehren, daß dir das alles schrecklich peinlich ist.«

Brunetti sagte nichts.

»›Klein‹, das kann zwölf sein, aber auch zehn.«

»Oh.« Es entstand eine lange Pause, dann fragte Brunetti: »Bist du dir bei Santomauro ganz sicher?«

»Ich bin sicher, daß er in diesem Ruf steht, und der ist wahrscheinlich nicht unbegründet. Aber ich habe keine Beweise, keine Zeugen, niemanden, der das je beschwören würde.«

Padovani erhob sich und ging zu einer niedrigen Anrichte, auf der in einer Ecke die verschiedensten Flaschen standen. »Grappa?« fragte er.

»Ja, bitte.«

»Ich habe einen sehr guten, der nach Birne schmeckt. Willst du den probieren?«

»Ja.«

Brunetti ging zu ihm hinüber, nahm das angebotene Glas und setzte sich wieder aufs Sofa. Padovani ging zu seinem Stuhl zurück, die Flasche nahm er mit.

Brunetti probierte. Nicht Birne, Göttertrank.

»Zu schwach«, sagte Brunetti.

»Der Grappa?« fragte Padovani, ehrlich verdutzt.

»Nein, nein. Die Verbindung zwischen Crespo und Santomauro. Wenn Santomauro kleine Jungen mag, könnte Crespo tatsächlich nur sein Klient sein und nichts weiter.«

»Durchaus möglich«, sagte Padovani, aber in einem Ton, der erkennen ließ, daß er das nicht glaubte.

»Kennst du jemanden, der dir mehr Informationen über den einen oder den anderen geben könnte?« wollte Brunetti wissen.

»Santomauro und Crespo?«

»Ja. Und Leonardo Mascari auch, wenn es eine Verbindung zwischen ihnen gibt.«

Padovani sah auf die Uhr. »Es ist zu spät, um die Leute, die ich kenne, noch anzurufen.« Brunetti warf einen Blick auf seine eigene Armbanduhr und stellte fest, daß es erst Viertel nach zehn war. Nonnen?

Padovani hatte den Blick gesehen und lachte. »Nein, Guido, sie sind alle ausgeflogen, für den Abend oder die Nacht. Aber ich telefoniere morgen von Rom aus und sehe mal, was sie wissen oder in Erfahrung bringen können.«

»Es wäre mir lieb, wenn keiner der Männer erführe, daß Fragen über ihn gestellt werden.« Das war höflich, aber es klang steif und unbeholfen.

»Guido, es wird so zartgesponnen wie Marienfäden sein. Jeder, der Santomauro kennt, wird mit Vergnügen weitergeben, was immer er über ihn weiß oder gehört hat, und du kannst ebenso sicher sein, daß ihm nichts davon zu Ohren kommt. Schon der Gedanke, daß er in etwas Unschönes verstrickt sein könnte, wird denen, an die ich denke, ein Quell prickelnden Entzückens sein.«

»Das ist es ja gerade, Damiano. Ich will kein Gerede, ganz besonders nicht darüber, daß er in irgend etwas verstrickt sein könnte, und schon gar nicht in etwas Unschönes.« Brunetti wußte, daß seine Worte sehr ernst klangen, darum lächelte er und hielt Padovani sein Glas hin, damit er ihm noch einen Grappa einschenken konnte.

Der Geck machte dem Journalisten Platz. »Schon gut, Guido. Ich werde keinen Unfug damit treiben, und vielleicht rufe ich auch andere Leute an, aber bis Dienstag oder Mittwoch müßte ich eigentlich einiges an Informationen über ihn zusammenhaben.« Padovani goß sich ebenfalls einen zweiten Grappa ein und nippte daran. »Du solltest dir diese *Lega* genauer ansehen, Guido, wenigstens die Mitgliederliste.«

»Du machst dir ernsthaft Gedanken darüber, stimmt's?« fragte Brunetti.

»Ich mache mir Gedanken um jede Gruppierung, die sich in irgendeiner Weise anderen überlegen dünkt.«

»Die Polizei?« fragte Brunetti lächelnd, um die Stimmung des anderen aufzuhellen.

»Nein, die Polizei nicht, Guido. Niemand glaubt an deren Überlegenheit, und ich habe den Verdacht, daß es von deinen Kollegen auch keiner glaubt.« Er trank aus, goß sich aber nichts mehr ein. Statt dessen stellte er sein Glas und die Flasche neben seinen Stuhl auf den Fußboden. »Ich muß immer an Savonarola denken«, sagte er. »Er fing damit an, daß er die Dinge verbessern wollte, aber als einzige Methode fiel ihm dazu ein, alles zu zerstören, womit er nicht einverstanden war. Am Ende sind alle Eiferer wie er, sogar die *ecologisti* und die *femministi*. Zuerst wollen sie eine bessere Welt, aber am Ende glauben sie, ihr Ziel nur dadurch erreichen zu können, daß sie alles aus dieser Welt tilgen, was zu ihrer Vorstellung von der Welt nicht paßt. Sie werden alle auf dem Scheiterhaufen enden, wie Savonarola.«

»Und was dann?« fragte Brunetti.

»Ach, ich nehme an, wir anderen werden uns irgendwie durchwursteln.«

Ein besonderer Trost war das nicht, aber Brunetti nahm es als eine ausreichend optimistische Note, um den Abend damit zu beenden. Er stand auf, sagte seinem Gastgeber die angemessenen Nettigkeiten und ging nach Hause in sein einsames Bett.

15

Ein weiterer Grund, weshalb Brunetti gezögert hatte, in die Berge zu fahren, war der, daß diesen Sonntag die Reihe an ihm war, seine Mutter zu besuchen; er und sein Bruder Sergio wechselten sich dabei ab, bisweilen vertrat auch einer den anderen. Aber an diesem Wochenende war Sergio mit seiner Familie auf Sardinien, so daß Brunetti dran war. In Wahrheit hätte es keinen Unterschied gemacht, wenn sie ihren Besuch einmal hätten ausfallen lassen, aber das taten sie nie. Da ihre Mutter etwa zehn Kilometer von Venedig entfernt, in Mira, untergebracht war, mußte Brunetti mit dem Bus fahren und dann ein Taxi nehmen oder einen langen Spaziergang zur *Casa di Riposo* machen.

Angesichts des bevorstehenden Besuchs plagten Brunetti in der Nacht die Erinnerungen ebenso wie die Hitze und die Mücken, die sich nicht aussperren ließen. Um acht war er schließlich ganz wach und stand vor derselben Entscheidung wie jeden zweiten Sonntag, nämlich ob er vor oder nach dem Mittagessen hinfahren sollte. Es spielte, wie der Besuch selbst, keine Rolle, ausschlaggebend war nur die Hitze. Sie wäre noch infernalischer, wenn er bis zum Nachmittag wartete, also beschloß er, sich gleich aufzumachen.

Er verließ die Wohnung vor neun, ging zu Fuß zum Piazzale Roma und hatte dort das Glück, nur Minuten später den Bus nach Mira zu erwischen. Da er als einer der letzten eingestiegen war, fand er nur noch einen Stehplatz und schwankte hin und her, während der Bus über die Brücke fuhr und anschließend durch das Labyrinth von Überführungen kurvte, die bei Mestre den Verkehr über oder um die Stadt herum leiteten.

Einige der Gesichter im Bus kannte er, denn man nahm am Busbahnhof in Mira oft zu mehreren ein Taxi oder ging, wenn es schön war, zusammen zu Fuß, wobei man aber höchstens übers Wetter sprach. Sechs Leute stiegen mit Brunetti aus; zwei der Frauen kannte er vom Sehen, und sie einigten sich schnell darauf, sich ein Taxi zu teilen. Da das Taxi keine Klimaanlage hatte, konnten sie über die Hitze reden, eine Ablenkung, für die alle gleichermaßen dankbar waren.

Vor der *Casa di Riposo* hielt jeder schon fünftausend Lire bereit. Der Fahrer hatte den Taxameter nicht eingeschaltet; wer diese Fahrt machte, kannte den Preis.

Gemeinsam betraten sie das Gebäude, sprachen immer noch von der Hoffnung, daß der Wind drehen oder es regnen möge, und klagten, sie hätten noch nie einen solchen Sommer erlebt, und was wohl aus den Bauern werde, wenn es nicht bald regne.

Brunetti kannte den Weg und stieg in den dritten Stock, während die beiden Frauen im zweiten abbogen, wo die Männerabteilung war. Oben angekommen, sah er Suor Immacolata, die ihm von allen Schwestern, die hier arbeiteten, die liebste war.

»*Buon giorno, dottore*«, begrüßte sie ihn lächelnd und kam über den Flur auf ihn zu.

»*Buon giorno, suora*«, sagte er. »Sie sehen so frisch aus, als könnte die Hitze Ihnen überhaupt nichts anhaben.«

Sie lächelte, wie immer, wenn er einen Scherz darüber machte. »Ach, ihr aus dem Norden wißt ja nicht, was richtige Hitze ist. Das ist doch noch gar nichts, nur ein Hauch von Frühling.« Suor Immacolata stammte aus den sizilianischen Bergen und war vor zwei Jahren von ihrem Orden hierhergeschickt worden. Bei all der Qual, dem Irrsinn und dem Jammer, die sie Tag für Tag hier erlebte, machte ihr einzig die Kälte zu schaffen, aber ihre Bemerkungen darüber waren stets ironisch und wegwerfend, als wollte sie damit sagen, daß angesichts des wirklichen Leids um sie herum ihre eigenen Sorgen bedeutungslos waren. Sie lächelte, und Brunetti stellte wieder einmal fest, wie schön sie war: braune Mandelaugen, sanfter Mund, schmale, elegante Nase. Es erschien ihm widersinnig. Aus seiner weltlichen Sicht – er begriff sich als Mann des Fleisches – sah Brunetti nur die Entsagung und konnte mit den Wünschen, die dazu geführt haben mochten, nicht viel anfangen.

»Wie geht es ihr?« fragte er.

»Sie hatte eine gute Woche, Dottore.« Was wohl so viel heißen wollte wie: Sie war auf niemanden losgegangen, sie hatte nichts kaputtgeschlagen, sie hatte sich nichts angetan.

»Hat sie Appetit?«

»Ja, Dottore. Am Mittwoch hat sie sogar mit den anderen Damen zu Mittag gegessen.« Er wartete nur noch darauf, was für eine Katastrophe das zur Folge gehabt haben mochte, aber Suor Immacolata sagte nichts weiter.

»Meinen Sie, ich kann zu ihr gehen?« fragte er.

»Aber sicher, Dottore. Soll ich mitkommen?« Wie schön war doch die Grazie der Frauen, wie sanft ihre Mildtätigkeit.

»Danke, Schwester. Vielleicht beruhigt es sie, wenn sie mich mit Ihnen zusammen sieht, zumindest beim Hereinkommen.«

»Ja, die Überraschung wird vielleicht etwas gemildert. Wenn sie sich erst an einen Menschen gewöhnt hat, geht es normalerweise gut mit ihr. Und wenn sie merkt, daß Sie es sind, Dottore, freut sie sich bestimmt.«

Das war eine Lüge. Brunetti wußte es, und Suor Immacolata wußte es auch. Ihr Glaube sagte ihr, Lügen sei eine Sünde, und doch erzählte sie diese Lüge Brunetti und seinem Bruder Woche für Woche. Später betete sie auf Knien um Vergebung für eine Sünde, von der sie nicht anders konnte, als sie zu begehen, und von der sie wußte, daß sie sie immer wieder begehen würde. Im Winter schlief sie nach dem Beten außerdem bei weit geöffnetem Fenster und nahm die einzige dünne Decke, die ihr erlaubt war, vom Bett. Dennoch erzählte sie jede Woche die gleiche Lüge.

Sie drehte sich um und ging voraus, den wohlvertrauten Weg zu Zimmer 308. Rechts im Korridor hatte man drei Frauen in ihren Rollstühlen an die Wand geschoben. Zwei schlugen rhythmisch auf ihre Armlehnen und brabbelten dabei unsinniges Zeug, die dritte wiegte sich vor und zurück, vor und zurück, ein irres menschliches Metronom. Als er vorbeiging, packte die eine, die immer nach Urin roch, Brunettis Arm. »Bist du Giulio? Bist du Giulio?« fragte sie.

»Nein, Signora Antonia«, sagte Suor Immacolata, beugte sich hinunter und strich der Alten das kurze, weiße Haar aus dem Gesicht. »Giulio war gerade hier und hat Sie besucht. Erinnern Sie sich nicht? Er hat Ihnen dieses niedliche kleine Tier mitgebracht.« Dabei nahm sie der Frau einen kleinen, abgegriffenen Teddy vom Schoß und legte ihn ihr in die Hände.

Die Alte sah sie mit einem fragenden, auf ewig verwirrten Blick an, einem Blick, aus dem nur der Tod die Verwirrung tilgen konnte, und fragte: »Giulio?«

»Ja, Signora. Giulio hat Ihnen den kleinen *orsetto* mitgebracht. Ist er nicht wunderhübsch?« Sie hob den kleinen Bären hoch und hielt ihn der alten Frau hin; die nahm ihn, wandte sich wieder Brunetti zu und fragte: »Bist du Giulio?«

Suor Immacolata ergriff seinen Arm und zog ihn weiter. »Ihre Mutter hat diese Woche die Kommunion empfangen. Ich glaube, das hat ihr sehr geholfen.«

»Ja, bestimmt hat es das«, sagte Brunetti. Wenn er es recht bedachte, hatte er den Eindruck, daß er immer, wenn er hierher kam, etwas Ähnliches tat wie jemand, der körperlichen Schmerz erwartet – eine Injektion, einen Kälteschock: Er spannte seine Muskeln an und konzentrierte sich darauf, dem erwarteten Schmerz unter Ausschluß aller anderen Gefühle zu widerstehen. Nur daß Brunetti sich nicht auf körperlichen, sondern auf seelischen Schmerz gefaßt machte.

Sie blieben vor dem Zimmer seiner Mutter stehen, und Erinnerungen an früher zerrten wie Furien an ihm: wunderbare Mahlzeiten mit Lachen und Singen, wobei der klare Sopran seiner Mutter sie alle übertönte; der wütende, hysterische Tränenausbruch, als er ihr gesagt hatte, er wolle Paola heiraten, und in derselben Nacht ihr Klopfen an seiner Zimmertür, als sie ihm das goldene Armband brachte, das einzige noch erhaltene Geschenk von Brunettis Vater, und ihm sagte, es sei für Paola, denn das Armband solle immer der Frau des ältesten Sohnes gehören.

Eine Willensanstrengung, und die Erinnerungen flohen. Er sah nur die Tür, die weiße Tür und den weißen Rücken von Suor Immacolatas Tracht. Sie öffnete und ging hinein, ohne die Tür zu schließen.

»Signora«, sagte sie, »Signora, Ihr Sohn ist hier und will Sie besuchen.« Sie ging durchs Zimmer zu der gebeugten alten Frau, die am Fenster saß. »Signora, ist das nicht schön? Ihr Sohn kommt Sie besuchen.«

Brunetti war auf der Schwelle stehengeblieben. Suor Immacolata nickte ihm zu, und er trat ein, wobei er die Tür hinter sich offenließ, wie er es gelernt hatte.

»Guten Morgen, Dottore«, sagte die Nonne laut und deutlich. »Ich freue mich sehr, daß Sie kommen konnten, um Ihre Mutter zu besuchen. Sieht sie nicht gut aus?«

Er machte noch ein paar Schritte ins Zimmer und blieb stehen, die Hände in gebührender Entfernung vom Körper. »*Buon di, mamma*«, sagte er. »Ich bin's, Guido. Ich wollte dich besuchen. Wie geht es dir, *mamma*?« Er lächelte.

Die alte Frau ließ Brunetti nicht aus den Augen, griff nach dem Arm der Nonne, zog sie zu sich herunter und flüsterte ihr etwas ins Ohr.

»Aber nein, Signora. So etwas dürfen Sie nicht sagen. Er ist ein guter Mann. Es ist Ihr Sohn, Guido. Er ist zu Besuch gekommen und will sehen, wie es Ihnen geht.« Sie streichelte die Hand der alten Frau und kniete sich neben sie, um näher bei ihr zu sein. Die alte Frau sah die Nonne an und sagte wieder etwas zu ihr, dann sah sie Brunetti an, der sich nicht bewegt hatte.

»Das ist der Mann, der mein *bambino* umgebracht hat«, schrie sie plötzlich. »Ich kenne ihn. Ich kenne ihn. Das ist der Mann, der mein *bambino* umgebracht hat.« Sie warf sich in ihrem Sessel von einer Seite zur anderen. Dann kreischte sie mit erhobener Stimme erneut los: »Hilfe, Hilfe, er ist zurückgekommen und will alle meine *bambini* umbringen.«

Suor Immacolata schlang die Arme um die alte Frau, hielt sie fest und flüsterte ihr etwas ins Ohr, aber die Angst und der Zorn der Frau waren durch nichts zu beruhigen. Sie stieß die Nonne mit solcher Kraft weg, daß sie zu Boden fiel.

Suor Immacolata erhob sich rasch auf die Knie und drehte sich zu Brunetti um. Sie schüttelte den Kopf und machte eine Bewegung zur Tür. Brunetti ging langsam, die Hände immer noch gut sichtbar vor sich, rückwärts aus dem Zimmer und machte die Tür zu. Drinnen hörte er die Stimme seiner Mutter minutenlang laut kreischen, bevor sie nach und nach ruhiger wurde. Dazu hörte er als leise Untermalung die sanftere, tiefere Stimme der jungen Frau, die beruhigend und tröstend die Angst der alten Frau allmählich vertrieb. Es gab kein Fenster im Gang, und so stand Brunetti da und starrte die Tür an.

Nach etwa zehn Minuten kam Suor Immacolata heraus und stellte sich neben ihn. »Es tut mir leid, Dottore. Ich dachte wirklich, es ginge ihr diese Woche besser. Seit sie die Kommunion empfangen hatte, war sie ganz ruhig.«

»Ist schon gut, Schwester. So etwas passiert eben. Sie haben sich hoffentlich nicht weh getan, oder?«

»Nein, nein. Armes Ding, sie wußte nicht, was sie tat. Nein, mir ist nichts passiert.«

»Braucht sie irgend etwas?« fragte er.

»Nein, sie hat alles, was sie braucht.« Brunetti hatte den Eindruck, seine Mutter hatte nichts von dem, was sie brauchte, aber vielleicht lag das nur daran, daß es nichts mehr gab, was sie noch gebraucht hätte oder je wieder brauchen würde.

»Sie sind sehr gütig, Schwester.«

»Der Herr ist gütig, Dottore. Wir stehen nur in seinem Dienst.«

Brunetti fand keine Worte. Er streckte die Hand aus und schüttelte die ihre, hielt sie sekundenlang in der seinen und legte dann seine andere darüber. »Vielen Dank, Schwester.«

»Der Herr beschütze Sie und verleihe Ihnen Kraft, Dottore.«

16

Eine Woche war vergangen, und Maria Lucrezia Pattas Geschichte war nicht mehr die Sonne, um die sich die Questura in Venedig drehte. Zwei weitere Minister waren am Wochenende zurückgetreten, wobei jeder energisch geleugnet hatte, daß seine Entscheidung auch nur entfernt etwas mit der Nennung seines Namens im Zusammenhang mit den neuesten Bestechungs- und Korruptionsskandalen zu tun hatte. Gewöhnlich konnten die Mitarbeiter der Questura, wie alle Italiener, über so etwas nur gähnen und blätterten weiter zur Sportseite, aber da einer dieser beiden zufällig der Justizminister war, interessierte man sich für die Meldung, und sei es nur, um darüber zu spekulieren, welche Köpfe wohl demnächst die Stufen des Quirinale hinunterrollen würden.

Obwohl es einer der größten Skandale in Jahrzehnten war – und wann hatte es schon einen kleinen Skandal gegeben? –, ging die öffentliche Meinung dahin, daß bald wieder alles im Sande verlaufen würde, *insabbiato*, wie all die anderen Skandale der Vergangenheit. Hatte ein Italiener dieses Thema erst einmal aufgegriffen, war er praktisch nicht mehr zu bremsen, und es folgte gewöhnlich eine Aufzählung all der Fälle, die erfolgreich vertuscht worden waren: Ustica, P2, der Tod von Papst Johannes Paul I., Sindona. In solch schwindelerregenden Höhen konnte Maria Lucrezia Patta kaum mithalten, mochte ihr Abgang aus der Stadt auch noch so bühnenreif gewesen sein, und so ging das Leben allmählich wieder seinen normalen Gang. Die einzige Neuigkeit war, daß der Transvestit, den man letzte Woche in Mestre gefunden hatte, als Direktor der Banca di Verona identifiziert worden war, wer hätte das gedacht, ein Bankdirektor, du lieber Himmel!

Eine Sekretärin vom Paßamt ein paar Häuser weiter hatte heute morgen in einer Bar gehört, Mascari sei in Mestre ziemlich bekannt gewesen, und was er treibe, wenn er auf seine Geschäftsreisen ging, sei schon seit Jahren ein offenes Geheimnis. Weiterhin war aus einer anderen Bar zu erfahren, daß seine Ehe gar keine richtige Ehe gewesen sei, sondern nur Tarnung, weil er bei einer Bank arbeitete. Hier warf jemand ein, hoffentlich habe seine Frau wenigstens dieselbe Kleidergröße, warum sie sonst heiraten? Einer der Obstverkäufer an der Rialtobrücke wußte aus zuverlässiger Quelle, daß Mascari schon immer so gewesen sei, sogar in seiner Schulzeit.

Am späten Vormittag brauchte die öffentliche Meinung dann eine Verschnaufpause, aber schon am Nachmittag glaubte die Allgemeinheit zu wissen, daß nicht nur Mascaris Tod als Folge des »rauhen Milieus« anzusehen war, in dem er auch gegen die Warnung der wenigen Freunde verkehrte, die von seinem heimlichen Laster wußten, sondern auch, daß seine Frau sich weigerte, die Leiche abholen und ihr ein christliches Begräbnis zukommen zu lassen.

Brunetti hatte um elf eine Verabredung mit der Witwe und suchte sie auf, ohne von den Gerüchten zu wissen, die in der Stadt herumgeisterten. Er hatte mit der Banca di Verona telefoniert und erfahren, daß vor einer Woche bei ihrer Zweigstelle in Messina ein Mann unter dem Namen Mascari angerufen und erklärt hatte, seinen Besuch um zwei Wochen, vielleicht auch um einen Monat verschieben zu müssen. Nein, man hatte nicht daran gedacht, sich noch einmal zu vergewissern, da kein Anlaß bestand, an der Terminänderung zu zweifeln.

Mascaris Wohnung lag im dritten Stock eines Hauses nicht weit von der Via Garibaldi, der Hauptdurchgangsstraße von Castello. Als die Witwe Brunetti öffnete, sah sie nicht viel anders aus als vor zwei Tagen, nur daß ihr Kostüm heute schwarz und der müde Ausdruck um ihre Augen noch deutlicher war.

»Guten Morgen, Signora. Es ist sehr entgegenkommend von Ihnen, mich heute zu empfangen.«

»Kommen Sie bitte herein«, sagte sie und trat zur Seite. Mit dem obligatorischen *»permesso«* betrat er die Wohnung und war einen Moment lang völlig desorientiert; er hatte das seltsame Gefühl, schon einmal hiergewesen zu sein. Erst als er sich umsah, wußte er, woher dieses Gefühl kam: Hier sah es fast genauso aus wie bei der alten Frau am Campo San Bartolomeo, eine Wohnung, in der seit Generationen dieselbe Familie lebte. An der Wand im Hintergrund stand eine ähnliche Kredenz, und die Samtpolster der beiden Sessel und des Sofas waren mit dem gleichen dezenten, grüngemusterten Stoff bezogen. Auch hier waren die Vorhänge zum Schutz gegen die Sonne oder neugierige Blicke zugezogen.

»Kann ich Ihnen etwas zu trinken anbieten?« fragte sie, womit sie eindeutig nur der Form Genüge tun wollte.

»Nein, danke, Signora. Ich möchte Ihre Zeit nur kurz in Anspruch nehmen. Es gibt da noch ein paar Fragen.«

»Ja, ich weiß«, sagte sie und kam ins Zimmer. Sie setzte sich in einen der hart gepolsterten Sessel, und Brunetti nahm in dem anderen Platz. Sie klaubte ein Fädchen von der Armlehne ihres Sessels, rollte es zu einem Kügelchen und steckte es sorgsam in ihre Jackentasche.

»Signora, ich weiß nicht, wieviel Sie von den Gerüchten wissen, die sich um den Tod Ihres Mannes ranken.«

»Ich weiß, daß er in Frauenkleidern gefunden wurde«, antwortete sie mit leiser, halberstickter Stimme.

»Wenn Sie das wissen, dann ist Ihnen sicher klar, daß wir gewisse Fragen zu stellen haben.«

Sie nickte und blickte auf ihre Hände.

Er konnte seine Frage entweder auf brutale oder ungeschickte Weise stellen. Er entschied sich für letzteres. »Haben oder hatten Sie Gründe anzunehmen, daß Ihr Mann in solche Praktiken verwickelt war?«

»Ich weiß nicht, was Sie meinen«, sagte sie, obwohl ihr klar sein mußte, was er meinte.

»Daß Ihr Mann mit dem Transvestitenmilieu zu tun hatte.« Warum es nicht einfach hinter sich bringen und sagen: Daß er Transvestit war?

»Das ist unmöglich.«

Brunetti sagte nichts, sondern wartete.

Aber sie wiederholte nur unerschütterlich: »Das ist unmöglich.«

»Signora, hat Ihr Mann je seltsame Anrufe oder Briefe erhalten?«

»Ich weiß nicht, was Sie meinen.«

»Ist er vielleicht irgendwann einmal angerufen worden und machte danach einen beunruhigten oder abwesenden Eindruck? Oder vielleicht nach der Lektüre eines Briefes? Oder war er in letzter Zeit anders als sonst?«

»Nein, nichts dergleichen«, sagte sie.

»Wenn ich noch einmal auf meine ursprüngliche Frage zurückkommen darf, Signora, hatten Sie den Eindruck, daß Ihr Mann sich in diese Richtung hingezogen fühlte?«

»Zu Männern?« fragte sie mit hoher, ungläubiger Stimme, in der noch etwas mitschwang. Ekel?

»Ja.«

»Nein, absolut nicht. Es ist schrecklich, so etwas zu sagen. Abstoßend. Ich dulde nicht, daß Sie so etwas über Leonardo sagen; er war ein Mann.«

Brunetti sah, daß sie ihre Hände zu Fäusten geballt hatte. »Bitte haben Sie Geduld mit mir, Signora. Ich versuche nur, die Dinge zu verstehen, und dazu muß ich diese Fragen über Ihren Mann stellen. Das heißt nicht, daß ich daran glaube.«

»Warum fragen Sie dann?« gab sie zurück, und ihre Stimme klang trotzig.

»Damit wir die Wahrheit über den Tod Ihres Mannes herausfinden können, Signora.«

»Ich beantworte keine Fragen dazu. Es ist nicht anständig.«

Er hätte ihr gern gesagt, daß ein Mord nie anständig war, aber statt dessen fragte er: »In den letzten Wochen, war Ihr Mann da irgendwie verändert?«

Wie nicht anders zu erwarten, sagte sie: »Ich weiß nicht, was Sie meinen.«

»Hat er beispielsweise etwas über seine Reise nach Messina gesagt? Hatten Sie den Eindruck, daß er gern fahren wollte? Oder eher nicht so gern?«

»Das kann ich nicht sagen. Er kam mir vor wie immer.«

»Und wie war das?«

»Er mußte fahren. Es gehörte zu seinem Beruf, also mußte er es tun.«

»Hat er etwas darüber gesagt?«

»Nein, nur daß er fahren müsse.«

»Und bei solchen Reisen hat er Sie nie angerufen, Signora?«

»Nein.«

»Warum nicht?«

Sie merkte offenbar, daß er immer wieder auf dieses Thema zurückkommen würde, also antwortete sie: »Die Bank hat nicht zugelassen, daß Leonardo private Telefongespräche auf die Spesenrechnung setzte. Manchmal hat er einen Freund im Büro angerufen und ihn gebeten, mich anzurufen. Aber nicht immer.«

»Ah ja«, sagte Brunetti. Direktor einer Bank, und wollte ein Telefongespräch mit seiner Frau nicht bezahlen!

»Haben Sie gemeinsame Kinder, Signora?«

»Nein«, antwortete sie rasch.

Brunetti ließ das Thema fallen und fragte: »War Ihr Mann mit einem Mitarbeiter der Bank besonders befreundet? Sie erwähnten einen Freund, der Sie angerufen hat; kann ich seinen Namen erfahren?«

»Warum wollen Sie mit ihm reden?«

»Vielleicht hat Ihr Mann im Büro etwas gesagt oder sonst irgendwie zu erkennen gegeben, wie er seine Reise nach Messina einschätzte. Ich möchte mit diesem Freund Ihres Mannes sprechen, um zu erfahren, ob er etwas Ungewöhnliches an seinem Verhalten bemerkt hat.«

»Ich bin sicher, das hat er nicht.«

»Trotzdem möchte ich gern mit ihm sprechen, Signora, wenn Sie mir den Namen nennen.«

»Marco Ravanello. Aber er wird Ihnen nichts sagen können. Mit meinem Mann war alles in Ordnung.« Sie warf Brunetti einen zornigen Blick zu und wiederholte: »Mit meinem Mann war alles in Ordnung.«

»Ich habe Sie lange genug belästigt, Signora«, sagte Brunetti, während er aufstand und die paar Schritte bis zur Tür ging. »Sind die Vorbereitungen für die Beerdigung getroffen?«

»Ja. Die Messe ist morgen. Um zehn.« Sie sagte nicht, wo sie stattfinden sollte, und Brunetti fragte nicht. Diese Information war leicht zu bekommen, und er würde hingehen.

An der Tür blieb er stehen. »Vielen Dank für Ihre Hilfe, Signora. Ich darf Ihnen noch einmal mein ganz persönliches Beileid ausdrücken und Ihnen versichern, daß wir alles tun werden, was in unserer Macht steht, um den zu finden, der für den Tod Ihres Mannes verantwortlich ist.« Warum klang Tod immer besser als Mord?

»Mein Mann war nicht so veranlagt. Sie werden es herausfinden. Er war ein richtiger Mann.«

Brunetti reichte ihr nicht die Hand, er verbeugte sich nur leicht und machte die Tür hinter sich zu. Während er die Treppe hinunterging, fiel ihm die letzte Szene von *Bernarda Albas Haus* ein, in der die Mutter auf der Bühne steht und dem Publikum und der Welt ins Gesicht schreit, ihre Tochter sei als Jungfrau gestorben, als Jungfrau. Für Brunetti zählte nur die Tatsache, daß sie tot waren; alles andere war Eitelkeit.

In der Questura bat er Vianello zu sich. Da Brunettis Büro zwei Stockwerke höher lag, kam man dort eher in den Genuß auch des leisesten Lufthauchs. Als sie oben waren und Brunetti die Fenster geöffnet und sein Jackett abgelegt hatte, fragte er Vianello: »Na, haben Sie etwas über die *Lega*?«

»Nadia hätte ein Gehalt dafür verdient, Dottore«, sagte Vianello, während er sich setzte. »Sie hat am Wochenende über zwei Stunden am Telefon verbracht und mit Freunden in der ganzen Stadt gesprochen. Interessant, diese *Lega della Moralità*.«

Vianello würde die Geschichte auf seine Weise erzählen, das wußte Brunetti, aber er dachte, es könnte nicht schaden, ihm das Ganze etwas zu versüßen, und sagte: »Morgen früh gehe ich auf den Rialtomarkt und kaufe ihr einen Blumenstrauß. Meinen Sie, das reicht?«

»Sie würde mich lieber am nächsten Samstag zu Hause haben«, versetzte Vianello.

»Wo sind Sie denn eingeteilt?« wollte Brunetti wissen.

»Ich habe Dienst auf dem Boot, das den Umweltminister vom Flughafen in die Stadt bringen soll. Wir wissen alle, daß er nicht kommt, daß er seinen Besuch in letzter Minute absagt. Oder glauben Sie, er würde es wagen, im August nach Venedig zu kommen, wenn es in der ganzen Stadt nach Algen stinkt, um dann hier über die neuen großen Umweltprojekte zu reden, die sie vorhaben?« Vianello lachte verächtlich; Interesse an der neuen Partei der Grünen war ein weiteres Ergebnis seiner jüngsten medizinischen Erfahrungen. »Jedenfalls möchte ich lieber nicht den Vormittag damit verschwenden, zum Flughafen zu fahren, nur um dann zu hören, daß er nicht kommt.«

Das Argument erschien Brunetti völlig logisch. Der Minister würde, um Vianellos Worte zu gebrauchen, nicht wagen, in Venedig aufzutreten, nicht im selben Monat, in dem die Hälfte aller Adriastrände wegen zu hoher Wasserverschmutzung für Schwimmer gesperrt war, nicht in einer Stadt, in der man erst kürzlich erfahren hatte, daß der Fisch, der den Hauptanteil ihrer Nahrung ausmachte, gefährlich hohe Anteile an Quecksilber und anderen Schwermetallen enthielt. »Ich will sehen, was ich tun kann«, sagte Brunetti.

Erfreut über diese Aussicht auf etwas Besseres als Blumen, obwohl er wußte, daß Brunetti die auch noch bringen würde, zückte Vianello sein Notizbuch und begann vorzulesen, was seine Frau in Erfahrung gebracht hatte.

»Die *Lega* wurde vor etwa acht Jahren gegründet, zu welchem Zweck oder von wem, weiß keiner genau. Da sie angeblich gute Werke tut, zum Beispiel Spielzeug in Waisenhäuser oder alten Leuten Essen ins Haus bringen, hatte sie immer auch einen guten Ruf. Und im Lauf der Jahre haben die Stadt und einige Kirchen ihr freie Wohnungen zur Verwaltung überlassen; diese werden älteren Menschen billig, manchmal sogar kostenlos zur Verfügung gestellt, gelegentlich auch Behinderten.« Vianello hielt kurz inne, dann fuhr er fort: »Weil ihre Leute alle ehrenamtlich arbeiten, wurde die *Lega* als wohltätige Organisation anerkannt.«

»Und das heißt«, unterbrach ihn Brunetti, »daß sie keine Steuern bezahlen muß und die Regierung ihr das übliche Entgegenkommen erweist, daß ihre Finanzen nicht allzu genau unter die Lupe genommen werden, falls überhaupt.«

»Sie sprechen mir aus der Seele, Dottore.« Brunetti wußte zwar, daß Vianello seine politischen Ansichten geändert hatte. Aber auch noch seine Rhetorik?

»Das merkwürdige ist, daß Nadia niemanden ausfindig machen konnte, der tatsächlich der *Lega* angehört. Nicht einmal die Frau bei der Bank, wie sich herausgestellt hat. Viele gaben an, jemanden zu kennen, der Mitglied ist, aber wenn Nadia nachgebohrt hat, merkte sie immer sehr schnell, daß die Leute es gar nicht so genau wußten. Mit zwei angeblichen Mitgliedern hat sie gesprochen, und die waren dann doch keine.«

»Und die guten Werke?« fragte Brunetti.

»Auch sehr undurchsichtig. Nadia hat mit den Krankenhäusern telefoniert, aber keines von ihnen hatte bisher Kontakt mit der *Lega*. Ich habe dann noch die Sozialstation angerufen, die sich um Alte kümmert, aber dort hat man noch nie davon gehört, daß jemand von der *Lega* etwas für alte Leute tut.«

»Und die Waisenhäuser?«

»Nadia hat mit der *madre superiora* des Nonnenordens gesprochen, der die drei größten unterhält. Sie hatte zwar von der *Lega* gehört, wie sie sagte, aber nie irgendeine Hilfsleistung bekommen.«

»Und die Frau bei der Bank. Wie ist Nadia darauf gekommen, daß sie Mitglied sein könnte?«

»Weil sie eine Wohnung hat, die von der *Lega* verwaltet wird. Aber sie war nie Mitglied und kennt auch niemanden, der Mitglied ist. Nadia versucht immer noch, jemanden aufzutreiben, der tatsächlich Mitglied ist.«

Wenn Nadia diesen Zeitaufwand auch noch in Rechnung stellte, würde es wahrscheinlich darauf hinauslaufen, daß Vianello den Rest des Monats freihaben wollte. »Und Santomauro?« fragte Brunetti.

»Daß er der Boß ist, scheinen alle zu wissen, aber keiner weiß, wie es dazu kam. Außerdem hat interessanterweise niemand eine Ahnung, was es bedeutet, der Boß zu sein.«

»Kommen sie denn nicht regelmäßig zusammen?«

»Die Leute sagen, ja. In Gemeindehäusern oder privat. Aber auch hier konnte Nadia wieder niemanden ausfindig machen, der je an so einem Treffen teilgenommen hat.«

»Haben Sie schon mit den Kollegen von der Guardia di Finanza gesprochen?«

»Nein, ich dachte, das übernimmt Elettra.«

Elettra? Nanu? Der formlose Umgangston des Konvertiten?

»Ich habe Signorina Elettra gebeten, Santomauro in ihrem Computer zu suchen, aber ich habe sie heute vormittag noch nicht gesehen.«

»Sie ist unten im Archiv, glaube ich«, erklärte Vianello.

»Wie steht es mit seinem beruflichen Leben?« fragte Brunetti.

»Erfolg, Erfolg und nichts als Erfolg. Er vertritt zwei der

größten Baufirmen in der Stadt, zwei Stadträte und mindestens drei Banken.«

»Ist eine davon zufällig die Banca di Verona?«

Vianello zog sein Notizbuch zu Rate und blätterte ein paar Seiten zurück. »Ja. Woher wußten Sie das?«

»Ich wußte es nicht, aber Mascari hat da gearbeitet.«

»Zwei und zwei macht vier, nicht wahr?« meinte Vianello.

»Politische Verbindungen?« fragte Brunetti.

»Bei zwei Stadträten als Klienten?« fragte Vianello zurück und gab sich damit selbst die Antwort.

»Und seine Frau?«

»Über die scheint niemand viel sagen zu können, aber alle sind offenbar der Ansicht, daß sie in der Familie den Ton angibt.«

»Familie? Hat er denn Kinder?«

»Zwei Söhne. Einer ist Architekt, der andere Arzt.«

»Die perfekte italienische Familie«, bemerkte Brunetti. Dann fragte er: »Und Crespo? Was haben Sie über ihn in Erfahrung gebracht?«

»Haben Sie seine Akte aus Mestre gesehen?«

»Ja. Das Übliche. Drogen. Versuchter Diebstahl an einem Kunden. Keine Gewalttaten. Nichts Überraschendes. Haben Sie noch etwas anderes gefunden?«

»Nicht viel mehr«, antwortete Vianello. »Er ist zweimal zusammengeschlagen worden, aber beide Male wußte er angeblich nicht, von wem. Das zweite Mal hat er gesagt«, Vianello blätterte in seinem Notizbuch ein paar Seiten weiter, »ah, hier ist es. Er sagte, er sei ›von Dieben angefallen‹ worden.«

»Angefallen?«

»So stand es in dem Bericht. Ich habe es wortwörtlich abgeschrieben.«

»Er liest offenbar viel, unser Signor Crespo.«

»Mehr als ihm guttut, würde ich sagen.«

»Haben Sie sonst noch etwas über ihn? Auf wessen Namen der Mietvertrag für die Wohnung läuft, in der er lebt?«

»Nein, ich prüfe es nach.«

»Und sehen Sie zu, ob Sie Signorina Elettra herausfinden lassen können, was es über die Finanzen der *Lega* gibt oder über die von Santomauro, von Crespo oder Mascari. Steuererklärungen, Kontoauszüge, Kredite. An solche Informationen müßte man eigentlich herankommen.«

»Sie wird schon wissen, was zu tun ist«, sagte Vianello, während er sich alles notierte. »Noch etwas?«

»Verständigen Sie mich, sobald Sie etwas hören oder wenn Nadia jemanden findet, der Mitglied ist.«

»Ja, Commissario«, sagte Vianello und stand auf. »Das ist das Beste, was passieren konnte.«

»Wie meinen Sie das?«

»Ich meine, daß Nadia sich für die Geschichte interessiert. Sie wissen ja, wie es all die Jahre gelaufen ist, immer der Ärger, wenn ich länger arbeiten mußte oder am Wochenende Dienst hatte. Aber als sie erst mal Blut geleckt hatte, war sie wie ein Spürhund. Und Sie hätten sie am Telefon hören sollen. Wie sie die Leute dazu gebracht hat, ihr alles zu erzählen. Schade, daß wir keine freien Mitarbeiter beschäftigen.«

17

Wenn er sich beeilte, konnte Brunetti es zur Banca di Verona schaffen, bevor sie zumachte, falls ein Büro, das seine Geschäfte vom zweiten Stock aus führte und offenbar keine Räumlichkeiten für Publikumsverkehr besaß, sich überhaupt an die regulären Öffnungszeiten hielt. Er kam um 12.20 Uhr an, und weil die Eingangstür zu war, drückte er auf den Klingelknopf neben dem schlichten Messingschild mit dem Namen der Bank. Die Tür sprang auf, und er stand wieder in dem kleinen Flur, in dem er am Samstagnachmittag mit der alten Frau gestanden hatte.

Oben angekommen, sah er, daß die Tür zum Bankbüro geschlossen war, und klingelte zum zweitenmal. Gleich darauf hörte er Schritte, und es öffnete ihm ein großer, blonder Mann, eindeutig nicht der, dem er am Samstagnachmittag die Treppe hinunter gefolgt war.

Er zog seinen Dienstausweis aus der Tasche und hielt ihn dem Mann hin. »*Buon giorno*. Ich bin Commissario Guido Brunetti von der Questura di Venezia. Ich möchte Signor Ravanello sprechen.«

»Einen Augenblick bitte«, sagte der andere und machte die Tür so schnell wieder zu, daß Brunetti keine Zeit blieb, ihn daran zu hindern. Es verging mindestens eine Minute, bevor die Tür erneut geöffnet wurde, diesmal von einem anderen Mann, weder groß noch blond, allerdings war es auch nicht der, den Brunetti auf der Treppe gesehen hatte.

»Ja?« fragte er Brunetti, als wäre der Mann von vorhin nur ein Phantom gewesen.

»Ich möchte Signor Ravanello sprechen.«

»Und wen soll ich melden?«

»Das habe ich Ihrem Kollegen eben schon gesagt. Commissario Guido Brunetti.«

»Ah ja, einen Augenblick.« Dieses Mal war Brunetti gewappnet und hielt einen Fuß bereit, um ihn sofort in die Tür stellen zu können, falls der Mann sie zu schließen versuchte, ein Trick, den er sich beim Lesen amerikanischer Krimis gemerkt hatte, bisher allerdings noch nie anwenden konnte.

Auch jetzt sollte er keine Gelegenheit dazu haben. Der Mann machte die Tür weit auf und sagte: »Bitte kommen Sie herein, Signor Commissario. Signor Ravanello ist in seinem Büro und wird sich freuen, Sie zu sehen.« Diese Aussage erschien Brunetti etwas übertrieben, aber er ließ dem Mann sein Recht auf eine eigene Meinung.

Das Büro nahm offenbar die gleiche Fläche ein wie oben die Wohnung der alten Frau. Der Mann führte ihn durch einen Raum, der ihrem Wohnzimmer entsprach: Vier gleich große Fenster gingen auf den *campo* hinaus. Drei Männer in dunklen Anzügen saßen an ihren Schreibtischen, aber keiner blickte von seinem Computerbildschirm hoch, als Brunetti vorbeiging. Der Mann blieb vor einer Tür stehen, die der Küchentür bei der alten Frau entsprach. Er klopfte und trat ein, ohne auf Antwort zu warten.

Das Zimmer hatte etwa dieselbe Größe wie im oberen Stock die Küche, aber wo bei der alten Frau das Spülbecken war, standen hier vier Aktenschränke. Wo sie ihren Tisch mit der Marmorplatte hatte, stand hier ein breiter Eichenschreibtisch, hinter dem ein großer, dunkelhaariger Mann mittlerer Statur in weißem Hemd und dunklem Anzug saß. Er mußte sich nicht erst umdrehen und seinen Hinterkopf zeigen, Brunetti erkannte ihn auch so als den Mann, der am Samstagnachmittag in diesem Büro gearbeitet und später an Deck des Vaporetto gestanden hatte.

Brunetti hatte ihn zwar nur aus einiger Entfernung und mit Sonnenbrille gesehen, aber es war derselbe Mann. Er hatte einen kleinen Mund und eine lange Patriziernase, die gemeinsam mit den eng zusammenstehenden Augen und den dichten schwarzen Brauen alle Aufmerksamkeit auf die Gesichtsmitte lenkte, so daß der Betrachter beim ersten Blick leicht sein Haar übersah, das sehr dicht und sehr kraus war.

»Signor Ravanello«, begann Brunetti, »ich bin Commissario Guido Brunetti.«

Ravanello stand auf und streckte ihm die Hand hin. »Ah ja, Sie kommen sicher wegen dieser schrecklichen Geschichte mit Mascari.« Dann wandte er sich an den anderen Mann. »Danke, Aldo. Ich spreche mit dem Commissario.« Worauf der andere das Büro verließ und die Tür hinter sich zumachte.

»Bitte, setzen Sie sich doch«, sagte Ravanello und kam hinter seinem Schreibtisch hervor, um einen der beiden vorhandenen Stühle so zu drehen, daß sie sich genau gegenübersitzen würden. Nachdem Brunetti Platz genommen hatte, ging Ravanello zu seinem Schreibtisch zurück und setzte sich ebenfalls. »Eine furchtbare Geschichte, wirklich furchtbar. Ich habe mit dem Direktorium der Bank gesprochen. Keiner von uns hat die leiseste Vorstellung, was zu tun ist.«

»Sie meinen Mascaris Nachfolge? Er war doch Direktor hier, oder?«

»Ja, das war er. Aber nein, unser Problem ist nicht, wer ihn ersetzen wird. Das ist bereits geregelt.«

Obwohl Ravanello die Pause eindeutig nur eingelegt hatte, um dann gleich zum wirklichen Problem seiner Bank zu kommen, fragte Brunetti: »Und wer ist sein Nachfolger?«

Von der Frage überrascht, blickte Ravanello auf. »Da ich der Vize war, ich. Aber das ist, wie gesagt, nicht der Grund für die Beunruhigung.«

Soweit Brunetti wußte – und die Erfahrung hatte ihn bisher nicht das Gegenteil gelehrt –, war bei einer Bank der einzige Grund für irgendeine Beunruhigung, wieviel Gewinn oder Verlust sie machte. Er lächelte neugierig und fragte: »Und was ist der Grund, Signor Ravanello?«

»Der Skandal. Der entsetzliche Skandal. Sie wissen ja, wie diskret wir sein müssen, wir Banker, und wie vorsichtig.«

Brunetti wußte, daß Bankleute besser nicht ins Spielkasino gingen oder ungedeckte Schecks ausstellten, wenn sie nicht gefeuert werden wollten, aber das schienen ihm kaum erdrückende Forderungen an jemanden, dem immerhin das Geld anderer Leute anvertraut war.

»Welchen Skandal meinen Sie, Signor Ravanello?«

»Wenn Sie Commissario der Polizei sind, kennen Sie die

Umstände, unter denen Leonardos Leiche gefunden wurde.«

Brunetti nickte.

»Das ist leider hier und auch in Verona bekanntgeworden. Es haben bereits eine Reihe von Kunden angerufen, Leute, die jahrelang mit Leonardo zu tun hatten. Drei haben veranlaßt, daß ihre Gelder von unserer Bank abgezogen werden. In zwei Fällen bedeutet das erhebliche Verluste für uns. Und heute ist erst der erste Tag.«

»Und Sie glauben, daß diese Entscheidungen aufgrund der Umstände getroffen wurden, unter denen man Signor Mascaris Leiche gefunden hat?«

»Selbstverständlich. Ich denke, das liegt doch auf der Hand«, sagte Ravanello, aber es klang besorgt, nicht ärgerlich.

»Haben Sie Grund zu der Annahme, daß daraufhin noch mehr Leute ihr Geld abheben werden?«

»Vielleicht. Vielleicht auch nicht. In besagten Fällen, bei den tatsächlichen Einbußen, können wir eine direkte Verbindung zu Leonardos Tod ziehen. Aber viel mehr Sorge machen uns die noch nicht meßbaren Verluste für die Bank.«

»Und die wären?«

»Leute, die erst gar nicht mehr bei uns anlegen. Leute, die davon hören oder lesen und sich daraufhin entschließen, ihre Finanzen einer anderen Bank anzuvertrauen.«

Brunetti dachte darüber ein Weilchen nach und dachte auch über die Angewohnheit der Banker nach, das Wort »Geld« zu vermeiden, dachte an die breite Palette von

Wörtern, die sie erfunden hatten, um diesen schnöden Ausdruck zu umgehen: Vermögen, Finanzen, Investitionen, Liquidität, Guthaben, Kapital. Gewöhnlich waren Euphemismen krasseren Dingen vorbehalten: dem Tod und den Körperfunktionen. Hieß das vielleicht, daß dem Geld etwas grundlegend Schmutziges anhaftete und daß die Sprache der Banker diese Tatsache verschleiern oder leugnen wollte? Er konzentrierte sich wieder auf Ravanello.

»Haben Sie eine Vorstellung, um welche Summen es sich dabei handelt?«

»Nein«, sagte Ravanello und schüttelte so bekümmert den Kopf, als hätte jemand von Tod oder schwerer Krankheit gesprochen. »Das kann man kaum berechnen.«

»Und was Sie die tatsächlichen Einbußen nennen, wie groß sind die?«

Ravanellos Gesicht bekam einen wachsamen Ausdruck. »Könnten Sie mir sagen, warum Sie das wissen wollen, Commissario?«

»Es geht nicht darum, daß ich gerade das wissen will, Signor Ravanello. Wir stehen mit unseren Ermittlungen noch am Anfang, und ich möchte so viele Informationen wie möglich sammeln, aus möglichst vielen Quellen. Was sich dann als wichtig erweisen wird, kann ich jetzt noch nicht sagen; diese Entscheidung können wir erst fällen, wenn wir alle Informationen über Signor Mascari zusammengetragen haben, die wir bekommen können.«

»Ich verstehe«, sagte Ravanello. Er zog einen Ordner zu sich heran, der auf seinem Schreibtisch lag. »Ich habe die Zahlen hier, Commissario. Ich war gerade dabei, sie mir anzusehen.« Er schlug den Ordner auf und fuhr mit dem Finger über einen Computerausdruck mit Namen und Zahlen. »Zusammengenommen beträgt die Summe der gekündigten Guthaben, nur von den beiden eben erwähnten Kunden – der dritte spielt kaum eine Rolle –, rund acht Milliarden Lire.«

»Weil er ein Kleid anhatte?« fragte Brunetti, der seine Antwort ganz bewußt so übertrieben formulierte.

Ravanello verbarg seinen Abscheu ob solcher Frivolität, aber nur schlecht. »Nein, Commissario, nicht weil er ein Kleid anhatte. Sondern weil diese Art des Verhaltens auf einen eklatanten Mangel an Verantwortungsbewußtsein hindeutet und unsere Investoren sich, vielleicht zu Recht, Gedanken darüber machen, ob dieser Mangel an Verantwortungsbewußtsein ihn nicht im Beruf ebenso bestimmt haben könnte wie im Privatleben.«

»Die Leute steigen also aus, bevor sich herausstellt, daß die Bank ruiniert ist, weil er alles für Strümpfe und Spitzenunterwäsche ausgegeben hat?«

»Ich sehe keinen Anlaß, das als Witz zu betrachten, Commissario«, sagte Ravanello in einem Ton, der schon zahllose Bankkunden in die Knie gezwungen haben mußte.

»Ich will damit nur sagen, daß dies eine etwas überzogene Reaktion auf den Tod des Mannes ist.«

»Aber sein Tod ist kompromittierend.«

»Für wen?«

»Für die Bank natürlich. Aber weit mehr noch für Leonardo selbst.«

»Signor Ravanello, so kompromittierend Signor Mascaris Tod auch erscheinen mag, wir haben keine eindeutigen Fakten, was die Umstände dieses Todes angeht.«

»Soll das heißen, er hatte keine Frauenkleider an, als man ihn gefunden hat?«

»Signor Ravanello, wenn ich Sie in ein Affenfell stecke, heißt das nicht, daß Sie auch einer sind.«

»Was meinen Sie damit?« fragte Ravanello, der seine Verärgerung jetzt nicht mehr zu verbergen suchte.

»Das soll genau das heißen, was es heißt: Aus der Tatsache, daß Signor Mascari zur Zeit seines Todes ein Kleid trug, kann man nicht unbedingt schließen, daß er ein Transvestit war. Genauer gesagt läßt sich daraus noch nicht einmal schließen, daß es in seinem Leben auch nur die kleinste Anomalie gab.«

»Das kann ich unmöglich glauben«, sagte Ravanello.

»Ihre Investoren anscheinend auch nicht.«

»Ich finde es aus anderen Gründen unmöglich, Commissario«, sagte Ravanello, blickte auf den Ordner, klappte ihn zu und legte ihn zur Seite.

»Ja?«

»Es ist nicht leicht, darüber zu sprechen«, sagte er, nahm den Ordner und legte ihn auf die andere Seite seines Schreibtisches.

Als er nichts weiter sagte, drängte Brunetti in etwas sanfterem Ton: »Reden Sie weiter, Signor Ravanello.«

»Ich war Leonardos Freund. Vielleicht der einzige enge Freund.« Er sah Brunetti an, dann wieder auf seine Hände. »Ich habe es gewußt«, sagte er leise.

»Was haben Sie gewußt, Signor Ravanello?«

»Ich wußte, daß er sich verkleidete. Und von den Jungen.« Er wurde rot, als er das sagte, aber er hielt den Blick starr auf seine Hände gerichtet.

»Woher haben Sie das gewußt?«

»Leonardo hat es mir erzählt.« Er hielt inne und holte tief Luft. »Wir haben zehn Jahre zusammengearbeitet. Unsere Familien kennen sich. Leonardo ist der Pate meines Sohns. Ich glaube nicht, daß er andere Freunde hatte. Keine engen jedenfalls.« Hier brach Ravanello ab, als ob das alles wäre, was er sagen konnte.

Brunetti ließ ein paar Sekunden verstreichen und fragte dann: »Wie kam es dazu, daß er es Ihnen erzählt hat? Und was hat er Ihnen erzählt?«

»Wir waren hier, an einem Sonntag, nur wir beide. Die Computer waren am Freitag und Samstag ausgefallen und wir konnten erst am Sonntag wieder zu arbeiten anfangen. Wir saßen an den Terminals draußen im Hauptbüro, da drehte er sich einfach um und sagte es mir.«

»Was hat er gesagt?«

»Es war sehr merkwürdig, Commissario. Er hat nur zu mir herübergeschaut. Ich sah es und dachte, er wolle mir etwas sagen oder etwas zu der Transaktion fragen, die er gerade eingab, also hielt ich auch inne und sah ihn an.« Ravanello schwieg, während er die Szene heraufbeschwor. »Er sagte: ›Übrigens, Marco, ich liebe Jungen.‹ Dann hat er sich wieder über seinen Computer gebeugt und weitergearbeitet, als hätte er mir nur eine Buchungsnummer oder einen Aktienkurs angegeben. Es war sehr eigenartig.«

Brunetti ließ das Schweigen danach etwas im Raum stehen, bevor er fragte: »Hat er das je erklärt oder noch etwas hinzugefügt?«

»Ja. Als wir an dem Nachmittag fertig waren, habe ich ihn gefragt, was er gemeint hat, daraufhin hat er es wiederholt.«

»Was?«

»Daß er Jungen mag, keine Frauen.«

»Jungen oder Männer?«

»*Ragazzi.* Jungen.«

»Und das Verkleiden, hat er sich dazu geäußert?«

»Damals nicht. Aber einen Monat später. Wir saßen im Zug auf der Fahrt zu unserer Hauptstelle in Verona, und in Padua standen solche Typen auf dem Bahnsteig. Da hat er es mir erzählt.«

»Wie haben Sie darauf reagiert?«

»Ich war natürlich schockiert. Ich hätte nie gedacht, daß Leonardo so veranlagt war.«

»Haben Sie ihn gewarnt?«

»Wovor?«

»Nun, wegen seiner Stellung bei der Bank.«

»Natürlich. Ich habe ihm gesagt, wenn jemand davon erführe, wäre seine Karriere im Eimer.«

»Warum? Ich bin sicher, es arbeiten viele Homosexuelle bei Banken.«

»Das ist es nicht. Es ist das Verkleiden. Und die Prostituierten.«

»Das hat er Ihnen erzählt?«

»Ja. Er sagte, daß er zu ihnen geht und manchmal dasselbe tut.«

»Was tut?«

»Wie immer man das nennt – sich anbietet? Er hat Geld von Männern genommen. Ich habe ihm gesagt, das könnte ihn vernichten.« Ravanello wartete einen Moment, dann fügte er hinzu: »Und das hat es dann auch.«

»Signor Ravanello, warum haben Sie davon nichts der Polizei gesagt?«

»Ich habe es Ihnen eben gesagt, Commissario. Ich habe Ihnen alles gesagt.«

»Ja, aber ich bin hergekommen, um Sie zu befragen. Sie haben sich nicht mit uns in Verbindung gesetzt.«

»Ich sah keinen Grund, seinen Ruf zu zerstören«, erklärte Ravanello schließlich.

»Mir scheint, da war nicht mehr viel zu zerstören, wie ich dem entnehme, was Sie von Ihren Kunden erzählt haben.«

»Ich hielt es nicht für wichtig.« Und auf Brunettis Blick hin setzte er hinzu: »Ich meine, alle haben es offenbar sowieso schon geglaubt. Da sah ich keinen Anlaß, sein Vertrauen zu brechen.«

»Ich habe den Eindruck, daß Sie mir etwas verheimlichen, Signor Ravanello.«

Der Banker sah Brunettis Gesicht und schaute schnell weg. »Ich wollte auch die Bank schützen. Ich wollte feststellen, ob Leonardo… ob er eine Unbesonnenheit begangen hatte.«

»Ist das bei Ihnen der Fachausdruck für Unterschlagung?«

Wieder deuteten Ravanellos zusammengepreßte Lippen seine Meinung über Brunettis Wortwahl an. »Ich wollte sichergehen, daß die Bank durch seine Unbesonnenheit nicht in Mitleidenschaft gezogen wurde.«

»Im Klartext?«

»Also gut, Commissario«, sagte Ravanello, während er sich ärgerlich vorbeugte. »Ich wollte sehen, ob seine Konten in Ordnung waren, ob nichts fehlte von dem Kunden- oder Firmenkapital, das durch seine Hände ging.«

»Dann waren Sie ja schwer beschäftigt heute vormittag.«

»Nein, ich habe es am Wochenende gemacht. Samstag und Sonntag habe ich in erster Linie damit verbracht, vor dem Computer zu sitzen und seine Kundenkonten zu überprüfen, die letzten drei Jahre. Weiter zurückzugehen, hatte ich keine Zeit.«

»Und was haben Sie festgestellt?«

»Gar nichts. Alles ist ganz so, wie es sein sollte. Wie derangiert Leonardos Privatleben auch gewesen sein mag, beruflich ist alles in bester Ordnung.«

»Und wenn es nicht so gewesen wäre?« fragte Brunetti.

»Dann hätte ich Sie angerufen.«

»Ich verstehe. Können Sie uns Kopien dieser Unterlagen zur Verfügung stellen?«

»Natürlich«, meinte Ravanello und überraschte Brunetti mit dieser schnellen Zustimmung. Seiner Erfahrung nach rückten Banken mit Informationen noch widerwilliger heraus als mit Geld. Normalerweise ging das nur durch eine gerichtliche Verfügung. Welch eine freundliche, entgegenkommende Geste von Signor Ravanello.

»Vielen Dank, Signor Ravanello. Einer unserer Finanzexperten kommt dann vorbei, um sie abzuholen, morgen vielleicht.«

»Ich werde dafür sorgen, daß sie fertig sind.«

»Und wenn Sie überlegen könnten, ob Ihnen vielleicht

noch etwas einfällt, was Signor Mascari Ihnen über sein anderes, sein heimliches Leben anvertraut hat.«

»Natürlich. Aber ich glaube, ich habe Ihnen alles gesagt.«

»Gut, aber es könnte ja sein, daß Sie sich in Ihrem momentanen Gefühlsaufruhr an andere, scheinbar unwichtige Dinge nicht erinnern. Ich wäre Ihnen sehr dankbar, wenn Sie alles notieren könnten, was Ihnen noch einfällt. Ich melde mich morgen oder übermorgen wieder.«

»Natürlich«, wiederholte Ravanello, dessen Stimmung sich durch die Aussicht auf das baldige Ende der Unterredung merklich besserte.

»Ich glaube, das ist für heute alles«, sagte Brunetti und stand auf. »Ich danke Ihnen für Ihre Zeit und Ihre Offenheit, Signor Ravanello. Die Situation ist sicher sehr schwierig für Sie. Denn Sie haben nicht nur einen Kollegen verloren, sondern auch einen Freund.«

»Ja, das habe ich«, meinte Ravanello mit einem Nicken.

»Nochmals«, sagte Brunetti und streckte dabei die Hand aus, »vielen Dank für Ihre Zeit und Ihre Hilfe.« Er wartete einen Augenblick, dann ergänzte er: »Und Ihre Aufrichtigkeit.«

Bei diesen Worten blickte Ravanello abrupt auf, aber er sagte: »Gern geschehen, Commissario«, und kam hinter seinem Schreibtisch hervor, um Brunetti hinauszugeleiten. Er ging mit ihm bis zur Tür des Hauptbüros. Dort gaben sie sich noch einmal die Hand, und Brunetti ging allein hinaus in das Treppenhaus, durch das er Ravanello am Samstagnachmittag gefolgt war.

18

Weil er sowieso in der Nähe der Rialtobrücke war, hätte Brunetti zum Mittagessen nach Hause gehen können, aber er hatte weder Lust zu kochen, noch den Rest der *insalata di calamari* zu riskieren, der nun schon vier Tage alt und ihm daher nicht mehr ganz geheuer war. Statt dessen ging er zum Corte de Milion und nahm in der kleinen Trattoria, die sich in eine Ecke des winzigen *campo* schmiegte, ein angemessenes Mittagsmahl ein.

Um drei war er wieder in seinem Büro und überlegte, daß es wahrscheinlich klug wäre, hinunterzugehen und mit Patta zu sprechen, ohne erst von ihm gerufen worden zu sein. Im Vorzimmer des Vice-Questore goß Signorina Elettra gerade Wasser aus einer Plastikflasche in eine große Kristallvase mit sechs hohen Calla. Die Callablüten waren weiß, aber nicht so weiß wie die Bluse, die Signorina Elettra zum Rock ihres purpurfarbenen Kostüms trug. Als sie Brunetti sah, meinte sie lächelnd: »Es ist wirklich erstaunlich, wie viel Wasser sie brauchen.«

Ihm fiel keine passende Antwort ein, und so begnügte er sich damit, ihr Lächeln zu erwidern, und fragte: »Ist er da?«

»Ja. Er ist gerade vom Essen gekommen. Um halb fünf hat er eine Verabredung, wenn Sie mit ihm sprechen wollen, tun Sie es am besten gleich.«

»Wissen Sie, was das für eine Verabredung ist?«

»Commissario, wollen Sie, daß ich Vertrauliches aus dem Privatleben des Vice-Questore ausplaudere?« fragte sie und legte die angemessene Entrüstung in ihre Stimme; dann fügte sie hinzu: »Genaugenommen ist diese Verabredung mit seinem Anwalt nämlich etwas, worüber ich nicht berechtigt bin, mich zu äußern.«

»Ah ja«, sagte Brunetti und blickte auf ihre Schuhe, dasselbe Purpurrot wie der Rock. Sie arbeitete gerade etwas mehr als eine Woche für Patta. »Dann gehe ich am besten jetzt zu ihm.« Er tat die paar Schritte, klopfte an Pattas Tür, wartete auf das »*avanti*« von drinnen und ging hinein.

Da der Mann hinter dem Schreibtisch in Pattas Büro saß, mußte es Vice-Questore Giuseppe Patta sein. Aber der da saß, hatte mit dem Vice-Questore etwa soviel Ähnlichkeit wie ein Polizeifoto mit dem darauf Abgebildeten. Pattas Haut, die um diese Jahreszeit meist schon die Farbe von hellem Mahagoni hatte, war ganz blaß, aber es war eine seltsame Blässe unter einer dünnen, künstlich wirkenden Bräune. Sein kräftiges Kinn, das Brunetti immer an Mussolini-Fotos in Geschichtsbüchern erinnerte, wirkte gar nicht mehr so fest und bestimmt, sondern eher formlos, als könnte es höchstens noch eine Woche dauern, bevor es ganz erschlaffen würde. Pattas Krawatte war penibel geknotet, aber der Kragen seines Jacketts sah aus, als ob er eine Bürste nötig hätte. Die Krawattennadel fehlte ebenso wie die Blume im Knopfloch, wodurch der seltsame Eindruck entstand, der Vice-Questore wäre mehr oder weniger unbekleidet ins Büro gekommen.

»Ah, Brunetti«, sagte er, als er den anderen hereinkommen sah. »Setzen Sie sich. Bitte, nehmen Sie Platz.« Brunetti konnte sich nicht erinnern, in den gut fünf Jahren, die er nun schon für Patta arbeitete, schon einmal ein »Bitte«

aus seinem Mund gehört zu haben, höchstens ein zähneknirschendes.

Brunetti tat wie geheißen und wartete, was für Wunder noch geschehen würden.

»Ich wollte Ihnen für Ihre Hilfe danken«, begann Patta, sah Brunetti kurz an und dann an ihm vorbei, als ob er hinter dessen Schulter einem Vogel nachblicken wollte, der gerade durchs Zimmer geflogen war. Da Paola verreist war, lagen zu Hause keine Hefte von *Gente* oder *Oggi* herum, und Brunetti konnte nicht wissen, ob über Signora Patta und Tito Burrasca etwas darinstand, aber vermutlich rührte Pattas Dankbarkeit daher, daß dem nicht so war. Wenn Patta dies eher Brunettis vermeintlichen Pressekontakten zuschreiben wollte als dem inkonsequenten Verhalten seiner Frau, sah Brunetti keinen Anlaß, den Mann zu enttäuschen.

»Das war nicht der Rede wert, Vice-Questore«, sagte er wahrheitsgemäß.

Patta nickte. »Was ist mit der Geschichte in Mestre?«

Brunetti berichtete ihm kurz, was er bisher in Erfahrung gebracht hatte, und schloß mit seinem Besuch bei Ravanello am selben Vormittag und dessen Behauptung, er habe von Mascaris Veranlagung und Vorlieben gewußt.

»Dann müßte man annehmen, daß sein Mörder einer seiner – wie nennt man sie, Freier? – war«, sagte Patta und zeigte damit sein untrügliches Gespür fürs Offensichtliche.

»Immer vorausgesetzt, Sie glauben, daß Männer in unserem Alter für andere Männer sexuell attraktiv sind, Vice-Questore.«

»Ich weiß nicht, was Sie damit meinen, Commissario«, sagte Patta, jetzt wieder in einem Ton, den Brunetti besser kannte.

»Wir gehen alle davon aus, daß er entweder *un travestito* oder *un prostituto* war und infolgedessen getötet wurde, aber unser einziger Beweis ist die Tatsache, daß er in einem Kleid aufgefunden wurde, sowie die Aussage des Mannes, der seine Stelle übernommen hat.«

»Aber dieser Mann ist auch Direktor einer Bank, Brunetti«, entgegnete Patta mit der ihm eigenen Ehrfurcht vor solchen Titeln.

»Eine Stellung, die er durch den Tod des anderen bekommen hat.«

»Banker bringen sich nicht gegenseitig um, Brunetti«, versetzte Patta mit jener felsenfesten Überzeugung, die so typisch für ihn war.

Brunetti bemerkte die Gefahr zu spät. Patta mußte nur erst den Vorteil sehen, der darin lag, Mascaris Tod einer gewalttätigen Episode in seinem anomalen Privatleben zuzuschreiben, und er würde es für gerechtfertigt halten, die Suche nach dem Täter der Polizei in Mestre zu überlassen, und Brunetti ganz legitim von dem Fall abziehen.

»Sie haben wahrscheinlich recht, Vice-Questore«, räumte Brunetti ein, »aber wir können es uns derzeit nicht leisten, in der Presse den Eindruck entstehen zu lassen, wir hätten in diesem Fall nicht jede mögliche Spur verfolgt.«

Wie ein Stier beim leisesten Flattern der *capa*, so reagierte Patta bei diesem Hinweis auf die Medien. »Was schlagen Sie dann vor?«

»Ich meine, wir sollten natürlich alle Bemühungen auf

die Transvestitenszene in Mestre konzentrieren, aber ich denke, daß wir die Möglichkeit einer Verquickung mit der Bank wenigstens ins Auge fassen sollten, auch wenn wir beide wissen, wie abwegig sie ist.«

Beinah würdevoll sagte Patta: »So wirklichkeitsfremd bin ich noch nicht, Commissario. Wenn Sie dieser Idee nachgehen wollen, daß es womöglich eine Verbindung zwischen der Bank und seinem Tod gibt, dann steht Ihnen das frei, aber ich möchte, daß Sie dabei bedenken, mit wem Sie es zu tun haben, und die Leute entsprechend ihrer Position mit dem nötigen Respekt behandeln.«

»Gewiß, Vice-Questore.«

»Dann überlasse ich es also Ihnen, aber unternehmen Sie bitte im Zusammenhang mit der Bank nichts, ohne sich vorher mit mir zu besprechen.«

»Ja, gut. Ist das dann alles?«

»Ja.«

Brunetti stand auf, rückte den Stuhl an den Schreibtisch und verließ Pattas Büro ohne ein weiteres Wort. Draußen war Signorina Elettra damit beschäftigt, einen Ordner durchzublättern.

»Signorina«, fing er an, »haben Sie in diesen Finanzangelegenheiten schon etwas herausbekommen können?«

»Wessen?« fragte sie mit einem leichten Lächeln.

»Wie bitte?« Brunetti verstand gar nichts.

»Die von Avvocato Santomauro oder Signor Burrasca?«

Brunetti war so sehr mit seinen Ermittlungen um den Tod Mascaris beschäftigt, daß er den Filmproduzenten ganz vergessen hatte, über den Signorina Elettra ja ebenfalls Erkundigungen einholen sollte.

»Ach, Burrasca hatte ich ganz vergessen«, gestand er. Da sie dessen Namen erwähnt hatte, nahm er an, daß sie von ihm zuerst reden wollte. »Was haben Sie denn über ihn herausgefunden?«

Sie legte den Ordner auf die Seite und sah Brunetti an, als ob seine Frage sie überraschte. »Daß seine Wohnung in Mailand zum Verkauf angeboten wird, daß er mit seinen drei letzten Filmen Verluste gemacht hat und daß die Villa in Monaco bereits von seinen Gläubigern übernommen wurde.« Sie lächelte. »Wollen Sie noch mehr?«

Brunetti nickte. Wie um alles in der Welt machte sie das nur?

»In den USA ist Klage gegen ihn erhoben worden, denn dort gibt es ein Gesetz gegen die Mitwirkung von Kindern in Pornofilmen. Außerdem hat die Polizei in Monaco alle Kopien seines letzten Films konfisziert; warum, kann ich leider nicht herausfinden.«

»Und seine Steuern? Sind das Kopien seiner Steuererklärungen, was Sie da eben durchgesehen haben?«

»Aber nein«, versetzte sie ungehalten. »Sie wissen doch, wie schwierig es ist, von Finanzbeamten Informationen zu bekommen.« Sie hielt inne und fügte nicht ganz unerwartet hinzu: »Es sei denn, man kennt jemanden, der dort arbeitet. Ich kriege sie nicht vor morgen.«

»Und dann geben Sie alles an den Vice-Questore weiter?«

Signora Elettra bedachte ihn mit einem grimmigen Blick. »Nein, Commissario. Damit werde ich noch mindestens ein paar Tage warten.«

»Meinen Sie das ernst?«

»Ich scherze nicht über den Vice-Questore.«

»Aber warum wollen Sie ihn warten lassen?«

»Warum nicht?«

Brunetti überlegte, wie viele kleine Kränkungen Patta der jungen Frau im Lauf der letzten Woche zugefügt haben mußte, daß er es so bald schon auf diese Weise heimgezahlt bekam. »Und was ist mit Santomauro?« fragte er.

»Ah, der Avvocato ist ein völlig anderer Fall. Seine Finanzen könnten in keinem besseren Zustand sein. Er besitzt ein Paket Aktien und festverzinsliche Papiere im Wert von etwa einer halben Milliarde Lire. Sein Jahreseinkommen ist mit zweihundert Millionen Lire angegeben, mindestens das Doppelte dessen, was ein Mann in seiner Position normalerweise angeben würde.«

»Und wie steht's mit den Steuern?«

»Das ist ja das Eigenartige. Wie es aussieht, gibt er alles an. Kein Hinweis darauf, daß er irgendwie schummelt.«

»Das klingt, als ob Sie es nicht glaubten?« sagte Brunetti.

»Aber, Commissario«, meinte sie mit einem weiteren vorwurfsvollen Blick, allerdings nicht ganz so ungehalten wie vorher. »Sie wissen doch selbst, daß niemand bei seiner Steuererklärung ehrlich ist. Das ist ja das Merkwürdige. Wenn er alles angibt, was er verdient, muß er eine andere Geldquelle haben, die sein angegebenes Einkommen so nichtig erscheinen läßt, daß er gar nicht schummeln muß.«

Brunetti dachte einen Augenblick darüber nach. Die Steuergesetze ließen keine andere Erklärung zu. »Gibt Ihr

Computer Ihnen einen Hinweis darauf, wo das Geld möglicherweise herkommt?«

»Nein, aber ich kann daraus ersehen, daß er Präsident der *Lega della Moralità* ist. Also müßte man logischerweise dort nachforschen.«

»Können Sie beide«, fragte er mit einer Kopfbewegung zu dem Bildschirm, vor dem sie saß, »etwas über die *Lega* herausfinden?«

»Damit habe ich schon angefangen, Commissario. Aber bisher erscheint mir die *Lega* noch undurchsichtiger als Signor Burrascas Steuererklärungen.«

»Ich habe vollstes Vertrauen, daß Sie alle Hindernisse überwinden werden, Signorina.«

Sie senkte den Kopf und nahm das Kompliment entgegen wie einen ihr schuldigen Tribut.

Er beschloß, die Frage zu wagen. »Wie kommt es, daß Sie sich im Computernetz so gut auskennen?«

»In welchem?« fragte sie aufblickend.

»Finanzen.«

»Ich hatte bei meiner früheren Arbeit damit zu tun«, sagte sie, den Blick schon wieder halb auf dem Bildschirm.

»Und wo war das, wenn ich fragen darf?« erkundigte er sich und dachte dabei an Versicherungen, oder vielleicht das Büro eines Steuerberaters.

»Bei der Banca d'Italia«, sagte sie halb zu ihrem Bildschirm und halb zu Brunetti.

Er zog die Augenbrauen hoch. Sie blickte auf, sah sein Gesicht und erklärte: »Ich war Direktionsassistentin.«

Man mußte weder Banker noch Mathematiker sein, um ausrechnen zu können, eine wie große finanzielle Verschlechterung so ein Stellenwechsel bedeutete. Außerdem war ein Arbeitsplatz bei einer Bank für die meisten Italiener gleichbedeutend mit absoluter Sicherheit; die Leute warteten Jahre, um als Mitarbeiter bei einer Bank angenommen zu werden, bei jeder Bank, wobei die Banca d'Italia sicher die begehrteste war. Und diese junge Frau wechselte als Sekretärin zur Polizei? Selbst zwei wöchentliche Blumensträuße von Fantin machten das nicht plausibel. Und wenn man sich vor Augen hielt, daß sie nicht nur einfach bei der Polizei, sondern ausgerechnet für Patta arbeitete, erschien das Ganze schon beinah irrsinnig.

»Ich verstehe«, sagte Brunetti, obwohl er nichts verstand. »Ich hoffe, Sie werden sich bei uns wohl fühlen.«

»Da bin ich ganz sicher, Commissario«, sagte Signorina Elettra. »Soll ich Ihnen noch irgendwelche anderen Informationen heraussuchen?«

»Nein, im Augenblick nicht, danke«, antwortete er und ging zurück in sein Büro. Über seine Amtsleitung rief er das Hotel in Bozen an und verlangte Signora Brunetti.

Signora Brunetti war spazieren, erfuhr er, und wurde erst zum Abendessen zurückerwartet. Er hinterließ keine Nachricht, nur seinen Namen, und legte auf.

Gleich darauf klingelte sein Telefon. Es war Padovani aus Rom, der sich entschuldigte, daß er nichts weiter über Santomauro hatte in Erfahrung bringen können. Er hatte Freunde in Rom und Venedig angerufen, aber alle waren offenbar in den Ferien, und er hatte nur eine Reihe von Nachrichten auf Anrufbeantwortern hinterlassen und um Rückruf gebeten, ohne den Grund seines Anrufs zu nennen. Brunetti bedankte sich und bat Padovani, sich wieder zu melden, wenn er etwas Neues wußte.

Nachdem er aufgelegt hatte, wühlte Brunetti auf seinem Schreibtisch, bis er gefunden hatte, was er suchte, nämlich den Autopsiebericht über Mascari, den er noch einmal aufmerksam durchlas. Auf der vierten Seite stand, wonach er gesucht hatte. »Kratzer und Schnittwunden an den Beinen, keine Anzeichen epidermaler Blutung. Die Kratzer wurden zweifelsohne durch die scharfen Halme von…« Hier hatte der Pathologe ein bißchen angegeben und den lateinischen Namen des Grases genannt, in dem Mascaris Leiche versteckt worden war.

Tote bluten nicht; es fehlt der Druck, um das Blut an die Oberfläche zu pumpen. Diese Grundregel der Pathologie hatte Brunetti sich gemerkt. Wären die Kratzer durch – und hier wiederholte er laut die pompösen lateinischen Silben – verursacht worden, hätten sie nicht geblutet, denn Mascari war tot, als er dort deponiert wurde. Aber wenn ihm jemand anderes die Beine rasiert hatte, nachdem er tot war, hätte es auch nicht geblutet.

Brunetti hatte sich noch nie woanders als im Gesicht rasiert, aber er war seit Jahren Zeuge, wenn Paola sich mit dem Rasierapparat über Schienbein, Knöchel und Knie fuhr. Er konnte gar nicht mehr zählen, wie oft er während dieser Prozedur ihr unterdrücktes Fluchen aus dem Bad gehört hatte, um sie kurz darauf, ein Stück Toilettenpapier als provisorisches Pflaster auf irgendeinen Teil ihres Beins geklebt, herauskommen zu sehen. Paola rasierte sich die Beine, seit er sie kannte, und sie schnitt sich trotzdem jedesmal. Daß ein Mann Mitte vierzig es besser konnte, war unwahrscheinlich. Brunetti neigte zu der Annahme, daß es bis zu einem gewissen Grade in allen Ehen ähnlich zuging. So würde Paola es sofort merken, wenn er plötzlich anfinge, sich die Beine zu rasieren. Und so hielt er es auch für höchst unwahrscheinlich, daß Mascari seine Beine hätte rasieren können, ohne daß seine Frau es gemerkt hätte, auch wenn er sie von Geschäftsreisen nicht anrief.

Er schaute noch einmal in den Autopsiebericht: »Keine Anzeichen epidermaler Blutung aus den Schnittwunden an den Beinen des Toten.« Nein, ungeachtet des roten Kleides und der roten Schuhe, ungeachtet des Make-ups und der Unterwäsche – Signor Mascari hatte sich die Beine nicht selbst rasiert, bevor er starb. Also mußte es jemand getan haben, als er schon tot war.

19

Brunetti saß in seinem Büro und hoffte auf eine Brise am Spätnachmittag, die Erleichterung bringen würde, aber diese Hoffnung war ebenso vergeblich wie die, er könnte allmählich ein Bindeglied zwischen all den unzusammenhängenden Tatsachen erkennen. Ihm war klar, daß diese ganze Geschichte mit dem Transvestismus eine wohldurchdachte posthume Scharade war, die nur dazu dienen sollte, vom wirklichen Grund für Mascaris Tod abzulenken. Das bedeutete, daß Ravanello, der als einziger Mascaris »Geständnis« gehört hatte, log und wahrscheinlich etwas über den Mord wußte. Aber wenn es Brunetti auch nicht schwerfiel, sich vorzustellen, daß Banker tatsächlich Menschen umbrachten, konnte er doch nicht glauben, daß sie es nur taten, um ihren Weg auf der Karriereleiter abzukürzen.

Ravanello hatte nicht eine Sekunde gezögert, zuzugeben, daß er an dem Wochenende im Büro der Bank gewesen war; er hatte die Information sogar freiwillig beigesteuert. Und im Hinblick darauf, daß man Mascari gerade identifiziert hatte, war seine Begründung sogar einleuchtend – jeder gute Freund würde es so halten. Mehr noch, jeder loyale Angestellte würde es tun.

Dennoch, warum hatte er sich am Samstag nicht am Telefon gemeldet, warum es geheimhalten, sogar vor einem unbekannten Anrufer, daß er an dem Nachmittag in der Bank war?

Das Telefon klingelte, und Brunetti meldete sich mit Namen, immer noch in Gedanken, immer noch benommen von der Hitze.

»Ich muß mit Ihnen sprechen«, sagte eine Männerstimme. »Persönlich.«

»Wer spricht?« fragte Brunetti ruhig.

»Das möchte ich lieber nicht sagen«, antwortete die Stimme.

»Dann möchte ich lieber nicht mit Ihnen sprechen«, sagte Brunetti und legte auf. Gewöhnlich waren Anrufer durch diese Reaktion so verblüfft, daß sie gleich noch einmal anrufen zu müssen glaubten. Innerhalb weniger Minuten klingelte das Telefon erneut, und Brunetti meldete sich wieder.

»Es ist sehr wichtig«, sagte dieselbe Stimme.

»Es ist ebenso wichtig, daß ich weiß, mit wem ich spreche«, entgegnete Brunetti im Plauderton.

»Wir haben uns letzte Woche gesprochen.«

»Ich habe letzte Woche mit vielen Leuten gesprochen, Signor Crespo, aber nur wenige von ihnen haben mich angerufen und wollten mich sehen.«

Crespo schwieg lange, und Brunetti befürchtete schon, daß er nun seinerseits auflegen könnte, doch statt dessen sagte der junge Mann: »Ich würde mich gern mit Ihnen treffen und mit Ihnen reden.«

»Wir reden ja schon, Signor Crespo.«

»Nein, ich möchte Ihnen ein paar Sachen geben, Fotos und Papiere.«

»Was für Fotos und was für Papiere?«

»Das werden Sie dann schon sehen.«

»Womit haben diese Dinge zu tun, Signor Crespo?«

»Mit Mascari. Die Polizei hat einen ganz falschen Eindruck von ihm.«

Brunetti war der Ansicht, daß Crespo da recht hatte, aber er gedachte diese Ansicht für sich zu behalten.

»Was haben wir denn für einen falschen Eindruck?«

»Das sage ich Ihnen, wenn wir uns sehen.«

Brunetti hörte an Crespos Stimme, daß er langsam den Mut verlor, oder was immer ihn sonst zu dem Anruf bewogen haben mochte. »Wo wollen Sie sich mit mir treffen?«

»Wie gut kennen Sie sich in Mestre aus?«

»Gut genug.« Außerdem konnte er jederzeit Gallo oder Vianello fragen.

»Kennen Sie den Parkplatz vor dem Tunnel, der zum Bahnhof führt?«

Es war einer der wenigen Plätze im Großraum Venedig, wo man gebührenfrei parken konnte. Man mußte seinen Wagen nur dort oder entlang der baumbestandenen Straße, die auf den Tunnel zuführte, abstellen, kam durch die Unterführung zu den Gleisen, wo die Züge nach Venedig abfuhren, und war nach zehn Minuten Bahnfahrt dort, ohne Parkgebühren, ohne Warten in der Schlange vor Tronchetto.

»Ja, ich weiß, wo er ist.«

»Ich komme dorthin, heute abend.«

»Um welche Zeit?«

»Spät. Ich muß vorher noch etwas erledigen und weiß nicht genau, wie lange das dauert.«

»Um welche Zeit also?«

»Ich bin um eins da.«

»Und wo genau?«

»Wenn Sie aus dem Tunnel kommen, gehen Sie die erste Straße hinunter, dann die nächste links. Ich parke dort auf der rechten Seite, in einem hellblauen Panda.«

»Warum haben Sie dann nach dem Parkplatz gefragt?«

»Nur so. Ich wollte wissen, ob Sie ihn kennen. Ich parke da lieber nicht. Er ist mir zu hell beleuchtet.«

»Also gut, Signor Crespo. Ich komme.«

»Gut«, sagte Crespo und legte auf, bevor Brunetti noch etwas hinzufügen konnte.

Wer, so fragte sich Brunetti, hatte wohl Signor Crespo zu diesem Anruf veranlaßt? Er glaubte nicht eine Sekunde daran, daß Crespo aus eigenem Antrieb angerufen hatte – jemand wie Crespo hätte es nie ein zweites Mal versucht –, aber das verringerte in keiner Weise seine Neugier zu erfahren, was wirklich hinter dem Anruf steckte. Am wahrscheinlichsten war der Schluß, daß jemand eine Drohung an den Mann bringen wollte, vielleicht auch mehr, und dazu gab es keine bessere Gelegenheit, als Brunetti um ein Uhr nachts auf die Straße zu locken.

Er rief bei der Questura in Mestre an und verlangte Sergente Gallo, nur um zu hören, daß der für ein paar Tage nach Mailand gefahren sei, um vor Gericht auszusagen. Ob er mit Sergente Buffo sprechen wolle, der Sergente Gallos Arbeit solange übernommen habe? Brunetti verneinte und legte auf.

Er rief Vianello an und bat ihn, in sein Büro heraufzukommen. Als der Sergente hereinkam, bot ihm Brunetti einen Stuhl an und berichtete ihm dann von Crespos Anruf und seinem eigenen in Mestre. »Was halten Sie davon?« fragte er schließlich.

»Also, ich würde sagen, da versucht Sie jemand aus Venedig herauszulocken, wo Sie auf offener Straße schlecht geschützt sind. Und wenn Sie Schutz brauchen, müssen unsere Leute das übernehmen.«

»Was könnten die vorhaben?«

»Sie könnten jemanden in ein Auto setzen, aber eigentlich müßten sie wissen, daß wir Leute in der Nähe haben. Oder ein vorbeifahrendes Auto oder Motorrad, entweder um Sie zu überfahren, oder um auf Sie zu schießen.«

»Oder eine Bombe?« fragte Brunetti und erschauerte unwillkürlich beim Gedanken an die Fotos, die er von den Bombenanschlägen auf Politiker und Richter gesehen hatte.

»Nein, ich glaube nicht, daß Sie so wichtig sind«, sagte Vianello. Nicht sehr schmeichelhaft, aber immerhin ein Trost.

»Danke. Dann rechne ich wohl am ehesten damit, daß einer im Auto vorbeifährt.«

»Also, was machen wir?«

»Ich hätte gern Leute in mindestens zwei Häusern, einem am Anfang und einem am Ende der Straße. Und einen auf dem Rücksitz eines Autos, falls Sie einen Freiwilligen kriegen können. Es wird sicher die Hölle, bei dieser Hitze im geschlossenen Wagen. Das wären schon drei. Mehr kann ich wohl kaum einsetzen.«

»Also, ich passe auf keinen Rücksitz, und nur in einem Haus herumsitzen und zusehen müssen, liegt mir nicht, aber vielleicht könnte ich gleich um die Ecke parken, wenn sich eine von unseren Beamtinnen überreden läßt, ein Weilchen mit mir herumzuschmusen.«

»Vielleicht stellt sich ja Signorina Elettra zur Verfügung«, sagte Brunetti und lachte.

Vianellos Ton ließ an Schärfe nichts zu wünschen übrig. »Ich mache keine Witze, Commissario. Ich kenne die Straße; meine Tante aus Treviso läßt immer ihr Auto da stehen, wenn sie uns besucht, und ich bringe sie jedesmal hin, wenn sie wieder abfährt. Dort sitzen oft Leute in Autos, so daß einer oder zwei mehr gar nicht auffallen.«

Brunetti lag schon auf der Zunge zu fragen, wie wohl Nadia das sehen würde, aber er besann sich eines Besseren und sagte statt dessen: »Also gut, aber sie muß freiwillig mitmachen. Wenn es kritisch wird, habe ich nicht gern eine Frau dabei.« Bevor Vianello antworten konnte, setzte Brunetti hinzu: »Auch wenn sie Polizistin ist.«

Hob Vianello bei diesen Worten etwa die Augen zur Decke? Brunetti hatte den Eindruck, fragte aber nicht nach. »Noch etwas, Sergente?«

»Sie sollen um ein Uhr dort sein?«

»Ja.«

»So spät geht kein Zug mehr. Sie müssen also den Bus nehmen und vom Bahnhof aus durch die Unterführung gehen.«

»Und wie machen wir's mit der Rückfahrt nach Venedig?« wollte Brunetti wissen.

»Das hängt davon ab, was passiert, nehme ich an.«

»Ja, das nehme ich auch an.«

»Ich sehe mal, ob ich jemanden finde, der sich bereiterklärt, auf dem Rücksitz mitzufahren«, sagte Vianello.

»Wer hat diese Woche Nachtdienst?«

»Riverre und Alvise.«

»Oh«, sagte Brunetti nur, aber das sprach Bände.

»Sie stehen auf dem Dienstplan.«

»Ich denke, die beiden postieren Sie dann besser in den Häusern.« Keiner von ihnen wollte aussprechen, daß jeder dieser beiden auf dem Rücksitz eines Autos schlicht einschlafen würde. Natürlich konnte das auch passieren, wenn man sie in einem Haus postierte, aber da wären die Bewohner vielleicht neugierig genug, um sie wachzuhalten.

»Und die anderen? Meinen Sie, daß Sie Freiwillige bekommen?«

»Ohne weiteres«, versicherte Vianello. »Rallo will bestimmt mitkommen, und dann frage ich Maria Nardi. Ihr Mann ist für eine Woche zu irgendeiner Fortbildung in Mailand, da macht sie es vielleicht ganz gern. Außerdem sind es Überstunden, oder?«

Brunetti nickte und fügte dann hinzu: »Vianello, sagen Sie ihnen klipp und klar, daß dieser Einsatz unter Umständen gefährlich werden kann.«

»Gefährlich? In Mestre?« fragte Vianello und tat den Gedanken mit einem Lachen ab. Dann fragte er: »Wollen Sie ein Funkgerät?«

»Nein, ich glaube, das ist nicht nötig, nicht, wenn vier von euch in der Nähe sind.«

»Na ja, mindestens zwei«, verbesserte Vianello, womit er Brunetti der Peinlichkeit enthob, abfällig von den unteren Rängen sprechen zu müssen.

»Wenn wir uns schon die Nacht um die Ohren schlagen,

können wir ja wohl für ein paar Stunden nach Hause gehen«, meinte Brunetti mit einem Blick auf die Uhr.

»Dann sehen wir uns dort, Commissario«, sagte Vianello und stand auf.

Wie Vianello gesagt hatte, fuhr um die Zeit kein Zug mehr, der Brunetti zum Bahnhof in Mestre hätte bringen können, so daß er sich mit dem Einserbus zufriedengeben mußte, dem er als einziger Passagier gegenüber dem Bahnhof entstieg.

Er ging die Stufen zum Bahnhof hinauf, dann durch die Unterführung unter den Gleisen und kam auf der anderen Seite des Bahnhofs wieder heraus. Es war eine ruhige Straße mit Bäumen rechts und links; hinter ihm lag der gut beleuchtete Parkplatz, jetzt voller Autos, die über Nacht dort abgestellt waren. Auch vor ihm parkte zu beiden Seiten ein Wagen hinter dem anderen, schwach erhellt von den wenigen Straßenlaternen. Brunetti hielt sich rechts, wo weniger Bäume standen und es darum heller war. Er ging bis zur ersten Ecke, blieb stehen und sah sich um. Etwa vier Autos weiter sah er auf der anderen Straßenseite ein Pärchen in leidenschaftlicher Umarmung, aber der Kopf des Mannes wurde durch den der Frau verdeckt, so daß er nicht sagen konnte, ob es Vianello oder ein anderer verheirateter Mann bei einem Schäferstündchen war.

Er blickte nach links die Straße hinunter und betrachtete die Häuser zu beiden Seiten. In einem fiel das mattgraue Licht eines Fernsehers durch die Fenster im unteren Stock; die übrigen waren dunkel. Riverre und Alvise standen an den Fenstern zweier dieser Häuser, aber dorthin wollte er lieber nicht sehen, er befürchtete, sie könnten das als ein Zeichen verstehen und herausstürzen, um ihm zu Hilfe zu eilen.

Er bog um die Ecke und suchte auf der rechten Seite nach einem hellblauen Panda. Bis zum Ende der Straße sah er kein Auto, auf das die Beschreibung paßte, darum drehte er um und ging zurück. Eine große Mülltonne an der Ecke fiel ihm ins Auge, und er wechselte auf die gegenüberliegende Seite, im Kopf die Bilder von den traurigen Überresten des Autos von Richter Falcone. Ein Wagen bog vom Kreisverkehr kommend in die Straße ein und wurde im Näherkommen langsamer. Brunetti zog sich in den Schutz zweier geparkter Wagen zurück, doch das Auto fuhr vorbei und auf den Parkplatz. Der Fahrer stieg aus, schloß seinen Wagen ab und verschwand in der Bahnhofunterführung.

Nach zehn Minuten machte Brunetti denselben Weg noch einmal und schaute diesmal in jeden geparkten Wagen. In einem lag hinten auf dem Boden eine Decke, und wenn er überlegte, wie heiß es sogar hier draußen war, überkam ihn tiefes Mitgefühl für den, der darunter lag.

Eine halbe Stunde verging, an deren Ende Brunetti entschied, daß Crespo nicht aufkreuzen würde. Er ging zur Kreuzung zurück und dort nach links, bis zu dem Pärchen auf dem Vordersitz, das noch immer mit dem Austausch von Zärtlichkeiten beschäftigt war. Als er hinkam, trommelte er mit den Knöcheln auf die Kühlerhaube, worauf Vianello sich von einer erhitzten Maria Nardi losmachte und ausstieg.

»Nichts«, sagte Brunetti, während er auf seine Armbanduhr sah. »Es ist fast zwei.«

»Also gut«, meinte Vianello, dessen Stimme man die Enttäuschung anhörte. »Fahren wir zurück.« Er steckte den Kopf in den Wagen und sagte zu der Polizistin: »Ruf mal Riverre und Alvise an. Sie sollen hinter uns herfahren.«

»Und der Mann im Auto?« fragte Brunetti.

»Riverre und Alvise haben ihn mitgebracht. Sie kommen einfach heraus, treffen sich beim Wagen und fahren ihn weg.«

Im Auto sprach Maria Nardi ins Funkgerät und sagte den beiden anderen, daß niemand gekommen sei und sie nach Venedig zurückführen. Sie blickte zu Vianello auf: »Alles in Ordnung, Sergente. Sie kommen in ein paar Minuten.« Damit stieg sie aus und öffnete die Tür zum Fond.

»Nein, bleiben Sie ruhig sitzen«, sagte Brunetti. »Ich steige hinten ein.«

»Schon in Ordnung, Commissario«, meinte sie mit einem scheuen Lächeln, und dann: »Ein bißchen Abstand zwischen dem Sergente und mir finde ich ganz gut.« Sie stieg ein und zog die Tür zu.

Brunetti und Vianello wechselten übers Dach des Wagens hinweg einen Blick. Vianello lächelte etwas einfältig. Sie stiegen ins Auto, und Vianello drehte den Zündschlüssel. Der Motor sprang an, und gleichzeitig ertönte ein Summer.

»Was ist das?« wollte Brunetti wissen, denn Autos waren für ihn, wie für viele Venezianer, fremde Wesen.

»Das heißt Sicherheitsgurt anlegen«, sagte Vianello, zog

sich seinen über die Brust und ließ ihn neben der Schaltung einrasten.

Brunetti tat nichts. Das Summen hielt an.

»Können Sie das Ding nicht abstellen, Vianello?«

»Es hört von selber auf, wenn Sie Ihren Gurt anlegen.«

Brunetti brummte, er lasse sich nicht gern von einer Maschine vorschreiben, was er zu tun habe, aber er legte den Gurt an und knurrte dann noch so etwas, wie daß dies wohl wieder mit Vianellos Ökoquatsch zu tun habe. Vianello tat, als hörte er nichts, legte den Gang ein und lenkte den Wagen vom Bordstein weg. Am Ende der Straße warteten sie ein paar Minuten, bis der zweite Wagen hinter ihnen hielt. Am Steuer saß Riverre, neben ihm Alvise, und als Brunetti sich umdrehte, um ihnen ein Zeichen zu geben, sah er auf dem Rücksitz eine dritte Gestalt sitzen, den Kopf an die Lehne gelegt.

Die Straßen waren um diese Stunde praktisch leer, und sie hatten schnell die Straße zum Ponte della Libertà erreicht.

»Was glauben Sie, was passiert ist?« fragte Vianello.

»Ich dachte, das Ganze sei inszeniert, um mir irgendwie zu drohen, aber vielleicht habe ich mich geirrt, und Crespo wollte sich wirklich mit mir treffen.«

»Und was machen wir jetzt?«

»Ich gehe morgen zu ihm und sehe mal, was ihn davon abgehalten hat, heute nacht zu kommen.«

Sie fuhren auf die Brücke und sahen die Lichter Venedigs vor sich. Zu beiden Seiten lag eine flache, schwarze Wasserfläche, die zu ihrer Linken mit Lichtflecken von den entfernten Inseln Murano und Burano gesprenkelt war.

Vianello gab Gas, er wollte den Wagen möglichst schnell zurückbringen und dann nach Hause. Alle waren müde und enttäuscht. Der zweite Wagen, der dicht hinter ihnen fuhr, wechselte plötzlich auf die mittlere Spur, und Riverre überholte, wobei Alvise das Fenster herunterkurbelte und ihnen fröhlich zuwinkte.

Als Maria Nardi sie sah, beugte sie sich vor und legte Vianello die Hand auf die Schulter. »Sergente«, begann sie und brach abrupt ab, als ihr Blick von zwei blendenden Lichtkegeln angezogen wurde, die unvermittelt im Rückspiegel auftauchten. Sie krallte die Finger in seine Schulter und konnte nur noch rufen: »Paß auf«, bevor der Wagen hinter ihnen nach links ausscherte, ihnen beim Überholen den Weg abschnitt und mit voller Absicht ihren linken vorderen Kotflügel rammte. Die Wucht des Anpralls warf sie nach rechts, wo sie gegen die Leitplanke der Brücke krachten.

Vianello riß das Steuer nach links, aber seine Reaktion kam zu langsam, das Heck des Wagens brach nach links aus, und sie schleuderten zur Straßenmitte. Ein anderer Wagen, der mit irrwitziger Geschwindigkeit von hinten kam, schlüpfte gerade noch zwischen ihnen und der rechten Leitplanke durch, dann prallten sie mit dem Heck gegen die linke Leitplanke, schleuderten weiter und kamen schließlich mitten auf der Straße mit Blick nach Mestre zum Stehen.

Benommen und ohne recht zu wissen, ob ihm etwas weh tat oder nicht, starrte Brunetti durch die zersplitterte Windschutzscheibe und sah nur das grelle Licht der Scheinwerfer, die auf sie zukamen. Ein Paar zischte rechts an ihnen vorbei, dann ein zweites. Er schaute nach links und sah Vianello zusammengesunken in seinem Sicherheitsgurt hängen. Brunetti löste seinen eigenen, drehte sich zur Seite und faßte nach Vianellos Schulter. »Lorenzo, ist alles in Ordnung?«

Die Augen des Sergente öffneten sich, und er wandte den Kopf, um Brunetti anzusehen. »Ich glaube, ja.« Brunetti beugte sich hinüber und löste den zweiten Gurt; Vianello blieb aufrecht sitzen.

»Kommen Sie«, sagte Brunetti und suchte schon nach dem Türgriff auf seiner Seite. »Steigen wir aus, oder einer von diesen Irren rammt uns noch.« Er deutete durch die Reste der Windschutzscheibe auf die Lichter, die aus Richtung Mestre auf sie zukamen.

»Ich rufe nur schnell Riverre«, sagte Vianello mit einer Bewegung zum Funkgerät.

»Nein. Autos sind vorbeigefahren. Sie werden es bei den Carabinieri am Piazzale Roma melden.« In dem Moment hörte er, wie zur Bestätigung seiner Worte, vom anderen Ende der Brücke das erste Sirenengeheul und sah das blitzende Blaulicht der Carabinieri, die auf der falschen Fahrbahn auf sie zugerast kamen.

Brunetti stieg aus und bückte sich, um die hintere Wagentür zu öffnen. Die junge Kollegin lag auf dem Rücksitz, den Kopf in einem seltsam unnatürlichen Winkel zur Seite gebogen.

20

Was sich nach dem Unfall ergab, war ebenso vorhersehbar wie deprimierend. Keiner von ihnen hatte gesehen, was für ein Auto sie gerammt hatte, nicht einmal Farbe oder Größe, obwohl es ziemlich groß gewesen sein mußte, um sie mit solcher Wucht zur Seite zu schleudern. Und andere Verkehrsteilnehmer waren zu weit entfernt gewesen, um sehen zu können, was da passierte, oder zumindest hatten sie es der Polizei nicht gemeldet. Fest stand, daß der Wagen danach einfach bis zum Piazzale Roma weitergefahren war, dort gewendet hatte und zum Festland zurückgerast war, noch ehe die Carabinieri alarmiert waren.

Noch am Unfallort wurde Maria Nardis Tod festgestellt. Ihre Leiche wurde zur Autopsie ins *Ospedale Civile* gebracht, wo man nur bestätigt finden würde, was am Neigungswinkel ihres Kopfes eindeutig zu sehen gewesen war.

»Sie war erst dreiundzwanzig«, sagte Vianello und wich Brunettis Blick aus. »Seit sechs Monaten verheiratet. Ihr Mann ist bei irgendeinem Computer-Trainingskurs. Darüber hat sie im Auto die ganze Zeit geredet, daß sie es nicht erwarten kann, bis ihr Franco nach Hause kommt, und wie sie ihn vermißt. So haben wir eine Stunde gesessen, Wange an Wange, und sie hat nur über ihren Franco geredet. Sie war noch ein richtiges Kind.«

Brunetti wußte nichts zu sagen.

»Wenn ich darauf bestanden hätte, daß sie den Sicherheitsgurt anlegt, dann wäre sie noch am Leben.«

»Lorenzo, hör auf«, sagte Brunetti, und seine Stimme klang rauh, aber nicht vor Ärger. Sie saßen inzwischen in der Questura in Vianellos Büro und warteten, daß ihre Berichte über den Zwischenfall ins reine getippt wurden, damit sie unterschreiben und dann nach Hause gehen konnten. »Wir können die ganze Nacht so weitermachen. Ich hätte mich nicht auf dieses Treffen mit Crespo einlassen sollen. Ich hätte erkennen müssen, daß alles zu einfach war, hätte mißtrauisch werden müssen, als in Mestre nichts passiert ist. Als nächstes sagen wir dann, wir hätten in einem gepanzerten Wagen zurückfahren sollen.«

Vianello saß neben seinem Schreibtisch und blickte an Brunetti vorbei. Er hatte eine große Beule an der linken Stirnseite, und die Haut darumherum wurde allmählich blau. »Aber wir haben getan, was wir getan haben, oder wir haben unterlassen, was wir unterlassen haben, und sie ist nun tot«, sagte er mit tonloser Stimme.

Brunetti beugte sich vor und berührte den anderen am Arm. »Lorenzo, wir haben sie nicht umgebracht. Das waren die Männer, oder der Mann, in dem Auto. Wir können nichts tun, außer versuchen, diese Leute zu finden.«

»Das hilft Maria auch nicht, oder?« meinte Vianello bitter.

»Nichts auf Gottes weiter Erde kann Maria Nardi mehr helfen, Lorenzo. Das wissen wir beide. Aber ich will die Männer finden, die diesen Wagen gefahren haben, und ich will ihre Auftraggeber.«

Vianello nickte, hatte aber nichts hinzuzufügen. Kurz darauf fragte er: »Und was ist mit ihrem Mann?«

»Was soll mit ihm sein?«

»Rufen Sie ihn an?« bat Vianello. »Ich kann es nicht.«

»Wo ist er?« erkundigte sich Brunetti.

»Im Hotel Imperial in Mailand.«

Brunetti nickte. »Ich rufe ihn am Vormittag an. Es jetzt zu tun halte ich für unsinnig. Es verlängert nur sein Leiden.«

Ein Uniformierter kam herein und brachte ihnen die Originale ihrer Aussagen und je zwei Fotokopien. Beide Männer saßen geduldig da, lasen die Schreibmaschinenabschriften durch, unterzeichneten Originale und Kopien und gaben sie dem Mann zurück. Als er gegangen war, stand Brunetti auf und sagte: »Ich glaube, es ist Zeit, daß wir nach Hause gehen, Lorenzo. Es ist nach vier. Haben Sie Nadia angerufen?«

Vianello nickte. Er hatte vor einer Stunde von der Questura aus mit ihr telefoniert. »Es war die einzige Arbeit, die sie kriegen konnte, ihr Vater war Polizist, da hat jemand ein gutes Wort für sie eingelegt, und sie wurde genommen. Wissen Sie, was sie wirklich werden wollte, Commissario?«

»Ich will nicht darüber reden, Lorenzo.«

»Wissen Sie, was sie wirklich wollte?«

»Lorenzo«, sagte Brunetti leise und warnend.

»Sie wollte Grundschullehrerin werden, aber sie wußte, daß es keine Stellen gibt, deshalb ist sie zur Polizei gegangen.«

Währenddessen waren sie langsam die Treppen hinuntergestiegen und gingen jetzt durch die Halle auf die hohen Doppeltüren zu. Die uniformierte Wache salutierte, als Brunetti vorbeiging. Die beiden Männer traten ins Freie, und von der anderen Seite des Kanals, aus den Bäumen am Campo San Lorenzo, empfing sie das beinah ohrenbetäubende Gezwitscher der Vögel, die den Morgen begrüßten. Es herrschte kein nächtliches Dunkel mehr, aber noch war das Tageslicht nur ein Versprechen, daß die Welt der undurchdringlichen Finsternis in eine der unendlichen Möglichkeiten verwandelt würde.

Sie standen am Kanal und sahen zu den Bäumen hinüber, die Blicke von dem angezogen, was ihre Ohren hörten. Beide hatten die Hände in den Taschen, und beide spürten die plötzliche Kühle, die vor dem Sonnenaufgang in der Luft lag.

»So etwas dürfte nicht passieren«, sagte Vianello. Und während er sich schon nach rechts zum Heimgehen wandte, fügte er noch hinzu: *»Arrivederci, commissario«*, und ging davon.

Brunetti schlug die entgegengesetzte Richtung ein, zurück zum Rialto und den Gassen, die ihn nach Hause führen würden. Sie hatten sie umgebracht, als ob sie eine Fliege wäre, hatten die Hand ausgestreckt, um ihn zu zermalmen, und statt dessen ihr Leben ausgelöscht. Einfach so. Eben war sie noch eine junge Frau, die sich vorbeugte, um einem Freund etwas zu sagen, die Hand leicht, vertrauensvoll und freundschaftlich auf seinen Arm gelegt, den Mund zum Sprechen gespitzt. Was hatte sie sagen wollen? Etwas Scherzhaftes? Hatte sie Vianello sagen wollen, daß sie ihn nur auf den Arm nehmen wollte, als sie vorhin hinten einstieg? Oder hatte es mit Franco zu tun gehabt, ein letztes sehnsüchtiges Wort? Niemand würde es je erfahren. Der flüchtige Gedanke war mit ihr gestorben.

Er würde ihren Franco anrufen, aber nicht jetzt. Sollte der junge Mann schlafen, bevor der große Schmerz kam. Brunetti wußte, daß er ihm nichts von Marias letzter Stunde mit Vianello im Auto erzählen konnte, jetzt noch nicht; er konnte es nicht ertragen, darüber zu sprechen. Er würde es ihm später erzählen, später, wenn der junge Mann in der Lage war, es sich anzuhören, erst dann, nach dem großen Schmerz.

Als er zur Rialtobrücke kam, warf er einen Blick nach links und sah gerade das Vaporetto anlegen, und dieser Zufall gab den Ausschlag für seine Entscheidung. Er lief zum Anleger und bestieg das Boot, fuhr bis zum Bahnhof und mit dem ersten Morgenzug über die Brücke. Gallo war nicht in der Questura, wie er wußte, deshalb nahm er am Bahnhof von Mestre ein Taxi und gab dem Fahrer Crespos Adresse.

Der Tag war gekommen, als er gerade nicht darauf achtete, und mit ihm die Hitze, die hier in dieser Stadt aus Asphalt und Beton, Straßen und Hochhäusern vielleicht noch schlimmer war. Brunetti war fast dankbar dafür, daß aufkommendes Unbehagen über die Temperatur und die hohe Luftfeuchtigkeit ihn von dem ablenkte, was er in der Nacht gesehen hatte, und von dem, was er allmählich befürchtete, in Crespos Wohnung zu sehen.

Wie beim letzten Mal lief im Fahrstuhl die Klimaanlage, was selbst um diese Tageszeit schon nötig war. Er drückte auf den Knopf und wurde schnell und lautlos in den siebten Stock befördert. Er klingelte an Crespos Tür, aber diesmal war von drinnen kein Laut zu hören. Er klingelte wieder, und dann noch einmal, wobei er den Finger sekundenlang auf den Knopf gedrückt hielt. Keine Schritte, keine Stimmen, kein Lebenszeichen.

Er zog seine Brieftasche heraus und entnahm ihr ein kleines, dünnes Stück Blech. Vianello hatte einmal einen ganzen Nachmittag damit verbracht, es ihm beizubringen, und obwohl er sich nicht besonders gelehrig angestellt hatte, dauerte es jetzt keine zehn Sekunden, und er hatte Crespos Tür geöffnet. Er trat über die Schwelle und sagte: »Signor Crespo? Ihre Tür ist offen. Sind Sie da?« Vorsicht konnte nie schaden.

Im Wohnzimmer war niemand. Die Küche glänzte makellos sauber. Er fand Crespo im Schlafzimmer, auf dem Bett, in einem gelben Seidenpyjama. Ein Stück Telefonschnur war um seinen Hals geknotet, sein Gesicht war eine grauenvoll aufgeplusterte Parodie seiner einstigen Schönheit.

Brunetti machte sich nicht erst die Mühe, sich weiter umzusehen oder das Zimmer zu durchsuchen; er ging zur Wohnung nebenan und klopfte an die Tür, bis ein verschlafener Mann öffnete und seinem Ärger Luft machte. Während er auf die Spurensicherung von der Questura in Mestre wartete, hatte Brunetti genug Zeit, Franco Nardi in Mailand anzurufen und ihm mitzuteilen, was geschehen war. Im Gegensatz zu dem Mann an der Tür sagte Franco Nardi keinen Ton; Brunetti hatte keine Ahnung, ob das ein gutes oder ein schlechtes Zeichen war.

Später, in der Questura in Mestre, informierte Brunetti Sergente Gallo, der gerade eingetroffen war, übergab ihm die weitere Untersuchung von Crespos Wohnung und Leiche und erklärte, gleich wieder nach Venedig zurückfahren zu müssen. Er sagte Gallo nicht, daß er zurückmußte, um an Mascaris Beerdigung teilzunehmen; die Luft war schon zu sehr erfüllt von Tod und Sterben.

Obwohl er vom Ort eines gewaltsamen Todes zurückkehrte, und das auch nur, um der Folge eines anderen gewaltsamen Todes beizuwohnen, konnte er nicht verhindern, daß sein Herz höher schlug beim Anblick der Glockentürme und pastellfarbenen Fassaden, die vor ihm auftauchten, als das Polizeiauto über die Brücke fuhr. Schönheit änderte nichts, das wußte er, und vielleicht war der Trost, den sie spendete, nur eine Illusion, aber dennoch begrüßte er diese Illusion.

Die Beerdigung war eine jämmerliche Angelegenheit; leere Worte wurden von Menschen gesprochen, die offensichtlich zu schockiert waren über die Umstände von Mascaris Tod, um auch nur vorzugeben, daß sie meinten, was sie sagten. Die Witwe ließ hoch aufgerichtet und trockenen Auges alles über sich ergehen und verließ die Kirche unmittelbar hinter dem Sarg, still und allein.

Die Zeitungen verfolgten, wie nicht anders zu erwarten, kläffend die Fährte von Crespos Tod. Der erste Beitrag erschien in der Abendausgabe von *La Notte*, einem Blatt, das sich roten Schlagzeilen und dem Gebrauch des Präsens verschrieben hatte. Francesco Crespo wurde als »*una cortigiana travestita*« beschrieben. Sein Lebenslauf wurde geschildert, wobei man besondere Aufmerksamkeit dem Umstand widmete, daß er als Tänzer in einer Schwulendisco in Vicenza gearbeitet hatte, auch wenn dieses Arbeitsverhältnis keine Woche gedauert hatte. Der Autor des

Artikels stellte den unvermeidbaren Zusammenhang mit dem Mord an Leonardo Mascari eine Woche davor her und meinte, die Ähnlichkeit der Opfer deute auf einen Täter hin, der tödliche Rachegelüste gegen Transvestiten hege. Der Verfasser hielt es offenbar nicht für nötig zu erklären, warum.

Die Morgenzeitungen griffen den Gedanken auf. *Il Gazzettino* verwies auf mehr als zehn Prostituierte, die in den vergangenen Jahren allein in der Provinz Pordenone umgebracht worden waren, und versuchte, zwischen diesen Verbrechen und den Morden an den beiden Transvestiten eine Verbindung herzustellen. *Il Manifesto* widmete dem Verbrechen zwei ganze Spalten auf Seite vier, wobei der Autor die Gelegenheit benutzte, Crespo als »wieder einen von diesen Parasiten am faulenden Körper der bourgeoisen italienischen Gesellschaft« zu bezeichnen.

In seiner oberlehrerhaften Abhandlung des Verbrechens kam *Il Corriere della Sera* von dem Mord an einem relativ unbedeutenden *prostituto travestito* schnell auf den an einem bekannten venezianischen Banker. In dem Artikel war von »örtlichen Quellen« die Rede, aus denen verlaute, Mascaris »Doppelleben« sei in bestimmten Kreisen allgemein bekannt gewesen. Sein Tod sei darum schlicht das unausweichliche Resultat der »Spirale des Lasters«, in die seine Schwäche sein Leben verwandelt habe.

Diese »Quellen« interessierten Brunetti. Er ließ sich mit dem römischen Büro der Zeitung verbinden und verlangte den Verfasser des Artikels. Nachdem dieser am Apparat war und erfahren hatte, daß Brunetti ein Commissario der Polizei war und wissen wollte, von wem er die Informationen für seinen Artikel hatte, erklärte er, daß er die Quelle nicht preisgeben könne, daß zwischen einem Journalisten und jenen, die mit ihm sprachen und ihn lasen, ein ebenso selbstverständliches wie absolutes Vertrauen herrschen müsse, und daß es außerdem gegen die höchsten Prinzipien seines Berufsstandes verstoße, seine Quellen preiszugeben. Es dauerte mindestens drei Minuten, bis Brunetti merkte, daß der Mann es ernst meinte und tatsächlich glaubte, was er sagte.

»Wie lange arbeiten Sie schon bei der Zeitung?« unterbrach ihn Brunetti.

Überrascht, daß er mitten in der weitschweifigen Erläuterung seiner Prinzipien, Ziele und Ideale unterbrochen wurde, hielt der Reporter kurz inne und antwortete dann: »Vier Monate. Wieso?«

»Können Sie das Gespräch zum Empfang zurückstellen, oder muß ich neu wählen?« fragte Brunetti.

»Ich kann Sie zurückstellen. Aber warum?«

»Ich möchte mit Ihrem Chefredakteur sprechen.«

Darauf wurde die Stimme des Mannes unsicher, dann mißtrauisch; er witterte Doppelzüngigkeit und Mauschelei seitens der Staatsgewalt. »Commissario, ich möchte Sie warnen, daß meine Leser unverzüglich von jedem Versuch in Kenntnis gesetzt werden, die Tatsachen, die ich in meinem Artikel enthüllt habe, zu beschönigen oder fragwürdig erscheinen zu lassen. Ich weiß nicht, ob Sie schon gemerkt haben, daß in diesem Lande ein neues Zeitalter angebrochen ist, daß die Bedürfnisse der Menschen nicht länger…« Brunetti drückte auf den Knopf an seinem Hörer, und wählte, als das Freizeichen kam, erneut die Sammelnummer der Zeitung. Nicht einmal die Questura sollte dafür bezahlen müssen, daß er sich solchen Unsinn anhörte, und schon gar nicht zum Ferntarif.

Als er schließlich mit dem Chefredakteur der Nachrichtenredaktion verbunden war, entpuppte der sich als Giulio Testa, ein Mann, mit dem Brunetti in der Vergangenheit schon zu tun gehabt hatte, als beide in Neapel unter ihrem Exil litten.

»Giulio, hier spricht Guido Brunetti.«

»*Ciao*, Guido, wie ich gehört habe, bist du wieder in Venedig.«

»Ja. Deshalb rufe ich auch an. Einer von euren Reportern«, Brunetti sah nach und las den Namen vor, »Lino Cavaliere, hat heute einen Artikel über den Transvestiten veröffentlicht, der in Mestre ermordet wurde.«

»Ja. Ich habe ihn heute nacht gelesen. Was ist damit?«

»Er spricht da von ›örtlichen Quellen‹, aus denen er erfahren haben will, Mascari – das ist der andere, der vergangene Woche umgebracht wurde – habe ein ›Doppelleben‹ geführt, und das sei hier in Venedig bekannt. Nette Formulierung, Giulio, ›Doppelleben‹.«

»Lieber Himmel, hat er das doch reingenommen?«

»Es steht alles hier, Giulio – ›örtliche Quellen‹, ›Doppelleben‹.«

»Ich röste ihn bei lebendigem Leib«, schrie Testa in den Hörer, dann wiederholte er es noch einmal für sich.

»Heißt das, es gibt keine ›örtlichen Quellen‹?«

»Nein. Er hat so etwas wie einen anonymen Anruf von einem Mann bekommen, der behauptete, zum Kundenkreis von Mascari gehört zu haben. Ein Freier, oder wie immer man sie nennt.«

»Was hat er gesagt?«

»Daß er Mascari seit Jahren gekannt, daß er ihn gewarnt habe vor einigen Dingen, die er tat, vor einigen Kunden, die er hatte. Er sagte, es sei ein offenes Geheimnis bei euch oben.«

»Giulio, der Mann war fast fünfzig.«

»Ich bringe ihn um. Glaub mir, Guido, ich wußte nichts davon. Ich habe ihm gesagt, er soll das nicht reinbringen. Ich bringe den kleinen Scheißer um.«

»Wie konnte er nur so dämlich sein?« fragte Brunetti, obwohl er wußte, daß der Gründe für menschliche Dummheit Legion waren.

»Er ist ein Kretin, hoffnungslos«, sagte Testa resigniert, als würde ihm das täglich vor Augen geführt.

»Was macht er dann bei euch? Ihr habt immer noch den Ruf, die beste Zeitung im Lande zu sein.« Brunettis Wortwahl war meisterlich, seine persönliche Skepsis eindeutig, wenn auch nicht offen erkennbar.

»Er ist mit der Tochter dieses Möbelhändlers verheiratet, der jede Woche eine doppelseitige Anzeige bei uns schaltet. Wir hatten keine Wahl. Zuerst war er in der Sportredaktion, aber eines Tages erwähnte er, wie erstaunt er gewesen sei zu hören, daß amerikanischer Football etwas ganz anderes sei als unser Fußball. Daraufhin habe ich ihn bekommen.« Testa hielt inne, und beide Männer hingen ihren Gedanken nach. Brunetti fand es seltsam beruhigend, daß er nicht der einzige war, der sich mit Leuten wie Riverre und Alvise herumzuschlagen hatte. Testa fand offenbar keinen solchen Trost und sagte nur: »Ich werde versuchen, ihn der politischen Redaktion aufs Auge zu drücken.«

»Genau das Richtige, Giulio. Viel Glück«, sagte Brunetti, bedankte sich für die Information und legte auf.

Obwohl er so etwas vermutet hatte, überraschte ihn die offensichtliche Plumpheit des Ganzen. Denn nur durch einen außergewöhnlichen Glücksfall konnte die »örtliche Quelle« an einen Reporter geraten sein, der so leichtgläubig war, das Gerücht über Mascari zu übernehmen, ohne sich die Mühe zu machen und nachzurecherchieren, ob etwas Wahres dahintersteckte. Und nur jemand, der sehr vorschnell handelte – oder große Angst hatte –, würde versuchen, diese Geschichte zu verbreiten, als ließe sich dadurch verhindern, daß die geschickt konstruierte Legende von Mascaris Prostitution aufflog.

Die polizeiliche Untersuchung des Mordes an Crespo war bisher ebenso unergiebig wie die Presseberichterstattung. Im Hause hatte niemand gewußt, womit Crespo seinen Lebensunterhalt verdiente; manche dachten, er sei Ober in einer Bar, während andere vermuteten, daß er als Nachtportier in einem Hotel in Venedig arbeitete. Niemand hatte an den Tagen vor dem Mord etwas Ungewöhnliches gesehen, und keiner konnte sich erinnern, daß überhaupt je etwas Ungewöhnliches in dem Haus passiert war. Ja, Signor Crespo habe viel Besuch gehabt, aber er sei aufgeschlossen und freundlich gewesen, und da sei es doch ganz einleuchtend, daß ihn Leute besuchen kamen, oder?

Die medizinische Untersuchung war eindeutiger gewesen: Der Tod war durch Strangulation verursacht worden, wobei der Mörder von hinten gekommen war und ihn wahrscheinlich überrascht hatte. Kein Hinweis auf vorhergehenden Sexualverkehr, keine Spuren unter den Fingernägeln, dafür genügend Fingerabdrücke in der Wohnung, um die Experten tagelang zu beschäftigen.

Brunetti hatte zweimal in Bozen angerufen, aber beim ersten Mal war der Anschluß des Hotels besetzt, und beim zweiten war Paola nicht in ihrem Zimmer gewesen. Er wollte es gerade noch einmal versuchen, als er durch ein Klopfen an der Tür unterbrochen wurde. Er rief »*avanti*«, und Signorina Elettra kam herein und legte ihm eine Mappe auf den Schreibtisch.

»Dottore, ich glaube, unten ist jemand, der Sie sprechen möchte.« Sie sah sein Erstaunen darüber, daß sie ihm diese Mitteilung machte, ja es überhaupt wußte, und erklärte eilig: »Ich war gerade bei Anita, um ihr Unterlagen zu bringen, und hörte ihn mit der Wache sprechen.«

»Wie sieht er aus?«

Sie lächelte. »Ein junger Mann. Sehr gut angezogen.« Aus dem Munde von Signorina Elettra, heute in einem Kostüm aus malvenfarbener Seide, die offensichtlich von ganz besonders talentierten Raupen stammte, war das in der Tat ein hohes Lob. »Und sehr attraktiv«, fügte sie mit einem Lächeln hinzu, in dem leises Bedauern darüber lag, daß der junge Mann Brunetti sprechen wollte und nicht sie.

»Vielleicht könnten Sie nach unten gehen und ihn heraufholen«, schlug Brunetti vor, der damit ebenso die Begegnung mit diesem Wundertier beschleunigen wie Signorina Elettra Gelegenheit geben wollte, mit ihm zu reden.

Sie ging, jetzt wieder mit dem normalen Lächeln für gewöhnliche Sterbliche. Nach wenigen Minuten war sie zurück, klopfte und trat mit den Worten: »Commissario, der Herr möchte gern mit Ihnen sprechen«, ins Zimmer.

Ein junger Mann kam hinter ihr herein, und Signorina Elettra trat zur Seite, damit er zu Brunettis Scheibtisch vorgehen konnte. Brunetti stand auf und reichte seinem Besucher über den Schreibtisch hinweg die Hand. Der junge Mann drückte sie, sein Händedruck war fest, seine Hand kräftig und muskulös.

»Bitte, nehmen Sie Platz, Signore«, sagte Brunetti, und zu Signorina Elettra: »Vielen Dank, Signorina.«

Sie sah Brunetti an und lächelte abwesend, dann blickte sie den jungen Mann an, wie Parsival den Gral, als dieser seinem Auge entschwand. »Ja, ja«, sagte sie. »Wenn Sie irgend etwas brauchen, Commissario, lassen Sie es mich bitte wissen.« Sie warf einen letzten Blick auf den Besucher, verließ das Büro und zog die Tür leise hinter sich zu.

Brunetti setzte sich wieder und richtete seine Aufmerksamkeit auf sein Gegenüber. Der junge Mann hatte kurzes, dunkles Haar, das sich über der Stirn lockte und die Ohren knapp bedeckte. Seine Nase war schmal und feingeschnitten, die braunen Augen standen weit auseinander und wirkten durch die Blässe seiner Haut noch dunkler. Er trug einen dunkelgrauen Anzug, dazu eine sorgsam gebundene blaue Krawatte. Er erwiderte Brunettis Blick und lächelte dann, wobei er vollkommene weiße Zähne entblößte. »Sie erkennen mich nicht, Dottore?«

»Nein, leider nicht«, antwortete Brunetti.

»Wir haben uns vergangene Woche kennengelernt, Commissario. Nur unter ganz anderen Umständen.«

Plötzlich erinnerte sich Brunetti an die leuchtend rote

Perücke, die hochhackigen Schuhe. »Signor Canale. Nein, ich habe Sie nicht erkannt. Entschuldigen Sie bitte.«

Canale lächelte wieder. »Eigentlich bin ich ganz froh, daß Sie mich nicht erkannt haben. Das heißt ja, daß ich bei der Arbeit wirklich eine andere Person bin.«

Brunetti war sich nicht sicher, was das genau heißen sollte, und ging lieber nicht weiter darauf ein. Statt dessen fragte er: »Was kann ich für Sie tun, Signor Canale?«

»Wissen Sie noch, wie Sie mir dieses Bild gezeigt haben und ich gesagt habe, daß der Mann mir bekannt vorkommt?«

Brunetti nickte. Las dieser junge Mann keine Zeitung? Mascari war doch schon vor Tagen identifiziert worden.

»Als ich die Geschichte in den Zeitungen gelesen und auf dem Foto gesehen habe, wie er wirklich aussah, ist mir wieder eingefallen, woher ich ihn kannte. Die Zeichnung, die Sie mir gezeigt haben, war nicht sehr gut.«

»Nein, das war sie nicht«, gab Brunetti zu, ohne näher darauf eingehen zu wollen, inwieweit die Zerstörung von Mascaris Gesicht zu dem unvollkommenen Bild beigetragen hatte. »Und woher kannten Sie ihn?«

»Er kam vor etwa zwei Wochen zu mir.« Als er Brunettis Überraschung sah, erklärte Canale: »Nein, nicht was Sie denken, Commissario. Er war nicht an meiner Arbeit interessiert, nicht an meinem Gewerbe. Aber an mir.«

»Wie meinen Sie das?«

»Also, ich war auf der Straße. Ich stieg gerade aus einem Auto – dem Auto eines Kunden – und war noch nicht zu den Mädchen zurückgegangen, den Jungen, meine ich, da kam er auf mich zu und fragte, ob ich Roberto Canale sei und Viale Canova fünfunddreißig wohne.

Erst dachte ich, er wäre von der Polizei. Er sah irgendwie so aus.« Brunetti fand es besser, sich das nicht genauer erklären zu lassen, aber Canale tat es trotzdem. »Krawatte und Anzug, wissen Sie, und sehr darauf bedacht, nur ja keinen falschen Eindruck zu erwecken. Also, er fragte mich, und ich sagte, ja, das sei richtig. Ich dachte immer noch an Polizei. Genaugenommen hat er nie gesagt, daß er kein Polizist sei, sondern ließ mich in dem Glauben.«

»Was wollte er noch von Ihnen wissen, Signor Canale?«

»Er fragte nach meiner Wohnung.«

»Ihrer Wohnung?«

»Ja. Er wollte wissen, wer die Miete bezahlt. Ich sagte ihm, daß ich das tue, und dann wollte er wissen, wie. Ich erklärte ihm, daß ich sie auf ein Konto des Wohnungseigentümers bei der Bank einzahle, aber da sagte er, ich solle nicht lügen, er wisse genau, was da vorgehe, daraufhin mußte ich es ihm sagen.«

»Wie meinen Sie das, ›er wisse, was da vorgehe‹?«

»Na, wie ich die Miete bezahle.«

»Und wie geht das vor sich?«

»Ich treffe mich mit einem Mann in einer Bar und übergebe ihm das Geld.«

»Wieviel?«

»Anderthalb Millionen. In bar.«

»Wer ist der Mann?«

»Genau das hat er mich auch gefragt. Ich habe gesagt, es ist einfach ein Mann, den ich jeden Monat einmal treffe, in einer Bar. Er ruft in der letzten Woche des Monats bei mir an und sagt mir, wo ich ihn treffen soll, und ich gehe dann hin und gebe ihm das Geld, fertig.«

»Keine Quittung?« fragte Brunetti.

Canale lachte laut heraus. »Natürlich nicht, alles in bar.«

Und darum mußte es, wie sie beide wußten, nicht als Einnahme gebucht und folglich nicht versteuert werden. Es war eine verbreitete Methode der Steuerhinterziehung und wurde vermutlich bei zahlreichen Mietverhältnissen so gehandhabt.

»Aber ich zahle noch eine andere Miete«, fügte Canale hinzu.

»Ach ja?« fragte Brunetti.

»Einhundertzehntausend Lire.«

»Und an wen gehen die?«

»Ich zahle sie auf ein Bankkonto ein, aber auf der Quittung, die ich dafür bekomme, steht kein Name, so daß ich nicht weiß, wem das Konto gehört.«

»Bei welcher Bank?« wollte Brunetti wissen, obwohl er es bereits zu wissen glaubte.

»Bei der Banca di Verona. Sie ist in…«

Brunetti schnitt ihm das Wort ab. »Ich weiß, wo sie ist.« Dann fragte er: »Wie groß ist Ihre Wohnung?«

»Vier Zimmer.«

»Anderthalb Millionen scheint mir dafür sehr viel.«

»Ja, stimmt, aber es sind noch andere Dinge mit eingeschlossen«, sagte Canale und rutschte auf seinem Stuhl herum.

»Was zum Beispiel?«

»Nun, ich werde nicht belästigt.«

»Bei der Arbeit?« fragte Brunetti.

»Genau. Es ist nicht leicht für uns, eine Wohnung zu finden. Wenn die Leute erst einmal wissen, wer wir sind und was wir tun, wollen sie uns aus dem Haus haben. Mir wurde gesagt, das würde hier nicht passieren. Und es ist auch nicht passiert. Alle im Haus scheinen zu glauben, daß ich bei der Eisenbahn bin; sie denken, darum arbeite ich nachts.«

»Warum glauben sie das?«

»Keine Ahnung. Sie schienen es jedenfalls alle zu wissen, als ich dort einzog.«

»Wie lange wohnen Sie schon da?«

»Seit zwei Jahren.«

»Und die Miete haben Sie immer auf diese Weise bezahlt?«

»Ja, von Anfang an.«

»Wie sind Sie zu der Wohnung gekommen?«

»Eins von den Mädchen auf der Straße hat mir davon erzählt.«

Brunetti erlaubte sich ein angedeutetes Lächeln. »Jemand, den Sie Mädchen nennen, oder jemand, den ich Mädchen nennen würde, Signor Canale?«

»Jemand, den ich Mädchen nennen würde.«

»Wie heißt er?« fragte Brunetti.

»Der Name nützt Ihnen nichts mehr. Er ist vor einem Jahr gestorben. Überdosis.«

»Haben Ihre anderen Freunde – Kollegen – auch solche Wohnungen?«

»Einige von uns, aber wir hatten Glück.«

Brunetti dachte kurz darüber und über die möglichen Konsequenzen nach. »Wo findet denn die Verwandlung statt, Signor Canale?«

»Verwandlung?«

»Ich meine, wo…« fing Brunetti an und brach ab, weil er nicht wußte, wie er es ausdrücken sollte, »wo ziehen Sie Ihre Arbeitskleidung an? Die Leute denken doch, Sie arbeiten bei der Bahn.«

»Ach so. In einem Auto oder hinter den Büschen. Das geht nach einem Weilchen sehr schnell, dauert keine Minute.«

»Haben Sie das alles Signor Mascari erzählt?« erkundigte sich Brunetti.

»Einiges davon. Er wollte das mit der Miete wissen. Und er hat nach den Adressen von ein paar anderen gefragt.«

»Haben Sie ihm die gegeben?«

»Ja, das habe ich. Wie gesagt, ich dachte, ich wäre von der Polizei, darum habe ich sie ihm gegeben.«

»Wollte er sonst noch etwas wissen?«

»Nein, nur die Adressen.« Canale hielt inne und fügte dann hinzu: »Doch, eines wollte er noch wissen, aber ich glaube, das war gewissermaßen nur als Zeichen menschlicher Anteilnahme.«

»Und was war das?«

»Er fragte, ob meine Eltern noch leben.«

»Und was haben Sie ihm geantwortet?«

»Ich habe ihm die Wahrheit gesagt, daß sie beide gestorben sind. Vor Jahren schon.«

»Wo?«

»In Sardinien. Da stamme ich her.«

»Und sonst wollte er nichts wissen?«

»Nein, nichts.«

»Wie hat er auf das reagiert, was Sie ihm gesagt haben?«

»Ich verstehe nicht ganz, wie Sie das meinen«, sagte Canale.

»Schien er überrascht? Oder erregt? Merkte man, daß er die Antworten so erwartet hatte?«

Canale überlegte einen Augenblick, dann meinte er: »Zuerst schien er etwas überrascht, aber dann kamen seine Fragen, als ob er gar nicht mehr darüber nachdenken müßte. Als hätte er die ganze Liste schon fertig im Kopf.«

»Hat er noch irgend etwas gesagt?«

»Nein, er hat sich für die Informationen bei mir bedankt. Das war eigenartig, wissen Sie, denn ich dachte ja, er wäre Polizist, und normalerweise sind die nicht sonderlich…« Er brach ab, offensichtlich auf der Suche nach der richtigen Formulierung. »Sie behandeln uns nicht besonders freundlich.«

»Wann ist Ihnen eingefallen, wer er war?«

»Wie ich schon sagte, als ich sein Foto in der Zeitung sah. Ein Banker. Er war ein Banker. Glauben Sie, daß er darum so interessiert an den Mietzahlungen war?«

»Ich nehme an, das könnte der Grund gewesen sein, Signor Canale. Es ist auf jeden Fall eine Möglichkeit, der wir nachgehen werden.«

»Gut. Ich hoffe, Sie finden den Mann, der es getan hat. Er hatte es nicht verdient zu sterben. Er war sehr nett. Er hat mich anständig behandelt. So wie Sie.«

»Danke, Signor Canale. Ich wünschte nur, meine Kollegen würden das auch tun.«

»Das wäre schön, nicht?« sagte Canale mit einem gewinnenden Lächeln.

»Signor Canale, würden Sie mir eine Liste der Namen

und Adressen geben, die Sie ihm auch gegeben haben? Und wann Ihre Freunde in ihre Wohnungen einzogen sind, falls Sie das wissen?«

»Aber sicher«, sagte der junge Mann, und Brunetti schob ihm ein Blatt Papier und einen Stift über den Schreibtisch. Während der andere sich über das Papier beugte und zu schreiben begann, beobachtete Brunetti seine große Hand, die den Stift wie etwas Fremdes hielt. Die Liste war kurz, und er hatte sie schnell geschrieben. Als er fertig war, legte Canale den Stift hin und stand auf.

Brunetti erhob sich ebenfalls und kam um seinen Schreibtisch herum. Er ging mit Canale bis zur Tür, wo er fragte: »Was ist mit Crespo? Wissen Sie etwas über ihn?«

»Nein, er gehörte nicht zu denen, mit denen ich arbeite.«

»Haben Sie eine Ahnung, was ihm passiert sein könnte?«

»Na, ich müßte ja wohl ein Trottel sein, wenn ich nicht annehmen würde, daß es etwas mit dem anderen Mord zu tun hat, oder?«

Das lag so auf der Hand, daß Brunetti nicht einmal nickte.

»Wenn ich raten sollte, würde ich sogar sagen, er wurde umgebracht, weil er mit Ihnen geredet hat.« Als er Brunettis Blick sah, erklärte er: »Nein, nicht mit Ihnen persönlich, Commissario, aber mit der Polizei. Ich würde sagen, er wußte etwas über den anderen Mord und mußte aus dem Weg geräumt werden.«

»Und trotzdem sind Sie zu mir gekommen?«

»Er hat sich doch mit mir unterhalten wie mit einem

ganz normalen Menschen. Und Sie auch, nicht wahr, Commissario? Einfach so mit mir geredet, als wäre ich ein Mann wie jeder andere.« Als Brunetti nickte, sagte Canale: »Also, da mußte ich es Ihnen doch sagen, oder?«

Die beiden Männer gaben sich die Hand, und Canale ging den Korridor entlang. Brunetti sah zu, wie sein dunkler Kopf die Treppe hinunter verschwand. Signorina Elettra hatte recht, ein sehr attraktiver Mann.

21

Brunetti ging in sein Büro und wählte Signorina Elettras Nummer. »Würden Sie zu mir heraufkommen, Signorina?« sagte er. »Und bringen Sie bitte alle Unterlagen über die Männer mit, über die Sie für mich etwas herausfinden sollten.«

Sie komme sehr gern, sagte sie, und Brunetti war überzeugt, daß sie es aufrichtig meinte. Allerdings war er auch auf ihre Enttäuschung vorbereitet, nachdem sie angeklopft hatte, eintrat, sich umsah und feststellen mußte, daß der junge Mann fort war.

»Mein Besucher mußte gehen«, beantwortete Brunetti ihre unausgesprochene Frage.

Signorina Elettra faßte sich sofort wieder. »Ach ja?« fragte sie betont desinteressiert und reichte ihm zwei Mappen. »Die obere ist Avvocato Santomauro.« Brunetti nahm sie ihr ab, aber noch bevor er sie aufschlagen konnte, sagte sie: »Absolut nichts Bemerkenswertes. Juraexamen in Padua; geboren und aufgewachsen in Venedig. Er hat sein ganzes Leben hier gearbeitet, ist Mitglied aller Berufsorganisationen, hat in der Kirche von San Zaccaria geheiratet. Sie werden seine Steuererklärungen und Paßanträge finden, sogar die Genehmigung für ein neues Dach auf seinem Haus.«

Brunetti sah sich die Unterlagen an und fand genau das, was sie aufgezählt hatte, nicht mehr. Er wandte sich der zweiten Mappe zu, die erheblich dicker war.

»Das ist die *Lega della Moralità*«, sagte sie, und Brunetti fragte sich, ob wohl jeder, der diese Worte aussprach, es mit solch triefendem Sarkasmus tat oder ob das vielleicht nur kennzeichnend für den Menschenschlag war, mit dem er Umgang pflegte. »Diese Unterlagen sind interessanter, aber ich lasse Ihnen erst einmal Zeit, sie durchzusehen, damit Sie verstehen, was ich meine«, sagte sie. »Haben Sie sonst noch einen Wunsch?«

»Nein, vielen Dank, Signorina«, sagte er und schlug die Mappe auf.

Sie ging, und er breitete die Unterlagen auf seinem Tisch aus und begann zu lesen. Die *Lega della Moralità* war vor neun Jahren als gemeinnützige Organisation gegründet worden. In ihrer Satzung stellte sie sich als Organisation dar, die es sich zur Aufgabe gemacht hatte, »die materielle Situation von Benachteiligten zu verbessern, damit sie sich nach Minderung ihrer weltlichen Sorgen in Gedanken und Wünschen dem Spirituellen zuwenden können«. Dieser Minderung weltlicher Sorgen dienten subventionierte Häuser und Wohnungen, die verschiedenen Kirchen in Mestre, Marghera und Venedig gehörten und der *Lega* zur Verwaltung überlassen worden waren. Im Gegenzug verpflichtete sich die *Lega*, diese Wohnungen zu Minimalmieten solchen Mitgliedern derjenigen Kirchen zu geben, die den gemeinsam von den Kirchen und der *Lega* formulierten Anforderungen entsprachen. Zu diesen Anforderungen gehörte, daß sie regelmäßig die Messe besuchten, alle Kinder hatten taufen lassen, einen Brief ihres Gemeindepfarrers vorweisen konnten, der ihnen bescheinigte, daß sie »höchsten moralischen Ansprüchen« genügten – sowie der Nachweis ihrer Bedürftigkeit.

Laut Satzung der *Lega* oblag die Auswahl der Bewerber dem Vorstand, der samt und sonders aus Laien zu bestehen hatte, um jede Möglichkeit der Günstlingswirtschaft seitens der Kirchenbehörden auszuschließen. Auch die Vorstandsmitglieder hatten höchsten moralischen Ansprüchen zu genügen und mußten einen gewissen Bekanntheitsgrad in der Gemeinde haben. Von den sechs derzeitigen Vorstandsmitgliedern wurden zwei als »Ehrenmitglieder« geführt. Von den übrigen vier lebte einer in Rom, ein anderer in Paris, der dritte auf der Klosterinsel San Francesco del Deserto. Demnach war das einzige aktive Vorstandsmitglied, das in Venedig lebte, Avvocato Giancarlo Santomauro.

Die ursprüngliche Satzung regelte die Übernahme von zweiundfünfzig Wohnungen in die Verwaltung der *Lega*. Nach drei Jahren wurde das System als so erfolgreich beurteilt, dies anhand von Briefen und Aussagen von Mietern – sowie der Gemeindevertreter und Priester, die mit ihnen gesprochen hatten –, daß weitere sechs Gemeinden sich zur Teilnahme entschlossen und der *Lega* weitere dreiundvierzig Wohnungen zur Verwaltung übergaben. Das gleiche geschah drei Jahre später, als der *Lega* noch einmal siebenundsechzig Wohnungen zufielen, die meisten in Venedigs historischem Stadtkern und Mestres Geschäftszentrum.

Die für die *Lega* gültige Satzung, die ihr das Verfügungsrecht über die von ihr verwalteten Wohnungen gab, mußte alle drei Jahre bestätigt werden, und diese Prozedur war nach Brunettis Rechnung in diesem Jahr wieder fällig.

Er blätterte zurück und las die ersten beiden Berichte des Bewilligungsausschusses. Er sah sich die Unterschriften an: Giancarlo Santomauro hatte beide Male dem Gremium angehört und beide Berichte unterschrieben, den zweiten als Vorsitzender. Und kurz danach war Avvocato Santomauro zum Präsidenten der *Lega* ernannt worden – ein unbezahlter und rein ehrenamtlicher Posten.

Dem Bericht angeheftet fand sich eine Adressenliste der einhundertzweiundsechzig Wohnungen, die zur Zeit von der *Lega* verwaltet wurden, mitsamt jeweiliger Wohnfläche und Zimmerzahl. Brunetti zog den Zettel, den Canale ihm gegeben hatte, näher heran und sah sich die Adressen an. Alle vier tauchten auch in der anderen Liste auf. Brunetti betrachtete sich gern als aufgeschlossen und ziemlich vorurteilslos, aber er wußte nicht recht, ob er fünf Transvestitenstrichern attestieren konnte, daß sie »höchsten moralischen Ansprüchen« genügten, auch wenn sie in Wohnungen lebten, die zu dem besonderen Zweck vermietet wurden, dazu beizutragen, daß ihre Mieter »sich in Gedanken und Wünschen dem Spirituellen zuwenden können«.

Er wandte sich von der Adressenliste wieder dem Bericht zu und las weiter. Wie er erwartet hatte, sollten alle Mieter der *Lega*-Wohnungen ihre Mieten, die nur symbolisch waren, auf ein Konto bei der venezianischen Niederlassung der Banca di Verona einzahlen, über die auch die Zuwendungen der *Lega* an die »Hilfe für Witwen und Waisen« liefen, Spenden aus dem Fonds, der sich aus den Minimalmieten für die Wohnungen zusammensetzte. Selbst Brunetti war überrascht, daß sie eine so blumige Formulierung wie »Hilfe für Witwen und Waisen« wagten, aber dann sah er, daß diese besondere Form der karitativen Arbeit erst angefangen hatte, seit Avvocato Santomauro die *Lega* führte. Und beim Zurückblättern stellte Brunetti fest, daß alle fünf Männer auf Canales Liste ihre Wohnungen erst bezogen hatten, nachdem Santomauro Präsident geworden war. Es hatte fast den Anschein, als ob Santomauro, nachdem er diese Position erreicht hatte, sich alles leisten zu können glaubte.

Hier unterbrach Brunetti seine Lektüre, stand auf und trat ans Fenster. Die Backsteinfassade von San Lorenzo war seit drei Monaten ohne Gerüst, aber die Kirche blieb geschlossen. Er blickte hinüber und sagte sich, daß er einen Fehler beging, vor dem er Kollegen immer warnte: Er ging von der Schuld eines Verdächtigen aus, ohne auch nur den kleinsten greifbaren Beweis zu haben, der diesen Verdächtigen mit dem Verbrechen in Verbindung brachte. Aber so sicher er wußte, daß die Kirche nie wieder geöffnet wurde, jedenfalls nicht zu seinen Lebzeiten, so sicher wußte er auch, daß Santomauro für die Morde an Mascari und Crespo verantwortlich war und für den Tod von Maria Nardi. Er und wahrscheinlich Ravanello. Einhundertzweiundsechzig Wohnungen. Wie viele davon konnte man an Leute wie Canale oder andere vermieten, die bereit waren, ihre Miete bar zu bezahlen und keine Fragen zu stellen? Die Hälfte? Selbst schon ein Drittel brachte monatlich über siebzig Millionen Lire, fast eine Milliarde im Jahr. Er dachte an jene Witwen und Waisen und fragte sich, ob Santomauro so übermütig geworden war, daß auch sie Teil des Schwindels waren und sogar die Minimalmieten, die in den Töpfen der *Lega* landeten, dort umfunktioniert und an Phantomwitwen und erfundene Waisen ausgezahlt wurden.

Er ging an seinen Schreibtisch zurück und blätterte in dem Bericht herum, bis er den Hinweis auf die Zahlungen fand, die an jene gegangen waren, die man der Mildtätigkeit der *Lega* für wert befunden hatte: Ja, die Gelder waren durch die Banca di Verona ausgezahlt worden. Er stand da, beide Hände auf die Schreibtischplatte gestützt, den Kopf über die Papiere geneigt, und sagte sich wieder, daß Gewißheit nicht dasselbe war wie handfeste Beweise. Aber sicher war er.

Ravanello hatte ihm Kopien von Mascaris Konten bei der Bank versprochen, zweifellos eine Liste der Depots, die er verwaltete, oder der Kredite, die er bewilligte. Wenn Ravanello diese Unterlagen so bereitwillig zur Verfügung stellen wollte, konnte Brunetti sicher sein, daß die Dinge, nach denen er suchte, nicht dabei waren. Um Zugang zu den vollständigen Unterlagen der Bank und der *Lega* zu bekommen, brauchte Brunetti eine gerichtliche Verfügung, und dazu bedurfte es eines längeren Armes, als Brunetti ihn besaß.

Pattas »*Avanti*« war durch die Tür zu hören, und Brunetti betrat das Büro seines Vorgesetzten. Patta blickte auf, sah den Commissario und beugte sich wieder über die Papiere vor sich. Sehr zu Brunettis Verwunderung schien er sie tatsächlich zu lesen, statt sie als Staffage für vorgebliche Geschäftigkeit zu benutzen.

»*Buon giorno, vice-questore*«, sagte Brunetti, indem er weiter vortrat.

Patta sah wieder hoch und deutete mit einer Handbewegung auf den Stuhl vor seinem Schreibtisch. Als Brunetti saß, fragte Patta: »Habe ich das Ihnen zu verdanken?« wobei er mit dem Finger auf die Papiere vor sich zeigte.

Da Brunetti keine Ahnung hatte, worum es in diesen Papieren ging, andererseits auch keinen taktischen Vorteil verschenken wollte, indem er es zugab, mußte er sich am Ton seines Vorgesetzten orientieren. Pattas Sarkasmus war normalerweise deutlich hörbar, aber davon war nichts zu merken gewesen. Da er noch keine Erfahrung mit Pattas Dankbarkeit hatte, ja eigentlich, wie etwa ein Theologe über Schutzengel, nur spekulieren konnte, ob sie überhaupt existierte, konnte Brunetti nicht sicher sein, daß Pattas Ton tatsächlich von diesem Gefühl bestimmt wurde.

»Sind das die Unterlagen, die Ihnen Signorina Elettra gebracht hat?« fragte Brunetti ins Blaue, weil er Zeit gewinnen wollte.

»Ja«, sagte Patta, und tätschelte das Papier, wie man den Kopf eines besonders geliebten Hundes tätscheln würde.

Das genügte Brunetti. »Signorina Elettra hat die Knochenarbeit gemacht, aber ich habe ihr ein paar Anregungen gegeben, wo sie suchen könnte«, log er und schlug in falscher Bescheidenheit die Augen nieder, wie um anzudeuten, daß er es kaum wagte, für die Selbstverständlichkeit, Vice-Questore Patta einen Dienst zu erweisen, auch noch Lob zu erwarten.

»Heute abend werden sie ihn festnehmen«, erklärte Patta mit grimmiger Freude.

»Wer?«

»Die *Guardia di Finanza.* Er hat bei seinem Einbürgerungsantrag in Monaco falsche Angaben gemacht, also ist er ungültig. Das heißt, er ist immer noch italienischer Staatsbürger und hat hier seit sieben Jahren keine Steuern bezahlt. Sie werden ihn kreuzigen. An den Füßen werden sie ihn aufhängen.«

Der Gedanke an einige der Steuerhinterziehungen, mit denen frühere und derzeitige Minister davongekommen waren, ließ Brunetti daran zweifeln, daß Pattas Traum sich erfüllen würde, aber er hielt den Augenblick nicht für günstig, solche Bedenken jetzt anzumelden. Da er nicht recht wußte, wie er seine nächste Frage fomulieren sollte, versuchte er es auf besonders rücksichtsvolle Weise. »Wird er bei der Festnahme allein sein?«

»Das ist das Problem«, sagte Patta und sah ihn an. »Die Festnahme ist natürlich geheim. Sie wollen um acht heute abend hingehen. Ich weiß es nur durch den Anruf eines Freundes bei der *Guardia di Finanza*.« Brunetti konnte zusehen, wie sich Pattas Gesicht nachdenklich umwölkte. »Wenn ich sie anrufe und warne, sagt sie es ihm, und er verschwindet aus Mailand und wird nicht festgenommen. Aber wenn ich sie nicht anrufe, ist sie bei der Festnahme dabei.« Und dann, das mußte er nicht erst erwähnen, gab es keine Möglichkeit mehr, ihren Namen aus der Presse herauszuhalten. Und den seinen damit auch. Brunetti beobachtete Pattas Gesicht, fasziniert von den Emotionen, die sich darauf spiegelten: Rachegelüste und Eitelkeit lagen im Widerstreit.

Wie Brunetti vermutet hatte, siegte die Eitelkeit. »Mir fällt kein Ausweg ein, wie ich sie da herausbekommen könnte, ohne ihn zu warnen.«

»Vielleicht könnten Sie, aber natürlich nur, wenn Sie es für sinnvoll halten, Vice-Questore, Ihren Anwalt bitten, dort anzurufen und ihr für heute abend ein Treffen in Mailand vorzuschlagen. Dann wäre sie, äh, nicht da, wenn die Polizei kommt.«

»Warum sollte mein Anwalt sich mit ihr treffen wollen?«

»Vielleicht könnte er sagen, daß Sie bereit sind, sich mit ihr über Bedingungen zu unterhalten. Das wäre ja genug, um sie für diesen Abend woandershin zu locken.«

»Sie haßt meinen Anwalt.«

»Wäre sie bereit, mit Ihnen selbst zu reden? Wenn Sie ihr sagen, daß Sie zu dem Treffen nach Mailand kommen?«

»Sie…«, begann Patta, aber dann schob er seinen Stuhl zurück und stand auf, ohne den Satz zu beenden. Er ging ans Fenster und stellte seine eigenen stummen Betrachtungen über die Fassade von San Lorenzo an.

Er stand ziemlich lange da, ohne etwas zu sagen, und Brunetti war sich der Gefahr des Augenblicks bewußt. Sollte Patta sich jetzt umdrehen und so etwas wie eine emotionale Schwäche zugeben, indem er sagte, er liebe seine Frau und wolle sie zurückhaben, würde er Brunetti nie verzeihen, daß er dabei gewesen war und es gehört hatte. Und schlimmer noch, sollte er sich in Brunettis Gegenwart die kleinste Schwäche oder innere Not anmerken lassen, würde Patta gnadenlos Vergeltung an seinem Zeugen üben.

Ernsthaft und scheinbar ungerührt, als hätte er Patta und seine persönlichen Probleme schon ad acta gelegt, sagte Brunetti: »Vice-Questore, eigentlich bin ich dieser Mascari-Geschichte wegen gekommen. Ich glaube, es gibt da einige Dinge, die Sie wissen sollten.«

Pattas Schultern hoben und senkten sich einmal, als er tief Luft holte, dann drehte er sich um und kam an seinen Schreibtisch zurück. »Was hat sich getan?«

Rasch und ganz auf die Sache konzentriert erzählte Brunetti ihm von den Unterlagen über die *Lega* und die von ihr verwalteten Wohnungen, von denen eine Crespos gewesen war, sowie über die Summen, die monatlich für die Bedürftigen ausgegeben wurden.

»Anderthalb Millionen im Monat?« sagte Patta, als Brunetti ihm auch noch alles über Canales Besuch berichtet hatte. »Was kassiert die *Lega* angeblich an Miete?«

»In Canales Fall hundertzehntausend monatlich. Und keiner auf der Liste zahlt mehr als zweihunderttausend, Vice-Questore. Das heißt, in den Büchern der *Lega* steht, daß sie nicht mehr als das für eine Wohnung verlangt.«

»Wie sehen denn diese Wohnungen aus?«

»Crespos war eine Vierzimmerwohnung in einem modernen Haus. Es ist die einzige, die ich selbst gesehen habe, aber aufgrund der Adressen, zumindest, soweit sie hier in der Stadt sind, und der Anzahl der Zimmer würde ich sagen, daß es sich um erstrebenswerte Wohnungen handelt, bei vielen.«

»Wissen Sie, wie viele Leute so ähnliche Wohnungen haben wie Canale und ihre Mieten auch in bar bezahlen?«

»Nein, leider nicht. Da müßte ich mit den Mietern sprechen und herausfinden, wer alles da hinein verwickelt ist. Ich müßte die Bankunterlagen der *Lega* einsehen. Und ich brauchte eine Namensliste dieser Witwen und Waisen, die angeblich jeden Monat Geld bekommen.«

»Das müßte ein Gericht verfügen, nicht?« fragte Patta,

in dessen Ton sich seine angeborene Vorsicht wieder einschlich. Gegen Leute wie Canale oder Crespo etwas zu unternehmen, das war in Ordnung, und wie man dabei vorging, interessierte keinen. Aber eine Bank, eine Bank war etwas völlig anderes.

»Meine Vermutung ist, daß da irgendeine Verbindung zu Santomauro besteht, Vice-Questore, und daß alle Ermittlungen im Fall Mascari uns zu ihm führen werden.«

»Das wäre schon möglich«, meinte Patta einlenkend.

Immer wenn Brunetti sah, daß er es mit der nackten Wahrheit schwer haben würde, war er auch mal zum Taktieren bereit. »Vermutlich sind die Unterlagen der Bank ganz in Ordnung, und die Bank selbst hat gar nichts mit der Sache zu tun; es kann sein, daß Santomauro die Manipulationen allein vorgenommen hat. Wenn wir erst einmal die Möglichkeit von Unregelmäßigkeiten bei der Bank ausgeschlossen haben, können wir ungehindert gegen Santomauro vorgehen.«

Das gab für Patta den Ausschlag. »Also gut, ich werde eine gerichtliche Verfügung zur Beschlagnahmung der Bankunterlagen beantragen.«

Brunetti beschloß, das Risiko einzugehen. »Und für die Unterlagen der *Lega* auch«, sagte er, dachte kurz daran, noch einmal Santomauro zu erwähnen, widerstand aber der Versuchung.

»Na gut«, stimmte Patta zu, aber in einem Ton, aus dem klar hervorging, daß Brunetti mehr nicht bekommen würde.

»Vielen Dank, Vice-Questore«, sagte Brunetti, während er aufstand. »Ich veranlasse gleich, daß ein paar von unseren Leuten sich mit den Mietern auf der Liste unterhalten.«

»Gut, gut«, sagte Patta, der mit den Gedanken schon woanders war. Er beugte sich wieder über seinen Schreibtisch und ließ die Hand liebevoll über die Papiere gleiten; dann blickte er auf, als überraschte es ihn, Brunetti noch herumstehen zu sehen. »Ist noch etwas, Commissario?«

»Nein, nein, Vice-Questore. Das war alles«, sagte Brunetti und ging zur Tür. Im Hinausgehen sah er, wie Patta zum Telefonhörer griff.

Wieder in seinem eigenen Büro, ließ er sich mit Bozen verbinden und fragte nach Signora Brunetti.

Nach einigem Klicken und Rauschen hörte er Paolas Stimme. »*Ciao, Guido, come stai?* Ich habe Montag abend versucht, dich zu Hause zu erreichen. Warum hast du nicht angerufen?«

»Ich hatte zu tun, Paola. Hast du die Zeitungen gelesen?«

»Guido, du weißt doch, daß ich Ferien habe. Ich habe den Meister gelesen. *The sacred Fount* ist wunderbar. Es passiert *nichts*, absolut nichts.«

»Paola, ich will nicht über Henry James reden.«

Das hatte sie schon früher zu hören bekommen, aber nie in diesem Ton. »Was ist los, Guido?«

Natürlich, jetzt fiel ihm wieder ein, daß sie im Urlaub nie Zeitung las, und es tat ihm leid, daß er nicht versucht hatte, sie früher zu erreichen. »Es hat Schwierigkeiten gegeben«, sagte er, bemüht, es herunterzuspielen.

Sie war sofort alarmiert. »Was für Schwierigkeiten?«

»Ein Unfall.«

Mit etwas sanfterer Stimme sagte sie: »Erzähl, Guido.«

»Ich war auf dem Rückweg von Mestre, da wollte uns einer von der Brücke drängen.«

»Uns?«

»Vianello war noch dabei«, sagte er, und dann: »Und Maria Nardi.«

»Das Mädchen aus Cannaregio? Die Neue?«

»Ja.«

»Was ist passiert?«

»Unser Wagen wurde gerammt, und wir sind in die Leitplanke geknallt. Sie hatte den Sicherheitsgurt nicht angelegt und ist gegen die Tür geschleudert worden. Dabei hat sie sich das Genick gebrochen.«

»Das arme Mädchen«, flüsterte Paola. »Und du, Guido?«

»Ich bin durchgeschüttelt worden, ebenso Vianello, aber wir sind unverletzt.« Er versuchte einen leichteren Ton anzuschlagen. »Keine gebrochenen Knochen.«

»Ich habe nicht von gebrochenen Knochen gesprochen«, sagte sie, immer noch mit ganz sanfter Stimme, aber schnell, entweder aus Ungeduld oder aus Sorge. »Ich meine, ob du damit fertig wirst.«

»Ja, ich glaube schon. Aber Vianello macht sich Vorwürfe. Er saß am Steuer.«

»Ja, das paßt zu Vianello. Rede mit ihm, wenn es geht, Guido. Gib ihm was zu tun.« Sie hielt inne, dann fragte sie: »Soll ich zurückkommen?«

»Nein, Paola, du bist doch gerade erst hingefahren. Ich wollte dich nur wissen lassen, daß ich unverletzt bin. Falls du in der Zeitung etwas über die Sache gelesen hättest.

Oder falls dich jemand gefragt hätte.« Er hörte sich reden, hörte heraus, wie er versuchte, es ihr zum Vorwurf zu machen, daß sie nicht angerufen, daß sie keine Zeitung gelesen hatte.

»Soll ich es den Kindern sagen?«

»Es ist wahrscheinlich besser, falls sie etwas davon hören oder lesen. Aber spiel es herunter.«

»Ja, sicher, Guido. Wann ist die Beerdigung?«

Einen Augenblick wußte er nicht, welche sie meinte – Mascaris, Crespos, Maria Nardis? Nein, es konnte nur letztere sein. »Freitag vormittag, glaube ich.«

»Geht ihr alle hin?«

»So viele wie können. Sie war noch nicht sehr lange bei uns, aber sie hatte viele Freunde.«

»Wer war das?« fragte sie, ohne die Frage näher erklären zu müssen.

»Ich weiß es nicht. Das Auto war weg, bevor wir richtig gemerkt hatten, was passiert war. Aber ich war gerade in Mestre gewesen, um mich mit jemandem zu treffen, mit einem der Transvestiten, und wer immer es war, muß gewußt haben, wo ich bin. Es war leicht, uns zu folgen. Es gibt ja nur die eine Straße.«

»Und der Transvestit?« erkundigte sie sich. »Hast du mit ihm gesprochen?«

»Zu spät. Er wurde umgebracht.«

»Derselbe Täter?« fragte sie in dem Telegrammstil, den sie in zwei Jahrzehnten entwickelt hatte.

»Ja. Ziemlich sicher.«

»Und der erste? Der auf der Wiese?«

»Alles eins.«

Er hörte, wie sie mit jemandem sprach, dann war sie wieder da und fragte: »Guido, Chiara ist hier und möchte dir guten Tag sagen.«

»*Ciao, papà*, wie geht's dir so? Fehle ich dir?«

»Mir geht's gut, mein Engel, und du fehlst mir ganz schrecklich. Ihr alle fehlt mir.«

»Aber ich am meisten, oder?«

»Ihr fehlt mir alle gleichermaßen.«

»Das ist unmöglich. Raffi kann dir nicht fehlen, weil er sowieso nie zu Hause ist. Und *mamma* sitzt immer nur rum und liest in diesem Buch, wem sollte sie also fehlen? Daraus folgt doch, daß ich dir am meisten fehlen muß, oder?«

»Da hast du wohl recht, mein Engel.«

»Siehst du, ich hab's gewußt. Du mußtest nur ein bißchen darüber nachdenken, nicht?«

»Ja. Ich bin froh, daß du mich daran erinnert hast.«

Er hörte Geräusche an Chiaras Ende, dann sagte sie: »*Papà*, ich muß dich wieder an *mamma* abgeben. Sag ihr bitte, daß sie mit spazierengehen soll, ja? Sie sitzt den ganzen Tag hier auf der Terrasse herum und liest nur. Was ist denn das für ein Urlaub?«

Mit dieser Beschwerde war sie weg und wurde von Paola abgelöst. »Guido, wenn du willst, daß ich zurückkomme, dann komme ich.«

Er hörte Chiaras Protestgeheul bei dem Vorschlag und antwortete: »Nein, Paola, nicht nötig. Wirklich nicht. Ich versuche, am Wochenende zu euch zu kommen.«

Ähnliche Versprechungen hatte sie schon oft gehört, darum bat sie ihn nicht, sich klarer auszudrücken. »Kannst du mir mehr über die Sache sagen, Guido?«

»Nein, Paola. Ich erzähle dir alles, wenn wir uns sehen.«

»Hier?«

»Ich hoffe es. Wenn nicht, rufe ich dich an. Paß auf, ich rufe dich auf jeden Fall an, ob ich komme oder nicht. Ja?«

»Also gut, Guido. Und paß um Himmels willen auf dich auf.«

»Das werde ich, Paola. Und du auch.«

»Aufpassen? Worauf denn aufpassen, hier mitten im Paradies?«

»Paß auf, daß du dein Buch nicht ausliest, wie damals in Cortina.« Beide lachten bei der Erinnerung daran. Sie hatte *Die goldene Schale* mitgehabt und es gleich in der ersten Woche ausgelesen, so daß sie in der zweiten Woche nichts zu tun hatte, außer in den Bergen spazierenzugehen, zu schwimmen, in der Sonne herumzuliegen und mit ihrem Mann zu plaudern. Ihr war jede Minute zu lang geworden.

»Oh, da habe ich keine Sorgen. Ich freue mich schon, wenn ich es ausgelesen habe, dann kann ich nämlich noch mal von vorn anfangen.« Einen Moment überlegte Brunetti, ob er womöglich nicht zum Vice-Questore befördert wurde, weil jeder wußte, daß er mit einer Verrückten verheiratet war. Nein, wohl kaum.

Mit weiteren gegenseitigen Ermahnungen, gut auf sich aufzupassen, verabschiedeten sie sich.

Brunetti rief bei Signorina Elettra an, aber sie war nicht an ihrem Platz, und das Klingeln verhallte ungehört. Daraufhin wählte er Vianellos Nummer und bat ihn zu sich. Ein paar Minuten später kam der Sergente herein. Er war noch ziemlich in derselben Verfassung wie vor zwei Tagen, als sie sich vor der Questura getrennt hatten.

»*Buon di, dottore*«, sagte er und nahm seinen üblichen Platz auf dem Stuhl vor Brunettis Schreibtisch ein.

»Guten Morgen, Vianello.« Um gar nicht erst auf ihre Debatte von vorgestern früh zurückzukommen, fragte Brunetti gleich: »Wie viele Leute haben wir heute zur Verfügung?«

Vianello überlegte kurz, bevor er antwortete: »Vier, wenn wir Riverre und Alvise mitrechnen.«

Über diese beiden mochte Brunetti ebensowenig reden, darum gab er Vianello die erste Liste aus der *Lega*-Akte. »Das sind lauter Leute, die eine Wohnung über die *Lega della Moralità* gemietet haben. Suchen Sie die venezianischen Adressen heraus, und die teilen Sie dann unter sich auf.«

Vianello warf einen Blick auf die Namen und Adressen und fragte: »Wozu, Commissario?«

»Ich will wissen, an wen die Miete gezahlt wird und wie.« Vianello sah ihn fragend an, und Brunetti erzählte, was er von Canale erfahren hatte: daß er seine Miete in bar bezahlte, und einige seiner Freunde auch. »Ich wüßte gern, wer von diesen Leuten seine Miete ebenso zahlt und wie hoch sie ist. Und wichtiger noch, ob einer von ihnen den- oder diejenigen kennt, die das Geld kassieren.«

»Das ist es also!« sagte Vianello, dem sofort klar war, worum es ging. Er blätterte die Liste durch. »Wie viele sind es, Commissario? Weit über hundert, schätze ich.«

»Hundertzweiundsechzig.«

Vianello pfiff durch die Zähne. »Und Sie sagen, dieser Canale zahlt anderthalb Millionen pro Monat?«

»Ja.«

Brunetti sah Vianello dieselbe Rechung anstellen, wie er sie aufgemacht hatte, als er zum erstenmal die Liste zu Ge- sicht bekam. »Wenn auch nur ein Drittel auf diese Art zahlt, käme weit mehr als eine halbe Milliarde im Jahr zu- sammen, nicht?« meinte Vianello kopfschüttelnd, und wieder wußte Brunetti nicht, ob er damit sein Erstaunen ausdrückte oder seinen Respekt vor der Größenordnung dieser Geschichte.

»Kommt Ihnen irgendein Name auf der Liste bekannt vor?« fragte Brunetti.

»Einer könnte der Mann sein, der die Eckbar ganz in der Nähe meiner Mutter betreibt, es ist derselbe Name, aber ich bin nicht sicher, ob die Adresse stimmt.«

»Wenn ja, könnten Sie vielleicht mal ganz ungezwungen mit ihm reden.«

»In Zivil, meinen Sie?« fragte Vianello mit einem Lächeln, das schon wieder etwas mehr aussah wie früher.

»Oder Nadia hinschicken«, scherzte Brunetti, aber kaum hatte er es ausgesprochen, merkte er, daß die Idee vielleicht gar nicht so schlecht war. Wenn bei Leuten, die mehr oder weniger illegal zu ihrer Wohnung gekommen waren, Polizisten in Uniform auftauchten und Fragen stellten, wäre das der Auskunftsbereitschaft sicher nicht förderlich. Brunetti war überzeugt, daß alle Konten in Ordnung waren und nachweislich alle Mieten monatlich aufs richtige Konto eingezahlt wurden; auch hegte er nicht den geringsten Zweifel, daß es ordnungsgemäße Belege gab. Eines mußte man Italien lassen, daß es ein Land war, in dem es für alles schriftliche Belege gab, und die reichlich; illusorisch war oft nur die Realität, die sie dokumentieren sollten.

Vianello sah es offenbar auch so, denn er meinte: »Ich denke, man könnte etwas weniger offiziell vorgehen.«

»Die Nachbarn befragen, meinen Sie?«

»Ja, genau. Die Leute werden uns wahrscheinlich nicht so offen antworten, wenn sie in derartige Dinge verwickelt sind. Sie könnten ja ihre Wohnung verlieren, und um das zu verhindern, würde jeder lügen.« Vianello jedenfalls würde lügen, um seine Wohnung zu behalten, da war er sich ganz sicher.

Und auch Brunetti wurde nach nüchterner Überlegung klar, daß er es tun würde, wie jeder Venezianer. »Dann ist es wohl besser, in der Nachbarschaft herumzuhören. Schicken Sie weibliche Beamte, Vianello.«

Vianello lächelte entzückt.

»Und kümmern Sie sich um das hier. Es müßte sich leichter überprüfen lassen«, sagte Brunetti, indem er die zweite Liste aus der Mappe nahm und sie ihm reichte. »Das sind Leute, die monatliche Zahlungen von der *Lega* erhalten. Sehen Sie, ob Sie herausfinden können, wie viele von ihnen an den angegebenen Adressen wohnen und ob sie zu denen gehören, die man früher bedürftig nannte.«

»Wenn ich was für Wetten übrig hätte«, sagte Vianello, der sehr gern wettete, »würde ich zehntausend Lire darauf setzen, daß die meisten nicht an den hier angegebenen Adressen wohnen.« Er hielt inne und blätterte die Liste durch, um dann hinzuzufügen: »Und eine zweite Wette darauf, daß viele alles andere als bedürftig sind.«

»Ich halte nicht dagegen, Vianello.«

»Hatte ich auch nicht erwartet. Was ist mit Santomauro?«

»Nach allem, was Signorina Elettra herausfinden konnte, ist er sauber.«

»Niemand ist sauber«, schoß Vianello zurück.

»Dann eben vorsichtig.«

»Das klingt schon besser.«

»Noch etwas. Gallo hat mit dem Hersteller der Schuhe gesprochen, die wir bei Mascari gefunden haben, und der hat ihm eine Liste von Läden hier in der Gegend gegeben, die sie führen. Schicken Sie einen Mann los, er soll sie abklappern und sehen, ob er jemanden findet, der sich erinnert, sie verkauft zu haben. Es ist Größe einundvierzig, so daß, wer immer sie verkauft hat, vielleicht noch weiß, an wen.«

»Und was ist mit dem Kleid?« fragte Vianello.

Brunetti hatte den Bericht vor zwei Tagen bekommen, und das Ergebnis war wie befürchtet. »Es ist eins von diesen billigen Dingern, die man auf jedem Markt kaufen kann. Rot, und irgend so ein Synthetikmaterial. Kann nicht mehr als vierzigtausend Lire gekostet haben. Das

Etikett ist herausgetrennt, aber Gallo versucht, den Hersteller ausfindig zu machen.«

»Hat das Aussicht auf Erfolg?«

Brunetti zuckte die Achseln. »Bei den Schuhen stehen die Chancen besser. Immerhin kennen wir den Hersteller und die Läden, wo sie verkauft werden.«

Vianello nickte. »Noch etwas, Commissario?«

»Ja, rufen Sie bei der *Guardia di Finanza* an und sagen Sie, wir brauchen einen ihrer besten Leute – auch mehrere, wenn sie uns die zur Verfügung stellen können –, um die Unterlagen, die wir von der Banca di Verona und der *Lega* bekommen, genauer anzusehen.«

Erstaunt fragte Vianello: »Sie haben Patta tatsächlich dazu gebracht, eine gerichtliche Verfügung einzuholen? Damit eine Bank Unterlagen herausrückt?«

»Ja«, sagte Brunetti und unterdrückte sein Lächeln ebenso wie seinen Stolz.

»Diese Geschichte muß ihn mehr durcheinandergebracht haben, als ich dachte. Eine gerichtliche Verfügung!« Vianello schüttelte den Kopf über dieses Wunder.

»Und könnten Sie Signorina Elettra zu mir heraufschicken?«

»Natürlich«, sagte Vianello im Aufstehen. Er hielt die Listen hoch: »Ich teile die Namen auf und schicke die Leute los.« Dann, schon auf dem Weg zur Tür, stellte er doch noch die Frage, die Brunetti schon den ganzen Vormittag beschäftigte: »Wie konnten die so etwas riskieren? Da braucht es doch nur eine undichte Stelle, und das Ganze stürzt zusammen.«

»Mir fällt dazu auch nichts ein, jedenfalls nichts Plausibles.« Für sich überlegte er, daß es vielleicht nur ein weiteres Symptom für eine Art von Gruppenwahnsinn war, eine frenetische Risikobereitschaft, die jedes gesunde Maß überschritten hatte. In den letzten Jahren hatten Verhaftungen und Verurteilungen wegen Bestechung in allen Schichten, vom Industriellen bis zum Kabinettsmitglied, das Land erschüttert. Milliarden und Abermilliarden Lire an Bestechungsgeldern waren gezahlt worden, so daß die Italiener langsam glaubten, Korruption gehöre zum Alltagsgeschäft der Regierung. Folglich konnte das Verhalten der *Lega* und ihrer Führung als völlig normal gelten in einem Land, in dem alles und jeder käuflich war.

Brunetti schüttelte diese Spekulationen ab, blickte zur Tür und sah, daß Vianello gegangen war.

Sein Platz wurde gleich darauf von Signorina Elettra eingenommen, die durch die noch offene Tür trat. »Sie wollten mich sprechen, Commissario?«

»Ja, Signorina«, sagte er und winkte sie zu dem Stuhl neben seinem Schreibtisch. »Vianello hat eben die Listen mitgenommen, die Sie mir gegeben haben. Wie es aussieht, zahlen einige Leute höhere Mieten, als die *Lega* angibt, darum möchte ich wissen, ob die auf der zweiten Liste das Geld tatsächlich bekommen, wie es die *Lega* behauptet.«

Während er sprach, beugte sich Signorina Elettra über ihren Block und machte sich rasch Notizen.

»Ich wollte Sie bitten, wenn Sie sonst nichts Dringendes zu tun haben – woran arbeiten Sie denn diese Woche im Archiv unten?« erkundigte er sich.

»Wie bitte?« Sie erhob sich halb. Ihr Schreibblock fiel zu

Boden, und sie bückte sich, um ihn aufzuheben. »Entschuldigung, Commissario«, sagte sie, als der Block wieder auf ihrem Schoß lag. »Im Archiv? Ich habe versucht, etwas über Avvocato Santomauro oder Signor Mascari zu finden.«

»Und hatten Sie Erfolg?«

»Leider nicht. Keiner der beiden hatte jemals mit der Polizei zu tun. Nicht das geringste.«

»In diesem Hause hat niemand eine Ahnung, nach welchem System das da unten abgelegt ist, Signorina, aber ich möchte Sie bitten nachzusehen, ob Sie über die Leute auf diesen Listen etwas finden können.«

»Auf beiden, Dottore?«

Sie hatte die Listen zusammengestellt, wußte also, daß es mehr als zweihundert Namen waren. »Vielleicht könnten Sie mit der zweiten anfangen, mit den Leuten, die Geld bekommen. Namen und Adressen stehen ja dabei, so daß Sie auf dem Rathaus überprüfen können, wer von ihnen hier gemeldet ist.« Auch wenn das Gesetz, das alle Bürger verpflichtete, sich an ihrem Wohnort anzumelden und jeden Wohnungswechsel anzugeben, ein Überbleibsel aus der Vergangenheit war, konnte man dadurch immerhin die Bewegungen und Lebensumstände eines jeden, der die Aufmerksamkeit der Polizei erregte, leicht verfolgen.

»Ich möchte, daß Sie bei den Leuten auf dieser Liste überprüfen, ob einer vorbestraft ist, hier oder in einer anderen Stadt. Auch in anderen Ländern, obwohl ich keine Ahnung habe, inwieweit sich da etwas finden läßt.« Signorina Elettra nickte beim Schreiben, als wäre das alles ein

Kinderspiel. »Außerdem«, fuhr Brunetti fort, »möchte ich Sie bitten, sobald Vianello festgestellt hat, wer alles seine Miete unter dem Tisch bezahlt, dasselbe dann auch bei denen zu prüfen.« Wenige Sekunden, nachdem er geendet hatte, sah sie auf. »Glauben Sie, daß Sie das können, Signorina? Ich habe keine Ahnung, was mit den alten Unterlagen passiert ist, nachdem wir auf Computer umgestiegen sind.«

»Die meisten liegen noch unten«, sagte sie. »Es ist ein ziemliches Chaos, aber es läßt sich immer noch manches finden.«

»Werden Sie es schaffen?« Sie war noch keine zwei Wochen hier, und schon kam es Brunetti vor, als wären es Jahre.

»Natürlich. Mir bleibt ziemlich viel freie Zeit«, sagte sie und öffnete Brunetti damit die Tür so weit, daß er eine Schafherde hätte hindurchtreiben können.

Er ließ sich darauf ein und fragte: »Was tut sich denn?«

»Sie essen heute gemeinsam zu Abend. In Mailand. Er läßt sich heute nachmittag hinfahren.«

»Was glauben Sie, was geschieht?« fragte Brunetti, wohl wissend, daß er das nicht tun sollte.

»Sobald Burrasca festgenommen ist, sitzt sie im ersten Flugzeug. Oder vielleicht bietet er ihr auch an, sie nach dem Essen zu Burrascas Wohnung zurückzufahren – das würde ihm, glaube ich, Spaß machen, mit ihr dort anzukommen, wenn die Wagen von der Steuerfahndung vor der Tür stehen. Wahrscheinlich fährt sie gleich mit ihm nach Hause, wenn sie die sieht.«

23

Normalerweise raubte die Hitze Brunetti jeden Appetit, aber heute abend war er zum erstenmal seit seinem Essen mit Padovani wieder richtig hungrig. Auf dem Heimweg machte er am Rialto halt, erstaunt, daß einige der Obst- und Gemüsestände nach acht Uhr noch offen hatten. Er erstand ein Kilo Tomaten, die so reif waren, daß der Verkäufer ihm riet, sie vorsichtig zu tragen und nichts daraufzulegen. An einem anderen Stand kaufte er ein Kilo dunkle Feigen und erhielt denselben Rat. Glücklicherweise hatte er zu jeder Ermahnung eine Plastiktüte bekommen, und so kam er mit einer Tüte in jeder Hand nach Hause.

In der Wohnung öffnete er alle Fenster, zog eine leichte Baumwollhose und ein T-Shirt an und ging in die Küche. Er schnitt Zwiebeln, legte die Tomaten kurz in kochendes Wasser, um sie besser schälen zu können, und pflückte sich draußen auf der Dachterrasse ein paar Blättchen frisches Basilikum ab. Automatisch, ohne recht darauf zu achten, was er tat, bereitete er eine einfache Soße zu und stellte anschließend Wasser für die *pasta* auf. Als das gesalzene Wasser zu brodeln begann, schüttete er eine halbe Packung *penne rigate* hinein und rührte um.

Während er alle diese Handgriffe machte, dachte er die ganze Zeit an die verschiedenen Menschen, die in die Ereignisse der letzten zehn Tage verwickelt waren, wobei er gar nicht erst versuchte, eine Ordnung in das Durcheinander aus Namen und Gesichtern zu bringen. Als die *pasta* fertig war, schüttete er sie zuerst in ein Sieb, anschließend in eine Schüssel und goß die Soße darüber. Mit einem großen Löffel rührte er um und nahm alles mit hinaus auf die Terrasse, wohin er schon eine Gabel, ein Glas und eine Flasche Cabernet getragen hatte. Er aß aus der Schüssel. Ihre Terrasse lag so hoch, daß man schon in den Glockenturm von San Polo hätte steigen müssen, um zu sehen, was er trieb. Er aß alles und stippte die restliche Soße mit Brot auf; dann trug er die Schüssel nach drinnen und kam mit einem Teller frisch gewaschener Feigen wieder heraus.

Bevor er sich darüber hermachte, ging er noch einmal hinein und holte sich sein Exemplar von Tacitus' *Annalen*. Brunetti las da weiter, wo er aufgehört hatte, bei einer Beschreibung der zahllosen Schrecken unter der Herrschaft des Tiberius, eines Kaisers, den Tacitus offenbar ganz besonders verabscheute. Diese alten Römer hatten gemordet und betrogen, wider die Ehre gehandelt und einander Gewalt angetan, wie ähnlich sie uns doch waren, dachte Brunetti. Er las weiter und erfuhr dabei nichts, was dazu angetan war, seine Meinung zu ändern, bis die Stechmücken ihn zu plagen begannen und ihn nach drinnen trieben. Dort las er bis nach Mitternacht auf dem Sofa weiter, kein bißchen bekümmert durch das Wissen, daß dieser Katalog von Verbrechen und Schurkereien, begangen vor fast zweitausend Jahren, dazu diente, ihn von denen abzulenken, die um ihn herum begangen wurden. Sein Schlaf war tief und traumlos, und er wachte erfrischt auf, als ob er glaubte, daß Tacitus' rigoroser, kompromißloser Moralismus ihm über den Tag helfen würde.

Als er an dem Morgen in die Questura kam, stellte er überrascht fest, daß Patta sich tags zuvor, bevor er nach Mailand gefahren war, noch die Zeit genommen hatte, die gerichtliche Verfügung zu beantragen, die ihnen die Unterlagen der *Lega della Moralità* und der Banca di Verona zugänglich machte. Und nicht nur das, die Verfügung war auch beiden Institutionen am Vormittag zugestellt worden, und die zuständigen Leute hatten versprochen, der Aufforderung nachzukommen. Beide Institutionen bestanden darauf, daß es eine gewisse Zeit dauern werde, die nötigen Unterlagen vorzubereiten, und beide hatten sich in bezug auf die tatsächliche Dauer nicht sehr präzise ausgedrückt.

Um elf war von Patta immer noch nichts zu sehen und zu hören. Die meisten Mitarbeiter der Questura hatten an dem Morgen eine Zeitung gekauft, aber in keiner wurde Burrascas Festnahme erwähnt. Das war weder für Brunetti noch für die anderen überraschend, aber es beflügelte sehr die Neugier, ganz zu schweigen von den Spekulationen darüber, was beim gestrigen Ausflug des Vice-Questore nach Mailand wohl herausgekommen war. Brunetti, der darüber erhaben war, begnügte sich damit, bei der *Guardia di Finanza* anzurufen und nachzufragen, ob man seiner Bitte entsprochen hatte, ihm ein paar Leute zur Verfügung zu stellen, die sich mit den Finanzunterlagen sowohl der Bank als auch der *Lega* befaßten. Sehr zu seiner Überraschung erfuhr er, daß der zuständige Richter, Luca Benedetti, bereits Anweisung gegeben hatte, die Unterlagen, sobald sie zur Verfügung standen, von der *Finanza* prüfen zu lassen.

Als Vianello kurz vor der Mittagspause in sein Büro kam, war Brunetti sicher, daß er ihm sagen wollte, die Unterlagen seien nicht gekommen, oder eher noch, die Bank oder die *Lega* habe ganz plötzlich irgendeine bürokratische Hürde entdeckt, durch die sich das Ganze hinauszögerte, womöglich bis in alle Ewigkeit.

»*Buon giorno, commissario*«, sagte Vianello beim Hereinkommen.

Brunetti sah von seinen Akten auf und fragte: »Was gibt es, Sergente?«

»Ich habe jemanden hier, der mit Ihnen sprechen möchte.«

»Wen?« fragte Brunetti und legte seinen Stift auf die Papiere, die er vor sich hatte.

»Professore Luigi Ratti und seine Frau«, antwortete Vianello ohne weitere Erklärung, bis auf ein kurz angebundenes: »Aus Mailand.«

»Und wer sind dieser Professore und seine Frau, wenn ich fragen darf?«

»Sie haben eine der Wohnungen, die von der *Lega* verwaltet werden, seit gut zwei Jahren.«

»Weiter, weiter, Vianello«, forderte Brunetti ihn interessiert auf.

»Die Adresse des Professore stand in dem Teil der Liste, den ich hatte, darum bin ich heute vormittag zu ihm gegangen. Als ich fragte, wie er zu der Wohnung gekommen sei, erklärte er, die Beschlüsse der *Lega* seien vertraulich. Ich wollte wissen, wie er seine Miete bezahlt, und er sagte, daß er monatlich zweihundertzwanzigtausend Lire aufs Konto der *Lega* bei der Banca di Verona überweist. Als ich fragte, ob ich seine Quittungen sehen könne, meinte er, die würde er nie aufheben.«

»Tatsächlich?« fragte Brunetti noch interessierter. Da man nie wissen konnte, wann irgendeine Behörde befand, daß eine Rechnung nicht bezahlt, eine Steuer nicht eingezogen, ein Dokument nicht ausgestellt sei, warf niemand in Italien jemals ein amtliches Schriftstück weg, am wenigsten einen Beleg dafür, daß eine Zahlung geleistet worden war. Brunetti und Paola hatten sogar zwei Schubladen voller Stromrechnungen, die ein Jahrzehnt zurückgingen, und auf dem Dachboden verstaut noch mindestens drei Kartons mit den verschiedensten Dokumenten. Wenn jemand behauptete, eine Mietquittung weggeworfen zu haben, war das entweder gelogen oder ein Akt souveränen Irrsinns. »Wo liegt denn die Wohnung des Professore?«

»Am Fondaco Zattere, mit Blick auf die Giudecca«, sagte Vianello, womit er eine der begehrtesten Wohngegenden der Stadt nannte. Dann fügte er hinzu: »Ich würde sagen, sechs Zimmer, wenn ich auch nur die Diele gesehen habe.«

»Zweihundertzwanzigtausend Lire?« fragte Brunetti und dachte dabei, daß dies der Betrag war, den Raffi vor einem Monat für ein Paar Timberlands ausgegeben hatte.

»Ja, Commissario«, sagte Vianello.

»Warum bitten Sie den Professore und seine Frau dann nicht herein, Sergente? Ach, übrigens, was lehrt er denn, dieser Professore?«

»Gar nichts, glaube ich.«

»Aha«, sagte Brunetti und schraubte die Kappe auf seinen Füllfederhalter.

Vianello ging zur Tür und öffnete sie, dann trat er beiseite, um Professore und Signora Ratti hereinzulassen.

Ratti war vielleicht Anfang fünfzig, bemühte sich aber, diese Tatsache so gut wie möglich zu vertuschen. Dabei wurde er durch einen Barbier unterstützt, der ihm die Haare so kurz geschnitten hatte, daß man das Grau für Blond halten konnte. Ein Gianni-Versace-Anzug aus taubengrauer Seide betonte sein jugendliches Aussehen ebenso wie das burgunderrote Seidenhemd mit offenem Kragen. Seine Schuhe, die er ohne Socken trug, hatten dieselbe Farbe wie sein Hemd und waren aus Flechtleder, das nur aus der Bottega Veneta stammen konnte. Jemand mußte ihn darauf hingewiesen haben, daß die Haut unter seinem Kinn etwas schlaff war, denn er hatte einen weißen Krawattenschal umgebunden und hielt das Kinn so angestrengt hoch, als hätte ihm ein schlampiger Optiker die Gläser einer Bifokalbrille falsch herum eingesetzt.

Wenn der Professore einen hinhaltenden Kampf gegen sein Alter führte, war es bei seiner Frau eine offene Feldschlacht. Ihre Haarfarbe hatte gespenstische Ähnlichkeit mit der Hemdfarbe ihres Mannes, und ihr Gesicht war von jener Straffheit, die einzig der Blüte der Jugend oder den geschickten Händen eines Chirurgen zu verdanken ist. Spindeldürr, wie sie war, trug sie ein weißes Leinenkostüm, dessen Jacke offenstand, um eine smaragdgrüne Seidenbluse zur Schau zu stellen. Wenn er die beiden so ansah, fragte sich Brunetti, wie sie es schafften, in dieser Hitze so frisch und kühl auszusehen. Das Kühlste an ihnen waren ihre Augen.

»Sie wollten mich sprechen, Professore?« fragte Brunetti, während er aufstand, aber keine Anstalten machte, die Hand auszustrecken.

»Ja, das wollte ich«, sagte Ratti, wobei er seiner Frau mit einer Handbewegung bedeutete, sich auf den Stuhl an Brunettis Schreibtisch zu setzen, und dann unaufgefordert von der Wand einen zweiten für sich selbst heranzog. Als beide es sich bequem gemacht hatten, fuhr er fort: »Ich bin gekommen, um Ihnen zu sagen, wie sehr es mir mißfällt, wenn die Polizei in den privaten Bereich meiner Wohnung eindringt. Und mehr noch möchte ich mich über die Unterstellungen beschweren, die mir gegenüber gemacht wurden.« Ratti ließ, wie so viele Mailänder, beim Sprechen jedes ›r‹ weg, was Brunetti unwillkürlich mit Schauspielerinnen der aufgeblaseneren Art in Verbindung brachte.

»Und was sind das für Unterstellungen, Professore?« fragte Brunetti, während er sich wieder setzte und Vianello ein Zeichen machte zu bleiben, wo er war, nämlich gleich neben der Tür.

»Daß es in bezug auf mein Mietverhältnis irgendeine Unregelmäßigkeit gibt.«

Brunetti warf einen Blick zu Vianello hinüber, der die Augen zur Decke verdrehte. Nicht nur der Mailänder Akzent, jetzt auch noch geschwollene Ausdrucksweise.

»Was veranlaßt Sie zu der Annahme, daß solche Unterstellungen gemacht werden, Professore?« fragte Brunetti.

»Nun, warum sonst würden Ihre Polizisten sich Zutritt zu meiner Wohnung verschaffen und verlangen, daß ich ihnen Mietquittungen vorlege?«

Während der Professore sprach, ließ seine Frau ihren Blick durchs Büro wandern.

»›Zutritt verschaffen‹, Professore?« fragte Brunetti im Konversationston. »›Verlangen‹?« Und dann zu Vianello: »Sergente, wie sind Sie in die Wohnung gelangt, die der Professore …«, er machte eine Pause, »angemietet hat?«

»Das Dienstmädchen hat mich eingelassen, Commissario.«

»Und was haben Sie dem Mädchen gesagt, das Sie hereingelassen hat?«

»Daß ich Professore Ratti sprechen möchte.«

»Ah ja«, sagte Brunetti und wandte seine Aufmerksamkeit wieder dem Professore zu. »Und wie kam es zu diesem ›Verlangen‹ der Quittungen, Professore?«

»Ihr Sergente wollte meine Mietquittungen sehen, als ob ich so etwas aufheben würde.«

»Sie heben also nie Quittungen auf, Professore?«

Ratti winkte ab, und seine Frau sah Brunetti mit einstudiertem Erstaunen an, als wollte sie sagen, was für eine ungeheure Zeitverschwendung es doch sei, über einen so geringfügigen Betrag Buch zu führen.

»Und was machen Sie, wenn der Besitzer Ihrer Wohnung eines Tages behauptet, Sie hätten die Miete nicht bezahlt? Welche Beweise würden Sie ihm vorlegen?« wollte Brunetti wissen.

Diesmal sollte Rattis Handbewegung wohl heißen, daß so etwas nicht im Bereich des Möglichen lag, während der Blick seiner Frau andeutete, daß niemand je daran denken würde, das Wort ihres Mannes anzuzweifeln.

»Würden Sie mir sagen, wie Sie Ihre Miete bezahlen, Professore?«

»Ich glaube nicht, daß dies Sache der Polizei ist«, entgegnete Ratti kampflustig. »Ich bin es nicht gewohnt, so behandelt zu werden.«

»Wie denn, Professore?« fragte Brunetti ehrlich neugierig.

»Wie ein Verdächtiger.«

»Sind Sie schon einmal von anderen Polizisten wie ein Verdächtiger behandelt worden, und wissen Sie darum vielleicht, was das für ein Gefühl ist?«

Ratti erhob sich halb von seinem Stuhl und sah zu seiner Frau hin. »Das muß ich mir nicht bieten lassen. Ein Freund von uns ist im Stadtrat.« Seine Frau machte eine kurze Handbewegung, und er setzte sich zögernd wieder hin.

»Können Sie mir sagen, wie Sie Ihre Miete bezahlen, Professore Ratti?«

Ratti sah Brunetti voll an. »Ich zahle sie bei der Banca di Verona ein.«

»Am Campo San Bartolomeo?«

»Ja.«

»Und wie hoch ist diese Miete, Professore?«

»Nicht der Rede wert«, antwortete der Professore wegwerfend.

»Sind es zweihundertzwanzigtausend Lire?«

»Ja.«

Brunetti nickte. »Und wieviel Quadratmeter hat Ihre Wohnung?«

Hier mischte sich Signora Ratti ein, als habe sie es endgültig satt, sich mit solcher Idiotie abzugeben. »Das wissen wir doch nicht. Für unsere Bedürfnisse reicht sie aus.«

Brunetti zog die Liste der Wohnungen heraus, die von

der *Lega* verwaltet wurden, schlug die dritte Seite auf und fuhr mit dem Finger darauf hinunter, bis er zu Rattis Namen kam. »Dreihundertzwölf Quadratmeter, wie ich sehe. Und sechs Zimmer. Ja, ich nehme an, das reicht für die meisten Bedürfnisse.«

Signora Ratti fuhr auf. »Und was soll das bitte heißen?«

Brunetti bedachte sie mit einem nichtssagenden Blick. »Genau das, was ich gesagt habe, Signora, nicht mehr und nicht weniger. Daß sechs Zimmer ausreichen müßten für zwei Personen – Sie sind doch nur zu zweit, oder?«

»Und das Dienstmädchen«, antwortete sie.

»Drei also«, räumte Brunetti ein. »Immer noch genug.« Sein Gesichtsausdruck blieb unverändert, als er sich von ihr ab- und wieder ihrem Mann zuwandte. »Wie kam es dazu, daß Sie eine der Wohnungen von der *Lega* bekommen haben, Professore?«

»Das war ganz einfach«, begann Ratti, aber Brunetti hatte den Eindruck, daß er langsam zu kochen begann. »Ich habe mich ganz normal darum beworben, woraufhin sie mir zugeteilt wurde.«

»Bei wem haben Sie sich beworben?«

»Bei der *Lega della Moralità* natürlich.«

»Und wie haben Sie erfahren, daß die *Lega* Wohnungen zu vermieten hat?«

»Das ist doch hier in der Stadt allgemein bekannt, Commissario, oder?«

»Wenn nicht jetzt, dann demnächst, Professore.«

Darauf sagte keiner der beiden Rattis etwas, aber Signora Ratti warf ihrem Mann einen raschen Blick zu und sah dann wieder Brunetti an.

»Wissen Sie noch, wer Ihnen von den Wohnungen erzählt hat?«

Beide antworteten unverzüglich mit einem Nein.

Brunetti gestattete sich ein trübsinniges Lächeln. »Da scheinen Sie ja ganz sicher zu sein.« Er malte einen bedeutungslosen Schnörkel hinter ihre Namen auf seiner Liste. »Und mußten Sie ein Bewerbungsgespräch führen, bevor Sie die Wohnung bekommen haben?«

»Nein«, sagte Ratti. »Wir haben die Formulare ausgefüllt und eingereicht. Und danach hat man uns benachrichtigt, daß wir ausgewählt seien.«

»Brieflich oder telefonisch?«

»Es ist lange her, ich weiß es nicht mehr«, antwortete Ratti. Er wandte sich Bestätigung heischend an seine Frau, und sie schüttelte den Kopf.

»Und Sie wohnen jetzt seit zwei Jahren in dieser Wohnung?«

Ratti nickte.

»Und da haben Sie keine einzige Quittung über Ihre Mietzahlungen aufgehoben?«

Diesmal schüttelte die Frau den Kopf.

»Sagen Sie, Professore, wieviel Zeit verbringen Sie im Jahr in der Wohnung?«

Er überlegte kurz. »Wir kommen zum *Carnevale*.«

Seine Frau vervollständigte die Angabe mit einem entschiedenen: »Natürlich.«

Ihr Mann fuhr fort: »Dann sind wir noch im September hier, und manchmal zu Weihnachten.«

Hier ergänzte seine Frau: »Und gelegentlich über ein Wochenende, natürlich.«

»Natürlich«, wiederholte Brunetti. »Und das Mädchen?«

»Das bringen wir aus Mailand mit.«

»Natürlich.« Brunetti nickte und malte einen weiteren Schnörkel auf das Papier vor sich.

»Darf ich fragen, ob Ihnen der Zweck der *Lega* bekannt ist, Professore? Ich meine Ziel und Zweck?«

»Ich weiß, daß sie sich für eine höhere Moral einsetzt«, erklärte der Professore in einem Ton, der sagen sollte, daß es *davon* nie genug geben konnte.

»Ah ja«, sagte Brunetti und fragte dann: »Aber darüber hinaus, zu welchem Zweck sie die Wohnungen vermietet?«

Diesmal war es Ratti, der seiner Frau einen Blick zuwarf. »Ich glaube, sie wollen denjenigen Wohnungen geben, die sie für wert erachten.«

Brunetti fuhr fort: »Und mit diesem Wissen, Professore, kam es Ihnen da nicht irgendwann seltsam vor, daß die *Lega* als venezianische Einrichtung eine von ihr verwaltete Wohnung an jemanden aus Mailand vergibt, jemanden, der sie darüber hinaus auch noch höchstens ein paar Monate im Jahr nutzt?« Als Ratti nichts sagte, drängte Brunetti: »Sie wissen doch sicher, wie schwierig es ist, in dieser Stadt eine Wohnung zu finden.«

Signora Ratti geruhte, die Frage zu beantworten. »Wir haben wohl angenommen, daß eine solche Wohnung an Leute vermietet werden sollte, die sie zu schätzen und zu erhalten wissen.«

»Wollen Sie damit sagen, daß Sie eine große und erstrebenswerte Wohnung besser erhalten können als beispielsweise die Familie eines Schreiners aus Cannaregio?«

»Ich denke, das versteht sich von selbst«, antwortete sie.

»Und wer bezahlt Reparaturarbeiten an Ihrer Wohnung, wenn ich fragen darf?« wollte Brunetti wissen.

Signora Ratti lächelte und antwortete: »Bisher mußte nichts repariert werden.«

»Aber Sie haben doch sicher eine Klausel in Ihrem Vertrag – falls Sie einen Vertrag bekommen haben –, aus der hervorgeht, wer für Reparaturen verantwortlich ist.«

»Der Vermieter«, sagte Ratti.

»Die *Lega*?« fragte Brunetti.

»Ja.«

»Die Instandhaltung ist also nicht Sache der Mieter?«

»Nein.«

»Und Sie sind etwa«, begann Brunetti, bevor er auf seine Liste schaute, als hätte er sich die Zahl dort notiert, »zwei Monate im Jahr hier?« Als Ratti schwieg, fragte Brunetti: »Stimmt das, Professore?«

Seine Frage wurde mit einem mißmutigen »Ja« beantwortet.

Mit einer Bewegung, die bewußt den Priester imitierte, der auf seinem Gymnasium Religion unterrichtet hatte, faltete Brunetti die Hände geziert vor dem Körper, unmittelbar am unteren Rand des Blattes, das auf seinem Schreibtisch lag, und sagte: »Ich glaube, es ist langsam an der Zeit, daß Sie eine Entscheidung treffen, Professore.«

»Ich weiß nicht, was Sie meinen.«

»Dann kann ich es Ihnen vielleicht erklären. Die eine Möglichkeit wäre, daß Sie mir dieses Gespräch und Ihre Antworten auf meine Fragen noch einmal auf Band sprechen, oder daß wir eine Sekretärin kommen lassen, die es mitstenographiert. In jedem Fall würde ich Sie bitten, Ihre Aussage zu unterschreiben, Sie beide, da Sie mir dasselbe sagen.« Brunetti hielt lange genug inne, um das wirken zu lassen. »Oder Sie könnten, und ich halte das für die weitaus klügere Wahl, anfangen, mir die Wahrheit zu sagen.« Beide taten überrascht, und Signora Ratti ging sogar so weit, Empörung zu mimen.

»In jedem Fall«, fügte Brunetti ruhig hinzu, »ist das mindeste, was Ihnen passieren wird, daß Sie die Wohnung verlieren, obwohl das einige Zeit dauern könnte. Aber Sie werden sie verlieren; das ist wenig, aber es ist sicher.« Er fand es interessant, daß keiner von beiden wissen wollte, wovon er eigentlich sprach.

»Es steht fest, daß viele dieser Wohnungen illegal vermietet wurden und daß jemand, der mit der *Lega* zu tun hat, seit Jahren illegal die Mieten einzieht.« Als Professore Ratti protestieren wollte, hob Brunetti kurz die Hand und verschränkte dann rasch wieder die Finger. »Wenn es nur um Betrug ginge, wären Sie vielleicht besser beraten, wenn Sie weiterhin behaupteten, von allem nichts zu wissen. Aber dummerweise geht es um weit mehr als Betrug.« Hier machte er eine Pause. Bei Gott, er würde es aus ihnen herausholen.

»Worum geht es denn?« fragte Ratti mit viel sanfterer Stimme als bisher.

»Es geht um Mord. Drei Morde, einer davon an einer Polizistin. Ich sage Ihnen dies, damit Ihnen allmählich klar wird, daß wir nicht locker lassen. Eine der Unseren ist getötet worden, und wir werden herausfinden, wer das getan hat. Und ihn bestrafen.« Er machte wieder eine Pause, um seinen Worten Wirkung zu verleihen.

»Wenn Sie auf Ihrer Geschichte beharren, werden Sie am Ende in einen Mordprozeß verwickelt sein.«

»Wir wissen nichts von einem Mord«, sagte Signora Ratti in scharfem Ton.

»Jetzt wissen Sie davon, Signora. Wer immer hinter diesem Plan von der Vermietung der Wohnungen steckt, ist auch verantwortlich für die drei Morde. Wenn Sie uns nicht dabei helfen herauszufinden, wer dafür zuständig ist, Ihnen Ihre Wohnung zu vermieten und jeden Monat die Miete zu kassieren, behindern Sie gleichzeitig die Ermittlungen in einem Mordfall. Die Strafe dafür, das muß ich Ihnen wohl kaum sagen, ist weitaus härter als für irreführende Aussagen in einem Betrugsfall. Und ich möchte hinzufügen, aber ganz privat, daß ich alles in meiner Macht Stehende tun werde, um dafür zu sorgen, daß Sie diese Strafe bekommen, falls Sie sich weiter weigern, uns zu helfen.«

Ratti stand auf. »Ich möchte mit meiner Frau sprechen. Unter vier Augen.«

»Nein«, sagte Brunetti, und hob dabei zum erstenmal die Stimme.

»Es ist mein Recht«, erklärte Ratti.

»Sie haben das Recht, mit Ihrem Anwalt zu sprechen, Signor Ratti, und das will ich Ihnen auch gern erlauben. Aber Sie und Ihre Frau entscheiden diese andere Sache hier, in meiner Gegenwart.« Damit überschritt er seine Kompetenz bei weitem, und er wußte es auch; seine einzige Hoffnung war, daß die Rattis es nicht wußten.

Die beiden sahen sich so lange an, daß Brunetti die

Hoffnung schon aufgab. Doch dann nickte sie mit ihrem burgunderfarbenen Haupt, und ihr Mann setzte sich wieder.

»Also gut«, sagte Ratti, »aber ich möchte klarstellen, daß wir über diesen Mord nichts wissen.«

»Morde«, sagte Brunetti und sah, daß Ratti diese Korrektur unter die Haut ging.

»Vor drei Jahren«, begann Ratti, »sagte uns ein Freund in Mailand, er wisse jemanden, der uns zu einer Wohnung in Venedig verhelfen könne. Wir hatten schon ein halbes Jahr lang gesucht, aber es war sehr schwierig, etwas zu finden, besonders auf die Entfernung.« Brunetti überlegte, ob er sich wohl jetzt eine Reihe von Klagen anhören müßte. Aber Ratti, der Brunettis Ungeduld vielleicht spürte, fuhr fort: »Er gab uns eine Telefonnummer, eine Nummer hier in Venedig. Wir riefen an und erklärten, was wir wollten, und der Mann am anderen Ende fragte uns, was für eine Wohnung wir uns vorstellten und wieviel wir bezahlen wollten.« Ratti hielt inne, oder hörte er ganz auf?

»Ja?« drängte Brunetti mit einer Stimme genau wie dieser Priester, wenn die Kinder eine Frage zum Katechismus hatten.

»Ich habe ihm gesagt, was mir vorschwebte, und er sagte, er würde mich in ein paar Tagen zurückrufen. Das tat er und teilte uns mit, er könne uns drei Wohnungen zeigen, ob wir am Wochenende nach Venedig kommen könnten. Als wir dann kamen, hat er uns diese und noch zwei andere Wohnungen gezeigt.«

»War es derselbe Mann, der am Telefon war, als Sie angerufen haben?«

»Das weiß ich nicht. Aber es war eindeutig derselbe Mann, der zurückgerufen hat.«

»Wissen Sie, wer er war oder ist?«

»Es ist der Mann, an den wir die Miete bezahlen, aber ich weiß nicht, wie er heißt.«

»Und wie machen Sie das mit der Miete?«

»Er ruft uns in der letzten Woche des Monats an und sagt uns, wo wir ihn treffen sollen. Meist in einer Bar, aber im Sommer auch manchmal im Freien.«

»Wo, hier in Venedig oder in Mailand?«

Seine Frau mischte sich ein. »Er weiß offenbar immer, wo wir gerade sind. Er ruft hier an, wenn wir in Venedig sind, und in Mailand, wenn wir dort sind.«

»Und was tun Sie dann?«

Diesmal antwortete Ratti. »Ich treffe mich mit ihm und gebe ihm das Geld.«

»Wieviel?«

»Zweieinhalb Millionen Lire.«

»Monatlich?«

»Ja, wobei ich manchmal ein paar Monate im voraus bezahle.«

»Wissen Sie, wer dieser Mann ist?« fragte Brunetti.

»Nein, aber ich habe ihn einige Male hier auf der Straße gesehen.«

Brunetti war klar, daß für eine Beschreibung später noch Zeit war, und er ließ es durchgehen. »Und was ist mit der *Lega*? Welche Rolle spielt sie?«

»Als wir diesem Mann sagten, wir seien an der Wohnung interessiert, schlug er einen Preis vor, aber wir haben ihn auf zweieinhalb Millionen heruntergehandelt«, sagte Ratti mit schlecht verhohlener Selbstzufriedenheit.

»Und die *Lega*?« fragte Brunetti noch einmal.

»Er sagte uns, wir würden Antragsformulare von der *Lega* bekommen, die wir ausfüllen und zurückschicken sollten, und daß wir die Wohnung dann innerhalb von zwei Wochen beziehen könnten.«

Hier unterbrach Signora Ratti. »Er hat uns auch gebeten, niemandem zu erzählen, wie wir zu der Wohnung gekommen sind.«

»Hat Sie denn jemand danach gefragt?«

»Freunde in Mailand«, antwortete sie, »aber wir haben ihnen gesagt, wir hätten sie über einen Makler gefunden.«

»Und der, von dem Sie ursprünglich die Telefonnummer hatten?«

Ratti mischte sich ein. »Dem haben wir dasselbe gesagt, daß wir einen Makler beauftragt hätten.«

»Wissen Sie, woher er die Nummer hatte?« erkundigte Brunetti sich.

»Er hat uns erzählt, auf einer Party habe sie ihm jemand gegeben.«

»Erinnern Sie sich noch, in welchem Jahr und Monat Sie zum erstenmal da angerufen haben?«

»Warum?« fragte Ratti sofort mißtrauisch.

»Ich hätte mir gern ein klareres Bild gemacht, wann das angefangen hat«, log Brunetti, der dachte, daß er ja ihr Telefon überprüfen lassen konnte, ob sie in der Zeit mit Venedig gesprochen hatten.

Obwohl man ihm seine Skepsis ansah und auch anhörte, antwortete Ratti: »Im März vor zwei Jahren. Gegen

Ende des Monats. Wir sind Anfang Mai hier eingezogen.«

»Ah ja«, sagte Brunetti. »Und hatten Sie, seit Sie in dieser Wohnung wohnen, etwas mit der *Lega* zu tun?«

»Nein, gar nichts«, antwortete Ratti.

»Wie ist das mit den Quittungen?« wollte Brunetti wissen.

Ratti rutschte unbehaglich auf seinem Stuhl herum. »Wir bekommen jeden Monat eine von der Bank.«

»Über welchen Betrag?«

»Zweihundertzwanzigtausend.«

»Warum hatten Sie dann Bedenken, sie Sergente Vianello zu zeigen?«

Seine Frau mischte sich wieder ein und antwortete für ihn. »Wir wollten nicht in irgend etwas hineingezogen werden.«

»Mascari?« fragte Brunetti unvermittelt.

Rattis Nervosität schien zuzunehmen. »Was meinen Sie damit?«

»Als der Direktor der Bank, von der Sie Ihre Mietquittungen bekommen, umgebracht wurde, fanden Sie das nicht merkwürdig?«

»Nein, warum sollte ich?« sagte Ratti betont ärgerlich. »Ich habe gelesen, wie er gestorben ist. Ich nahm an, daß er von einem seiner – wie nennt man sie, Freier? – umgebracht wurde.« Brunetti war ziemlich sicher, daß heutzutage jeder wußte, wie man sie nannte, aber er beantwortete die Frage nicht.

»Hat sich in letzter Zeit jemand wegen der Wohnung mit Ihnen in Verbindung gesetzt?«

»Nein, niemand.«

»Wenn Sie einen Anruf oder womöglich sogar Besuch von dem Mann bekommen sollten, dem Sie Ihre Miete bezahlen, erwarte ich, daß Sie uns unverzüglich verständigen.«

»Ja, natürlich, Commissario«, sagte Ratti, wieder ganz in der Rolle des untadeligen Bürgers.

Brunetti hatte plötzlich genug von ihnen, ihrem Gehabe, ihren Designerklamotten, und sagte: »Sie können mit Sergente Vianello nach unten gehen. Bitte geben Sie ihm eine möglichst genaue Beschreibung des Mannes, dem Sie die Miete übergeben.« Und an Vianello gewandt: »Wenn es jemand sein könnte, den wir kennen, zeigen Sie ihnen ein paar Fotos.«

Vianello nickte und öffnete die Tür. Die Rattis standen auf, aber beide machten keine Anstalten, Brunetti die Hand zu geben. Der Professore nahm das kurze Stück bis zur Tür den Arm seiner Frau und trat dann zur Seite, um sie vorgehen zu lassen. Vianello warf Brunetti einen Blick zu und erlaubte sich ein winziges Lächeln, bevor er ihnen nach draußen folgte und die Tür hinter sich zuzog.

24

Sein Telefonat mit Paola an dem Abend war kurz. Sie fragte, ob es etwas Neues gebe, und wiederholte ihren Vorschlag, für ein paar Tage herunterzukommen; sie meinte, sie könne die Kinder allein im Hotel lassen, aber Brunetti erklärte, der Gedanke verbiete sich bei dieser Hitze von alleine.

Den Rest des Abends verbrachte er in Gesellschaft Kaiser Neros, von dem Tacitus sagte: »Er war in seiner Lasterhaftigkeit so weit gegangen, daß er nicht mehr verderbter werden konnte.« Er schlief erst ein, nachdem er die Schilderung vom Brand Roms gelesen hatte, der in Tacitus' Augen offenbar mit der Hochzeitsfeier des Kaisers mit einem »Buhlknaben« zusammenhing, wobei Nero den »Brautschleier anlegte« und damit sogar die Mitglieder seines zügellosen Hofes schockierte. Transvestiten überall.

Am nächsten Morgen ging Brunetti – noch bevor er davon erfuhr, daß der *Corriere* über Burrascas Festnahme berichtet hatte, ohne Signora Patta zu erwähnen – zur Beerdigung von Maria Nardi. Die Chiesa dei Gesuiti war überfüllt mit ihren Freunden und Verwandten und den meisten Polizeiangehörigen der Stadt. Scarpa aus Mestre war auch gekommen und berichtete, daß Sergente Gallo nicht von der Verhandlung in Mailand weggekonnt habe und mindestens noch drei Tage bleiben müsse. Selbst Vice-Questore Patta nahm teil, feierlich im dunkelblauen Anzug. Auch wenn Brunetti wußte, daß es sentimental und sicher der Zeit nicht angemessen war, wurde er den Gedanken nicht los, es müsse für eine Frau schlimmer sein, in Ausübung ihres Polizeiberufs zu sterben, als für einen Mann. Nach der Messe wartete er auf der Treppe vor der Kirche, während der Sarg von sechs Polizisten in Uniform hinausgetragen wurde. Als dann, hemmungslos weinend und schwankend vor Gram, der Ehemann von Maria Nardi herauskam, wandte Brunetti den Blick ab und schaute nach links übers Wasser der *laguna* nach Murano. Er stand immer noch so da, als Vianello zu ihm trat und ihn am Arm berührte.

»Commissario?«

Er kehrte in die Wirklichkeit zurück. »Ja, Vianello?«

»Die Rattis haben uns möglicherweise jemanden identifiziert.«

»Wann? Warum haben Sie mir das nicht gesagt?«

»Ich habe es erst heute morgen erfahren. Sie hatten sich ja gestern nachmittag noch etliche Fotos angesehen, sagten aber, sie seien nicht sicher. Meiner Ansicht nach waren sie es und wollten nur zuerst mit ihrem Anwalt sprechen. Jedenfalls sind sie heute morgen um neun dagewesen und haben Pietro Malfatti wiedererkannt.«

Brunetti pfiff leise. Malfatti gehörte seit Jahren zu ihren Stammkunden; er hatte Gewaltverbrechen, darunter Vergewaltigung und Mordversuche, auf dem Kerbholz, aber die Anklage schien immer in sich zusammenzufallen, bevor Malfatti vor Gericht kam; Zeugen änderten ihre Aussagen oder behaupteten, sie hätten sich bei der ursprünglichen Identifizierung geirrt. Er war zweimal verurteilt worden, einmal wegen Zuhälterei und einmal wegen versuchter Schutzgelderpressung von einem Barbesitzer. Die Bar war abgebrannt, während Malfatti seine zwei Jahre im Gefängnis absaß.

»Haben sie ihn eindeutig identifiziert?«

»Beide waren ihrer Sache ziemlich sicher.«

»Haben wir seine Adresse?«

»Die letzte war eine Wohnung in Mestre, aber da ist er seit über einem Jahr nicht mehr gewesen.«

»Freunde? Frauen?«

»Wir sind dabei, das zu überprüfen.«

»Wie steht es mit Verwandten?«

»Daran habe ich noch nicht gedacht. Es müßte eigentlich aus seiner Akte hervorgehen.«

»Sehen Sie nach, wen es da gibt. Wenn es nahe Verwandte wie Mutter oder Bruder sind, postieren Sie in einer Wohnung in der Nähe jemanden, der nach ihm Ausschau hält. Nein«, sagte er, in Erinnerung an das wenige, was er von Malfatti wußte, »nehmen Sie zwei.«

»Ja, Commissario. Noch etwas?«

»Die Unterlagen von der Bank und der *Lega*?«

»Beide sollten eigentlich heute die Sachen an uns übergeben.«

»Ich will sie haben. Und wenn Sie hingehen und sie sich herausholen müssen. Ich will alle Unterlagen, die mit Zahlungen für diese Wohnungen zu tun haben, und ich möchte, daß jeder einzelne in der Bank befragt wird, damit wir wissen, ob Mascari irgendwann etwas über die *Lega* geäußert hat. Egal wann. Und wenn Sie den Richter brauchen, damit Sie die Sachen bekommen, dann nehmen Sie ihn mit.«

»Ja, Commissario.«

»Wenn Sie bei der Bank sind, versuchen Sie herauszubekommen, wer für die Konten der *Lega* verantwortlich war.«

»Ravanello?« fragte Vianello.

»Wahrscheinlich.«

»Wir werden ja sehen, was wir finden. Was ist mit Santomauro, Commissario?«

»Mit dem rede ich heute.«

»Ist das…« Vianello bremste sich, bevor er so direkt fragte, ob das klug sei, und erkundigte sich statt dessen: »Ist das denn ohne Verabredung möglich?«

»Ich glaube, Avvocato Santomauro wird sehr daran interessiert sein, sich mit mir zu unterhalten, Sergente.«

Und so war es. Das Büro des Avvocato lag im zweiten Stock eines Hauses am Campo San Luca, keine zwanzig Meter von drei verschiedenen Banken entfernt. Wie praktisch doch diese Nähe war, dachte Brunetti, während Santomauros Sekretärin ihn nur wenige Minuten nach seiner Ankunft ins Büro des Anwalts führte.

Santomauro saß an seinem Schreibtisch vor einem großen Fenster, das auf den Campo hinausging. Das Fenster war allerdings hermetisch verschlossen und das Büro so gekühlt, daß es schon beinah unbehaglich war, vor allem angesichts dessen, was man unten alles sehen konnte: nackte Schultern, Beine, Rücken, Arme, und hier war es kühl genug für Jackett und Krawatte.

Der Anwalt blickte auf, als Brunetti hereingeführt wurde, hielt es aber nicht für nötig, zu lächeln oder aufzustehen. Er trug einen konservativen grauen Anzug mit dunkler Krawatte und ein blendendweißes Hemd. Seine blauen Augen standen weit auseinander und blickten mit entwaffnender Aufrichtigkeit in die Welt. Seine Haut war blaß, so blaß, als ob es mitten im Winter wäre: keine Ferien für jene, die im Weinberg des Rechts ackerten.

»Setzen Sie sich, Commissario«, sagte er. »In welcher Angelegenheit wollten Sie mich sprechen?« Er streckte die Hand aus und schob ein Foto in silbernem Rahmen etwas zur Seite, um Brunetti besser im Blick zu haben und Brunetti einen besseren Blick auf das Foto zu gewähren. Es zeigte eine Frau in Santomauros Alter mit zwei jungen Männern, die ihm beide ähnlich sahen.

»In mehreren, Avvocato«, antwortete Brunetti, während er ihm gegenüber Platz nahm. »Aber ich fange mit der *Lega della Moralità* an.«

»Es tut mir leid, aber da müssen Sie meine Sekretärin bitten, Sie mit Informationen zu versorgen, Commissario. Meine Rolle ist fast ausschließlich repräsentativ.«

»Ich weiß nicht genau, ob ich verstehe, was Sie damit meinen, Avvocato.«

»Die *Lega* braucht immer eine Galionsfigur, jemanden, der den Präsidenten spielt. Aber Sie haben sicher schon festgestellt, daß wir Vorstandsmitglieder mit der praktischen Arbeit der *Lega* nicht viel zu tun haben. Die eigentliche Arbeit wird vom Direktor der Bank geleistet, bei der die Konten geführt werden.«

»Und was ist dann genau Ihre Funktion?«

»Wie ich schon sagte«, erklärte Santomauro mit dem Anflug eines Lächelns, »ich diene als Galionsfigur. Ich habe einen gewissen… sagen wir einen gewissen Status in der Gesellschaft, und darum wurde ich gebeten, Präsident zu werden, nur ein Titel.«

»Wer hat Sie gebeten?«

»Die Leute von der Bank, von der die Konten der *Lega* geführt werden.«

»Wenn der Bankdirektor die Geschäfte der *Lega* führt, worin bestehen dann Ihre Aufgaben, Avvocato?«

»Ich spreche für die *Lega* in den Fällen, in denen die Presse etwas von uns wissen will, oder wenn der Standpunkt der *Lega* zu einem Thema gefragt ist.«

»Ich verstehe. Und worin noch?«

»Zweimal im Jahr treffe ich mich mit dem Vertreter der Bank, der die Konten der *Lega* betreut, um die Finanzlage zu besprechen.«

»Und wie sieht diese Lage aus, wenn ich fragen darf?«

Santomauro legte beide Handflächen vor sich auf die Schreibtischplatte. »Wie Sie wissen, sind wir eine gemeinnützige Organisation, und es genügt uns, wenn wir es schaffen, sozusagen den Kopf über Wasser zu halten. Finanziell gesehen.«

»Und was heißt das? Finanziell gesehen, meine ich.«

Santomauros Ton wurde noch gelassener, seine Geduld noch hörbarer. »Daß wir es schaffen, genug Geld zu sammeln, um auch weiterhin denen unsere Wohltaten zugute kommen zu lassen, die dazu ausersehen wurden, sie entgegenzunehmen.«

»Und wer entscheidet, wer sie entgegennimmt, wenn ich das fragen darf?«

»Dieser Vertreter der Bank natürlich.«

»Und die Wohnungen, die der *Lega* zur Verfügung stehen, wer entscheidet, wem sie gegeben werden?«

»Dieselbe Person«, sagte Santomauro, wobei er sich ein kurzes Lächeln gestattete, bevor er hinzufügte: »Der Vorstand genehmigt üblicherweise seine Vorschläge.«

»Und haben Sie als Präsident dabei irgendein Mitspracherecht, eine Entscheidungsbefugnis?«

»Wenn ich davon Gebrauch machen wollte, hätte ich sie wohl. Aber wie ich Ihnen bereits sagte, Commissario, sind unsere Posten reine Ehrenämter.«

»Was heißt das, Avvocato?«

Bevor er antwortete, stippte Santomauro mit der Fingerspitze ein winziges Staubflöckchen von seiner Schreibtischplatte. Dann nahm er die Hand vom Tisch und schnippte das Stäubchen fort. »Wie gesagt, mein Posten ist rein repräsentativ. Ich fände es, bei den vielen Leuten, die ich hier in der Stadt kenne, nicht korrekt, wenn ich versuchen würde, bei der Auswahl derjenigen mitzuwirken, die auf irgendeine Weise von der Wohltätigkeit der *Lega* profitieren. Und wenn ich mir die Freiheit nehmen darf, auch für die anderen zu sprechen, meine Vorstandskollegen würden das wohl ebenso sehen.«

»Aha«, sagte Brunetti, der gar nicht erst versuchte, seine Skepsis zu verbergen.

»Es fällt Ihnen schwer, das zu glauben, Commissario?«

»Es wäre unklug, wenn ich Ihnen sagen würde, was zu glauben mir schwerfällt, Avvocato«, antwortete Brunetti und fragte dann: »Und Signor Crespo? Verwalten Sie seinen Nachlaß?«

Es war Jahre her, daß Brunetti gesehen hatte, wie ein

Mann die Lippen schürzte, aber genau das tat Santomauro, bevor er antwortete: »Ich bin Signor Crespos Anwalt, also verwalte ich natürlich seinen Nachlaß.«

»Ist es ein umfangreicher Nachlaß?«

»Das ist eine vertrauliche Information, Commissario, wie Sie als gesetzeskundiger Mann eigentlich wissen müßten.«

»Ah ja, und die Art der Beziehungen, die Sie zu Signor Crespo unterhalten haben, ist dann wohl ebenso vertraulich?«

»Wie ich sehe, kennen Sie sich mit den Gesetzen aus, Commissario«, sagte Santomauro und lächelte.

»Können Sie mir sagen, ob die Unterlagen über die *Lega*, ich meine die Kontounterlagen, schon der Polizei übergeben wurden?«

»Sie sagen das, als ob Sie nicht zur Polizei gehörten, Commissario.«

»Die Unterlagen, Signor Santomauro. Wo sind sie?«

»Natürlich in den Händen der Polizei. Ich habe meine Sekretärin heute morgen Kopien machen lassen.«

»Wir wollen die Originale.«

»Natürlich sind es die Originale, die ich Ihnen geschickt habe, Commissario«, erklärte Santomauro mit einem weiteren wohldosierten Lächeln. »Ich habe mir erlaubt, Kopien für mich machen zu lassen, nur falls etwas verlorengeht, solange sie bei Ihnen sind.«

»Wie umsichtig von Ihnen, Avvocato«, sagte Brunetti, allerdings ohne zu lächeln. »Aber ich will Ihnen nicht Ihre Zeit stehlen. Ich weiß ja, wie kostbar Zeit für jemanden ist, der Ihre Stellung in der Gesellschaft einnimmt. Ich habe nur noch eine Frage. Könnten Sie mir sagen, wer bei der Bank die Konten der *Lega* unter sich hat? Ich möchte mich gern mit ihm unterhalten.«

Santomauros Lächeln wurde noch liebenswürdiger. »Das wird leider unmöglich sein, Commissario. Wissen Sie, die Verwaltung der *Lega*-Konten oblag dem verstorbenen Leonardo Mascari.«

25

Auf dem Rückweg ins Büro dachte er über die bewundernswerte Geschicklichkeit nach, mit der Santomauro die Schuld Mascaris angedeutet hatte. Es beruhte alles auf so unsicheren Voraussetzungen: daß die Unterlagen bei der Bank jetzt so aussahen, als seien sie von Mascari verwaltet worden; daß die Mitarbeiter der Bank nicht wußten oder dazu manipuliert werden konnten, sich nicht mehr zu erinnern, ob je ein anderer die Konten der *Lega* bearbeitet hatte; daß nichts über die Morde an Mascari oder Crespo herauskam.

In der Questura stellte er fest, daß sowohl die Banca di Verona als auch die *Lega* inzwischen ihre Unterlagen der Polizei ausgehändigt hatten und daß schon drei Mitarbeiter der *Guardia di Finanza* dabei waren, sie durchzusehen, um festzustellen, wer die Konten geführt hatte, auf die Mieten eingezahlt und Schecks für die wohltätigen Zwecke ausgestellt worden waren.

Brunetti wußte, daß es keinen Sinn hatte, ihnen über die Schulter schauen zu wollen, aber er konnte nicht anders, er wollte wenigstens sehen, wo sie arbeiteten. Um das zu vermeiden, ging er zum Mittagessen und wählte absichtlich ein Restaurant im Ghetto, auch wenn das einen langen Weg hin und zurück in der größten Hitze bedeutete. Als er nach drei wiederkam, war sein Jackett durchgeschwitzt, und seine Schuhe fühlten sich an, als ob sie mit seinen Füßen verschmolzen wären.

Wenige Minuten später kam Vianello zu ihm und sagte ohne Vorrede: »Ich habe die Liste der Leute durchgesehen, die Schecks von der *Lega* bekommen.«

Brunetti kannte diesen Ton. »Und was haben Sie gefunden?«

»Daß Malfattis Mutter wieder geheiratet und den Namen ihres neuen Mannes angenommen hat.«

»Und?«

»Und daß sie unter diesem wie unter ihrem früheren Namen Schecks erhält. Mehr noch, ihr neuer Ehemann kriegt auch einen Scheck, ebenso zwei seiner Vettern, und, wie es aussieht, jeder unter zwei verschiedenen Namen.«

»Was kommt denn da so für die Familie Malfatti zusammen?«

»Die Schecks lauten alle auf fünfhunderttausend monatlich, so daß es an die drei Millionen im Monat macht.« Unwillkürlich rutschte Vianello die Frage heraus: »Haben die denn nie daran gedacht, daß sie mal erwischt werden?«

Brunetti hielt eine Antwort darauf für überflüssig und fragte statt dessen: »Was ist mit den Schuhen?«

»Da hatten wir leider kein Glück. Haben Sie mit Gallo gesprochen?«

»Er ist immer noch in Mailand, aber ich bin sicher, daß Scarpa mich angerufen hätte, wenn sie irgend etwas erfahren hätten. Wie weit sind die Leute von der *Finanza*?«

Vianello zuckte die Achseln. »Sie sind seit heute morgen da drin.«

»Wissen die, wonach sie suchen sollen?« fragte Brunetti, der die Ungeduld in seinem Ton nicht unterdrücken konnte.

»Nach irgendeinem Hinweis darauf, wer das Ganze bearbeitet hat, denke ich.«

»Würden Sie mal runtergehen und fragen, ob sie etwas gefunden haben? Falls Ravanello damit zu tun hat, möchte ich ihn mir so bald wie möglich vornehmen.«

»Ja, Commissario«, sagte Vianello und ging.

Während er auf Vianellos Rückkehr wartete, krempelte Brunetti die Ärmel seines Hemdes hoch, aber eher um etwas zu tun zu haben, als in der Hoffnung, sich damit Kühlung zu verschaffen.

Als Vianello kam, stand ihm die Antwort ins Gesicht geschrieben. »Ich habe mit dem Capitano gesprochen. Er sagt, soweit sie es bisher überblicken können, sieht es nach Mascari aus.«

»Was soll das heißen?« blaffte Brunetti.

»So ist es mir gesagt worden«, antwortete Vianello sehr langsam und mit betont unbewegter Stimme und fügte nach einer langen Pause hinzu: »Commissario.« Ein paar Sekunden schwiegen beide. »Wenn Sie selbst mit ihnen sprechen würden, bekämen Sie vielleicht einen klareren Eindruck, was es heißen soll.«

Brunetti wandte den Blick ab und rollte seine Ärmel herunter. »Gehen wir zusammen runter, Vianello.« Das war das Äußerste, was er sich als Entschuldigung abringen konnte, aber Vianello schien es zufrieden. Angesichts der Hitze im Zimmer konnte er wahrscheinlich nicht mehr erwarten.

Unten ging Brunetti in das Büro, in dem die drei Männer in den grauen Uniformen der *Guardia di Finanza* arbeiteten. Sie saßen an einem langen Tisch voller Ordner und Papiere. Zwei kleine Taschenrechner und ein Laptop standen darauf, und über jedes der Geräte beugte sich einer der Männer. Als Zugeständnis an die Hitze hatten sie ihre wollenen Jacketts abgelegt, trugen aber noch die Krawatten.

Der Mann am Computer blickte auf, als Brunetti hereinkam, spähte kurz über seine Brille und sah dann wieder auf seinen Bildschirm, bevor er weitere Informationen in die Tastatur hämmerte. Er schaute erneut auf den Bildschirm, warf einen kurzen Blick auf das Blatt neben seiner Tastatur, drückte einige Tasten und betrachtete wieder den Bildschirm. Dann nahm er das Blatt rechts von seinem Computer, legte es umgekehrt auf die linke Seite und begann, die Zahlen auf dem nächsten Blatt zu lesen.

»Wer hat hier das Sagen?« fragte Brunetti.

Ein kleiner, rothaariger Mann blickte von einem der Taschenrechner hoch und sagte: »Ich. Sind Sie Commissario Brunetti?«

»Ja«, antwortete Brunetti, ging zu ihm hin und streckte die Hand aus.

»Capitano de Luca«, sagte der andere, und dann weniger formell, indem er Brunettis Hand ergriff: »Beniamino.« Er deutete auf die Papiere. »Sie wollten wissen, wer das alles bei der Bank bearbeitet hat?«

»Ja.«

»Im Moment sieht es so aus, als wäre es jemand namens Mascari gewesen. Seine Kennziffer erscheint bei allen Transaktionen, und auf vielen dieser Papiere stehen offenbar seine Initialen.«

»Könnte das gefälscht sein?«

»Wie meinen Sie das, Commissario?«

»Ob jemand diese Dokumente verändert haben könnte, damit es aussieht, als hätte Mascari sie bearbeitet.«

De Luca überlegte lange, bevor er antwortete: »Ich nehme es an. Wenn derjenige ein oder zwei Tage Zeit hatte, an den Unterlagen zu arbeiten, könnte er es geschafft haben.« Er grübelte noch ein Weilchen, als rechnete er eine mathematische Formel im Kopf aus. »Ja, doch, jeder hätte das machen können, vorausgesetzt, er kannte die Kennziffer.«

»Wie geheim sind solche Kennziffern bei einer Bank?«

»Ich könnte mir vorstellen, daß sie gar nicht geheim sind. Die Leute müssen doch dauernd gegenseitig ihre Konten überprüfen, und dazu brauchen sie die Kennziffern. Ich würde sagen, daß es ganz einfach ist.«

»Und wie steht es mit den Initialen auf den Quittungen?«

»Leichter zu fälschen als eine Unterschrift«, sagte de Luca.

»Könnte man irgendwie beweisen, daß es jemand anderes getan hat?«

Wieder überlegte de Luca lange, bevor er antwortete. »Bei den Computereingaben gar nicht. Bei den Initialen könnte man vielleicht nachweisen, daß sie gefälscht sind, aber die meisten Leute kritzeln sie einfach so hin; oft ist es schwer, sie auseinanderzuhalten oder sogar die eigenen zu erkennen.«

»Könnte man es so darstellen, daß an den Unterlagen etwas verändert wurde?«

De Lucas Blick war so klar wie seine Antwort. »Darstellen könnte man es schon so, Commissario, aber vor Gericht sollten Sie das lieber nicht versuchen.«

»Mascari war also verantwortlich?«

Diesmal zögerte de Luca. »Nein, das würde ich nicht sagen. Es sieht so aus, aber es ist durchaus möglich, daß die Unterlagen manipuliert wurden, um diesen Eindruck zu erwecken.«

»Und die anderen Dinge, das Auswahlverfahren für die Wohnungen?«

»Oh, es ist eindeutig, daß bei der Wohnungsvergabe andere Gründe als die Bedürftigkeit eine Rolle spielten, und die Vergabe des Geldes hatte oft mit Armut nicht viel zu tun.«

»Woher wissen Sie das?«

»Was die Anwärter für eine Wohnung anbelangt, haben wir die Bewerbungsschreiben ja alle hier, unterteilt in zwei Gruppen, solche, die etwas bekommen haben, und solche, die abgelehnt wurden.« De Luca hielt inne. »Nein, ich gehe zu weit. Eine Anzahl von Wohnungen, eine große Anzahl, wurde an Leute vergeben, die offenbar wirklich bedürftig sind, aber fast ein Viertel der Bewerbungen kommt von Leuten, die nicht einmal Venezianer sind.«

»Von denen, die Wohnungen bekommen haben?« fragte Brunetti.

»Ja. Und Ihre Leute haben die Liste der Mieter noch nicht einmal ganz überprüft.«

Brunetti sah zu Vianello hinüber, der erklärte: »Sie haben etwa die Hälfte nachgeprüft, und es sieht aus, als ob viele Wohnungen an junge Leute vergeben wurden, die allein leben. Und nachts arbeiten.«

Brunetti nickte. »Vianello, sobald Sie über jeden auf beiden Listen einen vollständigen Bericht haben, geben Sie ihn mir.«

»Das dauert mindestens noch zwei Tage, Commissario«, sagte Vianello.

»Ich fürchte, es hat keine Eile mehr«, sagte Brunetti, dankte de Luca für die Hilfe und ging wieder hinauf in sein Büro.

Es war perfekt, überlegte er, so perfekt, wie man so etwas nur machen konnte. Ravanello hatte sein Wochenende für einen guten Zweck geopfert, und aus den Unterlagen ging jetzt hervor, daß Mascari die Konten der *Lega* verwaltet hatte. Wie ließ sich der Verbleib der vielen Millionen zweckentfremdeter *Lega*-Gelder besser erklären, als daß sie bei Mascari und seinen Transvestiten gelandet waren. Wer wußte schon, was er alles angestellt hatte, wenn er für die Bank auf Reisen war, welche Orgien er abgehalten, welche Vermögen er verschleudert hatte, dieser Mann, der zu sparsam war, ein Ferngespräch mit seiner Frau zu führen? Und Malfatti war weit weg von Venedig und würde sich so schnell nicht wieder blicken lassen, da war Brunetti ganz sicher, ebenso wie er nicht daran zweifelte, daß Malfatti als derjenige wiedererkannt werden würde, der die Mieten kassiert und dafür gesorgt hatte, daß ein gewisser Prozentsatz von den Schecks wieder an ihn zurückfloß, als Bedingung dafür, daß sie überhaupt ausgestellt wurden. Und Ravanello? Er würde sich als der gute Freund hinstellen, der aus falschverstandener Loyalität Mascaris sündiges Geheimnis nicht verraten hatte, nicht ahnend, auf welche finanziellen Ungeheuerlichkeiten sein

Freund sich eingelassen hatte, um seine unnatürlichen Lüste zu bezahlen. Santomauro? Zweifellos würde er einigen Spott ernten, wenn herauskam, welch leichtgläubiges Werkzeug seines Bankerfreundes Mascari er gewesen war, aber früher oder später würde die öffentliche Meinung ihn zwangsläufig als den selbstlosen Bürger sehen, dessen Vertrauensseligkeit durch die Doppelzüngigkeit getäuscht worden war, zu der Mascari von seinen widernatürlichen Lüsten getrieben wurde. Perfekt, absolut perfekt, und nicht die kleinste Lücke, in der Brunetti die Wahrheit unterbringen konnte.

26

In dieser Nacht bot Tacitus' hehrer Moralismus Brunetti keinen Trost, noch verhalf Messalinas und Agrippinas gewaltsames Ende der Gerechtigkeit zum Sieg. Er las den grausamen Bericht ihres vielfach verdienten Todes, konnte sich aber der Erkenntnis nicht entziehen, daß die Übel, die von diesen boshaften Frauen in die Welt gesetzt waren, sie lange überlebt hatten. Schließlich, als es schon zwei Uhr vorbei war, zwang er sich, das Buch wegzulegen, und verbrachte den Rest der Nacht in unruhigem Schlaf, immer wieder gestört durch Gedanken an Mascari, diesen aufrechten Mann, vorzeitig aus dem Leben gerissen, sein Tod noch schändlicher als der Messalinas und Agrippinas. Auch hier würde das Übel noch lange überleben.

Der Morgen war stickig, als liege ein Fluch über der Stadt, der sie zu drückender Hitze und schlechter Luft verdammte, während die erfrischenden Brisen sie ihrem Schicksal überließen und sonstwo wehten. Als er auf dem Weg zur Arbeit über den Rialtomarkt ging, sah Brunetti, daß viele der Verkaufsstände geschlossen hatten und an ihren üblichen Plätzen in der geordneten Reihe die Leere gähnte wie Zahnlücken im Mund eines Trunkenboldes. Sinnlos, während des Ferragosto Gemüse verkaufen zu wollen; die Einwohner flohen die Stadt, und die Touristen wollten nur *panini* und *acqua minerale*.

Er war früh in der Questura, denn er scheute sich, nach neun durch die Stadt zu gehen, wenn die Hitze immer schlimmer wurde und es in den Straßen noch mehr von Touristen wimmelte. Er wollte gar nicht an sie denken. Nicht heute.

Nichts konnte ihn aufmuntern, nicht der Gedanke, daß die illegalen Machenschaften der *Lega* nun ein Ende hatten, und nicht die Hoffnung, daß de Luca und seine Leute vielleicht doch noch einen kleinen Hinweis finden würden, der zu Santomauro und Ravanello führte. Genausowenig erwartete er, die Herkunft des Kleides oder der Schuhe, die Mascari angehabt hatte, noch feststellen zu können, zuviel Zeit war schon verstrichen.

Mitten in diese düsteren Überlegungen platzte Vianello ohne anzuklopfen in sein Büro: »Wir haben Malfatti gefunden!«

»Wo?« fragte Brunetti, der aufstand und ihm entgegenging, plötzlich energiegeladen.

»Bei seiner Freundin Luciana Vespa, drüben in San Barnaba.«

»Wie?«

»Ihr Vetter hat uns angerufen. Er steht mit auf der Liste und hat im vergangenen Jahr regelmäßig Schecks von der *Lega* bekommen.«

»Habt ihr einen Kuhhandel mit ihm gemacht?« fragte Brunetti, nicht im mindesten bekümmert ob der Ungesetzlichkeit solchen Vorgehens.

»Nein, er hat nicht einmal zu fragen gewagt. Er sagte, er wolle helfen.« Vianellos Schnauben machte deutlich, wieviel Glaubwürdigkeit er dem beimaß.

»Und was hat er gesagt?« wollte Brunetti wissen.

»Daß Malfatti seit drei Tagen bei ihr ist.«

»Steht sie auch auf der Liste?«

Vianello schüttelte den Kopf. »Nur die Ehefrau. Wir hatten zwei Tage lang einen Mann in der angrenzenden Wohnung, aber dort ist er nicht aufgekreuzt.« Während sie sich unterhielten, gingen sie die Treppe hinunter zum Büro, in dem die uniformierten Kollegen arbeiteten.

»Haben Sie ein Boot bestellt?« fragte Brunetti.

»Ist schon draußen. Wie viele Leute wollen Sie mitnehmen?«

Brunetti war nie bei einer von Malfattis Festnahmen dabeigewesen, aber er hatte die Berichte gelesen. »Drei. Bewaffnet. Und mit Westen.«

Zehn Minuten später gingen er und Vianello und die drei Beamten, letztere gepolstert und bereits schweißgebadet in den dicken kugelsicheren Westen, die sie über ihrer Uniform trugen, an Bord des blau-weißen Polizeibootes, das mit laufendem Motor vor der Questura schaukelte. Die drei Uniformierten stiegen hinunter in die Kabine, und Brunetti und Vianello blieben allein an Deck und versuchten etwas von dem bißchen Fahrtwind abzubekommen. Der Bootsführer lenkte die Barkasse ins *bacino* von San Marco und schwenkte dann nach rechts auf den Canal Grande zu. Jahrhundertealte Herrlichkeit zog vorüber, während Brunetti und Vianello die Köpfe zusammensteckten und gegen den Wind und den Motorenlärm anredeten. Sie vereinbarten, daß Brunetti ins Haus gehen und versuchen sollte, Kontakt mit Malfatti aufzunehmen. Da sie über die Frau nichts wußten, hatten sie keine Ahnung, in welcher Beziehung sie zu Malfatti stand, und mußten in erster Linie an ihre Sicherheit denken.

Bei dem Gedanken bereute Brunetti schon wieder, daß sie die anderen Polizisten mitgenommen hatten. Wenn Passanten vier Polizisten sahen, von denen sich drei schwer bewaffnet in der Nähe einer Wohnung aufhielten, gab es garantiert bald einen Menschenauflauf, und das wiederum würde die Aufmerksamkeit der Hausbewohner erregen.

Die Polizeibarkasse hielt am Vaporetto-Anleger Ca' Rezzonico, und die fünf Männer stiegen aus, sehr zum neugierigen Befremden der Leute, die dort auf das Einserboot warteten. Im Gänsemarsch gingen sie durch die schmale *calle* zum Campo San Barnaba und dann auf den freien Platz. Obwohl die Sonne ihren Zenith noch nicht erreicht hatte, strahlte die Hitze schon von den Pflastersteinen zurück und heizte ihnen von unten ein.

Das Haus, das sie suchten, stand an der rechten gegenüberliegenden Ecke des *campo*, und die Eingangstür lag genau vor einem der beiden großen Boote, die dort vom Kanal aus Obst und Gemüse verkauften. Rechts von der Tür war ein Restaurant, das noch nicht geöffnet hatte, daneben ein Buchladen. »Sie«, sagte Brunetti, der Blicke und Kommentare durchaus gewahr, die das Polizeiaufgebot mit seinen Maschinenpistolen bei den Leuten rundum hervorrief, »gehen alle in den Buchladen. Vianello, Sie warten draußen.«

Die Männer, scheinbar zu groß für die kleine Tür, betraten schwerfällig den Laden. Die Besitzerin steckte den Kopf heraus, sah Vianello und Brunetti und zog sich ohne ein Wort wieder zurück.

Der Name »Vespa« stand auf einem Stück Papier, das rechts neben einen der Klingelknöpfe geklebt war. Brunetti kümmerte sich nicht darum und drückte auf den darüberliegenden. Kurz darauf tönte eine Frauenstimme durch die Sprechanlage: »*Si?*«

»*Posta, signora.* Ein Einschreibebrief für Sie. Ich brauche Ihre Unterschrift.«

Als die Tür aufsprang, drehte sich Brunetti zu Vianello um. »Ich sehe mal, was ich oben über ihn herausfinden kann. Bleiben Sie hier unten, und halten Sie die anderen von der Straße fern.« Beim Anblick der drei alten Frauen, die sich schon hinter ihm und Vianello aufgebaut und ihre Einkaufswagen beiseite geschoben hatten, bedauerte er noch mehr, daß er die anderen Polizisten mitgenommen hatte.

Er trat ins Haus, wo ihn das dumpfe, rhythmische Wummern von Rockmusik empfing, das aus einem der oberen Stockwerke herunterdrang. Wenn die Anordnung der Klingeln neben der Tür mit der Lage der Wohnungen übereinstimmte, wohnte Signorina Vespa im ersten Stock und die Frau, die ihn eingelassen hatte, ein Stockwerk darüber. Brunetti stieg rasch die Treppe hinauf, vorbei an der Wohnungstür von Signorina Vespa, aus der die Musik tönte.

Am nächsten Treppenabsatz stand eine junge Frau, die ein Baby auf der Hüfte balancierte, in der Wohnungstür. Als sie ihn sah, trat sie zurück und griff nach der Tür. »Einen Moment, Signora«, sagte Brunetti und blieb auf der Treppe stehen, um sie nicht zu ängstigen. »Ich bin von der Polizei.«

Der Blick, mit dem die Frau an ihm vorbei nach unten sah, dahin, wo die Musik herkam, die hinter ihm die Treppe heraufdröhnte, sagte Brunetti, daß sein Erscheinen sie vielleicht gar nicht überraschte. »Das ist doch seinetwegen?« fragte sie und deutete mit dem Kinn auf die Quelle der schweren Baßtöne, die weiter durchs Treppenhaus wummerten.

»Sie meinen Signorina Vespas Freund?« fragte er.

»Ja, den«, sagte sie und spie die Silben mit solcher Wut aus, daß Brunetti überlegte, was Malfatti wohl sonst noch alles angestellt hatte, seit er hier war.

»Wie lange ist er schon hier?« erkundigte er sich.

»Ich weiß nicht«, antwortete sie mit einem weiteren Schritt rückwärts in ihre Wohnung. »Die Musik ist schon den ganzen Tag an, seit dem frühen Morgen. Und ich kann nicht runtergehen und mich beschweren.«

»Warum nicht?«

Sie zog das Kind enger an sich, als wollte sie ihn daran erinnern, daß sie Mutter war. »Letztes Mal hat er schreckliche Sachen zu mir gesagt.«

»Was ist mit Signorina Vespa, können Sie nicht mit ihr reden?«

Ihr Achselzucken deutete an, daß Signorina Vespa keine Hilfe war.

»Ist sie nicht bei ihm?«

»Ich weiß nicht, wer bei ihm ist, und es ist mir auch egal. Ich will nur, daß die Musik aufhört, damit mein Kind schlafen kann.« Bei diesem Stichwort machte das Baby, das in ihrem Arm fest geschlafen hatte, die Augen auf, sabberte und schlief sofort wieder ein.

Die Musik brachte Brunetti auf die Idee, sie und der Umstand, daß die Frau sich schon einmal bei Malfatti darüber beschwert hatte.

»Signora, gehen Sie hinein«, sagte er. »Ich schlage jetzt

Ihre Tür zu und gehe dann nach unten, um mit ihm zu reden. Bleiben Sie ganz hinten in Ihrer Wohnung, und kommen Sie nicht heraus, bevor einer von meinen Leuten Ihnen Bescheid gibt.«

Sie nickte und zog sich zurück. Brunetti streckte den Arm in ihre Wohnung und faßte den Türgriff. Dann riß er mit aller Kraft daran und schlug die Tür so heftig zu, daß es durchs Treppenhaus knallte wie ein Schuß.

Er drehte sich um und stapfte mit schweren Schritten die Treppe hinunter, wobei er so fest er konnte auftrat und einen solchen Krach machte, daß sogar die Musik vorübergehend übertönt wurde. »*Basta con quella musica*«, schrie er wütend wie einer, dem gleich der Geduldsfaden reißt. »Schluß jetzt mit dieser Musik«, brüllte er wieder. Und unten angekommen, hämmerte er an die Tür, hinter der die Musik dröhnte, wobei er so laut er konnte schrie: »Stell diese verdammte Musik leiser. Mein Kind soll schlafen. Dreh sie leiser, oder ich rufe die Polizei.« Nach jedem Satz hämmerte er und trat dann sogar gegen die Tür.

Er machte das schon eine ganze Minute, bevor die Musik plötzlich leiser wurde, auch wenn sie durch die Tür immer noch gut zu hören war. Dann ging er in eine höhere Tonlage und kreischte, als wäre er nun ganz und gar außer sich geraten: »Mach diese gottverdammte Musik aus. Mach sie aus, oder ich komme rein und mach es selber.«

Er hörte rasche Schritte nahen und wappnete sich. Dann wurde unvermittelt die Tür aufgerissen, und ein untersetzter Mann stand vor ihm, in der Hand eine kurze Stahlrute. Brunetti blieben nur Sekundenbruchteile, aber er erkannte Malfatti nach den Polizeifotos.

Malfatti, die Stahlrute in der herabhängenden Hand, machte einen Schritt über die Schwelle. »Wer zum Teufel«, fing er an und brach ab, als Brunetti vorschnellte und ihn mit einer Hand am rechten Unterarm und mit der anderen an der Hemdbrust packte. Dann holte er aus der Hüfte heraus kräftig Schwung und drehte sich dabei, womit er den völlig überrumpelten Malfatti nach vorn und aus dem Gleichgewicht riß. Der stand schwankend einen Augenblick am Treppenabsatz, versuchte vergeblich, sein Gewicht nach hinten zu verlagern, verlor dann die Balance und stürzte vornüber. Im Fallen ließ er die Stahlrute los, legte beide Arme um den Kopf, rollte sich geschickt zu einer Kugel zusammen und kullerte so die Treppe hinunter.

Brunetti raste hinter ihm her und schrie dabei so laut er konnte nach Vianello. Auf halber Treppe trat er auf die Stahlrute, glitt seitlich weg und krachte gegen die Wand. Als er den Kopf hob, sah er Vianello unten die schwere Haustür aufmachen. Aber inzwischen hatte Malfatti sich hochgerappelt und stand genau hinter der Tür. Bevor Brunetti noch einen Warnruf ausstoßen konnte, trat Malfatti gegen die Tür und stieß sie Vianello voll ins Gesicht, so daß ihm die Waffe aus der Hand fiel und er selbst in die schmale *calle* hinausgeschleudert wurde. Malfatti riß die Tür auf und verschwand im Sonnenlicht.

Brunetti stand auf und rannte mit gezogener Pistole die Treppe hinunter, aber als er auf die Straße kam, war Malfatti über alle Berge, und an dem niedrigen Mäuerchen des Kanals lag Vianello, aus dessen Nase Blut auf sein weißes Uniformhemd lief. Als Brunetti sich über ihn beugte, ka-

27

Vianellos Nase war nicht gebrochen, aber er war sehr mitgenommen. Brunetti half ihm auf die Beine, und er schwankte ein paar Sekunden unsicher und wischte mit der Hand an seiner Nase herum.

Leute drängten sich um sie, alte Frauen wollten wissen, was los war, und die Obstverkäufer erzählten ihren neuesten Kunden bereits, was sie gesehen hatten. Brunetti drehte sich um und stolperte dabei fast über einen Einkaufswagen, der randvoll mit Gemüse war. Wütend stieß er ihn weg und wandte sich dann an die beiden Männer, die auf dem nächstliegenden Boot arbeiteten. Sie hatten die Haustür direkt im Blick und mußten alles beobachtet haben.

»Wohin ist er gelaufen?«

Beide deuteten auf den *campo*, aber dann zeigte der eine nach rechts zum Ponte dell' Accademia, der andere links in Richtung Rialto.

Brunetti machte einem der Polizisten ein Zeichen, Vianello mit ihm zum Boot zu führen. Doch der Sergente schob ihre Hände unwillig weg und bestand darauf, er könne allein gehen. Vom Deck des Bootes aus gab Brunetti über Funk eine Personenbeschreibung Malfattis an die Questura durch mit der Anweisung, Kopien seines Fotos an alle Polizisten der Stadt verteilen zu lassen und seine Beschreibung an die Streifen zu funken.

Nachdem alle Polizisten an Bord waren, lenkte der

Bootsführer die Polizeibarkasse rückwärts auf den Canal Grande zu, drehte dann und fuhr Richtung Questura. Vianello ging nach unten und setzte sich mit zurückgelegtem Kopf hin, um das Blut zu stoppen. Brunetti folgte ihm.

»Wollen Sie ins Krankenhaus?«

»Es blutet nur ein bißchen«, sagte Vianello. »Das hört gleich wieder auf.« Er wischte mit seinem Taschentuch an der Nase herum. »Was ist denn passiert?«

»Ich habe an seine Tür gebummert und mich über die Musik beschwert, bis er aufgemacht hat. Dann habe ich ihn herausgezerrt und die Treppe runtergeworfen.« Vianello sah ihn erstaunt an. »Etwas anderes ist mir nicht eingefallen«, erklärte Brunetti. »Aber ich dachte nicht, daß er sich so schnell erholt.«

»Und was jetzt?« fragte Vianello. »Was glauben Sie, was er tun wird?«

»Er wird versuchen, sich mit Ravanello und Santomauro in Verbindung zu setzen, denke ich.«

»Wollen Sie die beiden warnen?«

»Nein«, sagte Brunetti rasch. »Aber ich will wissen, wo sie sind, und sehen, was sie tun. Wir müssen sie beobachten lassen.« Die Barkasse schwenkte in den Kanal, der zur Questura führte, und Brunetti kletterte wieder an Deck. Nachdem sie an dem kleinen Steg angelegt hatten, sprang er an Land und wartete dort auf Vianello. Als sie durch die Eingangstür gingen, starrten die Wachen auf das blutige Hemd des Sergente, sagten aber nichts. Kaum waren die anderen Polizisten von Bord, bedrängten die Wachen sie und wollten eine Erklärung.

Auf dem zweiten Treppenabsatz bog Vianello zum

Waschraum am Ende des Korridors ab, und Brunetti ging hinauf in sein Büro. Er rief bei der Banca di Verona an und verlangte unter falschem Namen Signor Ravanello. Als der Mann am anderen Ende fragte, worum es gehe, erklärte Brunetti, es handle sich um das Angebot für den neuen Computer, für den sich der Banker interessiere. Signor Ravanello sei heute vormittag nicht in der Bank, wurde ihm gesagt, aber er sei in seiner Wohnung zu erreichen. Auf Nachfrage gab der Mann ihm die Privatnummer des Bankers, und Brunetti wählte sie sofort, fand sie aber besetzt.

Er suchte Santomauros Nummer heraus, wählte und verlangte unter demselben falschen Namen Avvocato Santomauro. Der Anwalt sei mit einem Klienten beschäftigt, erklärte die Sekretärin, und wolle nicht gestört werden. Brunetti sagte, er rufe später noch einmal an, und legte auf.

Wieder wählte er Ravanellos Nummer, aber es war immer noch besetzt. Er holte das Telefonbuch aus der untersten Schublade und schlug unter Ravanellos Namen nach, weil ihn die Adresse interessierte. Aus dem Eintrag entnahm er, daß sie in der Gegend des Campo San Stefano sein mußte, unweit von Santomauros Büro. Er überlegte, auf welchem Weg Malfatti dort wohl hinkäme; die offensichtliche Lösung war das *traghetto*, die öffentliche Gondel, die regelmäßig zwischen Ca' Rezzonico und Campo San Samuele auf der gegenüberliegenden Seite des Canal Grande verkehrte. Von dort waren es nur zwei Minuten zum Campo San Stefano.

Er wählte noch einmal, immer noch besetzt. Er rief die Vermittlung an und bat, den Anschluß zu überprüfen, worauf er nach knapp einer Minute erfuhr, daß die Leitung nicht frei sei, aber auch nicht mit einer anderen Nummer in Verbindung, was bedeutete, daß entweder der Apparat defekt oder der Hörer nicht eingehängt war. Noch bevor er richtig aufgelegt hatte, überlegte Brunetti schon, wie er am schnellsten dorthin käme; am besten mit dem Polizeiboot. Er ging die Treppe hinunter und in Vianellos Büro. Der Sergente, der ein frisches Hemd anhatte, saß an seinem Schreibtisch und blickte hoch, als Brunetti hereinkam.

»Bei Ravanello liegt der Hörer nicht auf.«

Vianello war schon aufgesprungen und unterwegs zur Tür, bevor Brunetti noch weiterreden konnte.

Zusammen liefen sie die Treppe hinunter und hinaus in die drückende Hitze. Der Bootsführer spritzte gerade das Deck ab, aber als er die beiden Männer aus der Tür rennen sah, warf er den Schlauch auf den Gehweg und war mit einem Satz am Steuer.

»Campo San Stefano«, rief Brunetti ihm zu. »Mit Sirene.«

Während der Zweiklang losheulte, legten sie ab und fuhren wieder hinaus ins *bacino*. Vaporetti und andere Boote verlangsamten die Fahrt, um sie vorbeizulassen, nur die eleganten schwarzen Gondeln schenkten ihnen keine Beachtung; laut Gesetz hatten alle Boote sich nach den langsamen Gondeln zu richten.

Keiner sprach ein Wort. Brunetti ging in die Kabine und zog einen Stadtplan zu Rate, um zu sehen, wo die Adresse war. Er hatte recht: Die Wohnung lag direkt gegenüber dem Eingang der Kirche, die dem *campo* den Namen gab.

Als das Boot sich dem Ponte dell' Accademia näherte, ging Brunetti wieder an Deck und wies den Bootsführer an, die Sirene auszuschalten. Er hatte keine Ahnung, was sie am Campo San Stefano vorfinden würden, aber er wollte unangekündigt dort ankommen. Der Bootsführer schaltete die Sirene ab und lenkte das Boot in den Rio del Orso und hinüber zum Landesteg auf der linken Seite. Brunetti und Vianello sprangen ans Ufer und überquerten rasch den *campo*. Pärchen saßen lethargisch vor pastellfarbenen Drinks an den Tischen eines Straßencafés; die Menschen, die auf dem *campo* unterwegs waren, sahen alle aus, als fühlten sie die Hitze wie ein Joch auf ihren Schultern.

Schnell fanden sie die Tür zwischen einem Restaurant und einem Lädchen, das marmoriertes venezianisches Papier verkaufte. Die Klingel mit Ravanellos Namensschild war die oberste in der rechten der beiden Reihen. Brunetti drückte den Knopf darunter, und als nichts geschah, noch einen tiefer. Eine Stimme fragte, wer da sei, und er sagte: »*Polizia*«, worauf die Tür sofort aufsprang.

Er und Vianello traten in den Hausflur, und eine quengelnde hohe Stimme rief von oben: »Wie sind Sie denn so schnell hergekommen?«

Brunetti begann die Treppe hinaufzusteigen, Vianello folgte ihm auf den Fersen. Da rief vom ersten Treppenabsatz eine grauhaarige Frau, die kaum größer war als das Geländer, über das sie sich beugte, noch einmal: »Wie sind Sie denn so schnell hergekommen?«

Ohne auf ihre Frage einzugehen, fragte Brunetti: »Was ist passiert, Signora?«

Sie trat vom Geländer zurück und deutete nach oben. »Da, über mir, bei Signor Ravanello, habe ich Schreien gehört, und dann ist jemand die Treppe hinuntergelaufen. Ich hatte Angst raufzugehen.«

Brunetti und Vianello rannten, immer zwei Stufen auf einmal, an ihr vorbei. Beide hatten die Pistole gezogen. Oben fiel Licht aus der offenen Wohnungstür auf den breiten Treppenabsatz. Brunetti huschte an der Tür vorbei – zu schnell, um drinnen etwas erkennen zu können. Er warf Vianello über die Schulter einen Blick zu, Vianello nickte. Zusammen stürmten sie in die Wohnung, beide tief geduckt. Sowie sie durch die Tür waren, sprangen sie nach rechts und links auseinander, damit sie zwei Ziele boten.

Aber Ravanello würde sowieso nicht auf sie schießen, ein Blick auf ihn genügte, um das festzustellen. Seine Leiche lag über einem niedrigen Sessel, der bei dem Kampf, der hier offensichtlich stattgefunden hatte, umgekippt war. Er lag auf der Seite, mit dem Gesicht zur Tür, und seine blicklosen Augen starrten ins Nichts, für immer gleichgültig gegenüber diesen Männern, die so plötzlich und unaufgefordert in seine Wohnung gestürzt waren.

Keine Sekunde kam Brunetti der Gedanke, daß Ravanello womöglich noch lebte; die marmorne Schwere seines Körpers schloß diese Möglichkeit aus. Es war wenig Blut zu sehen, das fiel Brunetti als erstes auf. Offenbar war zweimal auf Ravanello eingestochen worden, denn auf seinem Jackett waren zwei tiefrote Flecken, und unter seinem Arm war etwas Blut auf den Boden geflossen, aber kaum so viel, daß damit auch das Leben aus ihm herausgeflossen wäre.

»*Oh, Dio*«, hörte er hinter sich die alte Frau stöhnen, und als er sich umdrehte, sah er sie an der Tür stehen, eine

Hand am Mund, den Blick starr auf Ravanello gerichtet. Brunetti trat zwei Schritte nach rechts und damit in ihr Blickfeld. Sie sah mit eisigem Blick zu ihm auf. Konnte es sein, daß sie ärgerlich war, weil er ihr den Anblick der Leiche verwehrte?

»Wie sah er aus, Signora?« fragte er.

Sie wandte den Blick nach rechts, konnte aber nicht um ihn herumsehen.

»Wie sah er aus, Signora?«

Hinter sich hörte er Vianello in der Wohnung umhergehen, dann Wählgeräusche und Vianellos Stimme, leise und ruhig, wie er der Questura Bericht erstattete und die entsprechenden Leute anforderte.

Brunetti ging direkt auf die Frau zu, und wie er gehofft hatte, wich sie zurück und trat in den Flur. »Können Sie mir genau sagen, was Sie gesehen haben, Signora?«

»Einen Mann, nicht sehr groß, er ist die Treppe runtergerannt. Ein weißes Hemd hatte er an, kurzärmelig.«

»Würden Sie ihn wiedererkennen, Signora?«

»Ja.«

Das würde Brunetti auch.

Hinter ihnen kam Vianello aus der Wohnung, die Tür ließ er offen. »Sie sind unterwegs.«

»Bleiben Sie hier«, sagte Brunetti, schon auf dem Weg zur Treppe.

»Santomauro?« fragte Vianello.

Brunetti bejahte mit einer Handbewegung und rannte die Treppe hinunter. Draußen wandte er sich nach links und lief eilig zum Campo San Angelo, dann weiter dem Campo San Luca und dem Büro des Anwalts zu.

Es war, als müßte er durch starke Brandung waten, als er sich seinen Weg durch die Menschen bahnte, die hier am späten Vormittag auf ein Schwätzchen stehenblieben oder sich kurz in dem kühlen Luftzug erholten, der aus einem klimatisierten Laden drang. Durch die Enge der Calle della Mandorla eilte er unter Einsatz von Ellbogen und Stimme, ungeachtet der wütenden Blicke und beißenden Bemerkungen, die er dabei erntete.

Auf dem Campo Manin beschleunigte er seine Schritte, auch wenn jede schnellere Bewegung schweißtreibend war. Er trabte an der Bank vorbei und auf den Campo San Luca, wo sich um diese Zeit viele zu einem Drink vor dem Mittagessen trafen.

Die Haustür, durch die man zu Santomauros Büro hinaufging, war angelehnt, Brunetti stieß sie auf und nahm zwei Stufen auf einmal. Die Tür des Büros war zu, und darunter drang von drinnen Licht ins dämmrige Treppenhaus. Er zog seine Pistole und stieß die Tür auf, sprang dann rasch zur Seite und duckte sich, genau wie er es beim Betreten von Ravanellos Wohnung gemacht hatte.

Die Sekretärin schrie auf. In filmreifer Manier hielt sie sich beide Hände vor den Mund und kreischte laut, dann warf sie sich nach hinten und fiel vom Stuhl.

Sekunden später öffnete sich die Tür zu Santomauros Büro, und der Anwalt stürzte heraus. Mit einem Blick erfaßte er alles – seine Sekretärin, die hinter ihrem Schreibtisch kauerte und mit der Schulter dauernd gegen die Tischplatte stieß, als sie vergeblich versuchte darunterzukriechen, sowie Brunetti, der sich eben aufrichtete und seine Pistole wegsteckte.

»Ist schon gut, Louisa«, sagte Santomauro, während er hinging und sich neben seine Sekretärin kniete. »Ist schon gut, es ist ja nichts passiert.«

Die Frau war unfähig etwas zu sagen oder auch nur zu denken. Sie schluchzte, wandte sich ihrem Arbeitgeber zu und streckte die Hände nach ihm aus. Er legte ihr den Arm um die Schultern, und sie drückte das Gesicht an seine Brust. Sie schluchzte noch einmal tief auf und rang nach Atem. Santomauro tätschelte ihr den Rücken und redete sanft auf sie ein. Allmählich beruhigte sie sich, und kurz darauf löste sie sich von ihm. »*Scusi, avvocato*«, war das erste, was sie sagte, und ihre Förmlichkeit brachte wieder Ruhe in das Zimmer.

Stumm half Santomauro ihr auf die Beine und zu einer Tür hinten im Büro. Als er diese hinter ihr zugemacht hatte, drehte er sich zu Brunetti um. »Nun?« sagte er mit ruhiger Stimme, die darum nicht weniger todbringend klang.

»Ravanello ist umgebracht worden«, sagte Brunetti. »Und ich dachte, Sie wären der nächste. Ich bin hergekommen, weil ich versuchen wollte, das zu verhindern.«

Wenn die Nachricht für Santomauro überraschend war, ließ er es sich jedenfalls nicht anmerken. »Warum?« fragte er. Und als Brunetti nicht antwortete, wiederholte er die Frage: »Warum sollte ich der nächste sein?«

Brunetti antwortete ihm nicht.

»Ich habe Sie etwas gefragt, Commissario. Warum sollte ich der nächste sein? Warum sollte ich überhaupt in Gefahr sein?« Da Brunetti weiterhin schwieg, fuhr Santomauro fort. »Glauben Sie denn, daß ich mit all dem irgend etwas zu tun habe? Sind Sie darum hier und spielen Räuber und Gendarm und erschrecken meine Sekretärin zu Tode?«

»Ich hatte Grund zu der Annahme, daß er hierherkommen würde«, erklärte Brunetti schließlich.

»Wer?« wollte der Anwalt wissen.

»Das kann ich Ihnen nicht sagen.«

Santomauro bückte sich und hob den Stuhl seiner Sekretärin auf. Er stellte ihn hin und schob ihn an ihren Schreibtisch. Als er Brunetti wieder ansah, sagte er: »Verschwinden Sie. Verschwinden Sie aus meinem Büro. Ich werde mich beim Innenminister über Sie beschweren. Und eine Kopie geht an Ihren Vorgesetzten. Ich lasse mich nicht behandeln wie ein Verbrecher, und ich lasse nicht zu, daß Sie meine Sekretärin mit Ihren Gestapomethoden ängstigen.«

Brunetti hatte in seinem Leben und bei seiner Arbeit schon genug Zorn gesehen, um zu wissen, daß der hier echt war. Ohne ein weiteres Wort verließ er das Büro und ging nach unten auf den Campo San Luca. Leute, die eilig nach Hause zum Essen wollten, drängten sich an ihm vorbei.

28

Brunettis Entschluß, in die Questura zurückzugehen, war ein Sieg des Willens über die Macht des Fleisches. Er hatte es zu seiner Wohnung nämlich näher als zur Questura, und eigentlich wollte er nur nach Hause, duschen und über andere Dinge nachdenken als über die unvermeidlichen Konsequenzen dessen, was eben passiert war. Er war ungerufen gewaltsam ins Büro eines der mächtigsten Männer dieser Stadt eingedrungen, hatte dessen Sekretärin in Angst und Schrecken versetzt und dadurch, wie er sein Verhalten erklärt hatte, deutlich gemacht, daß er von Santomauros schuldhafter Beziehung zu Malfatti und einer Manipulation der *Lega*-Konten ausging. Alles Wohlwollen, mochte es auch noch so unecht sein, das Patta ihm in den vergangenen Wochen entgegengebracht hatte, würde sich in nichts auflösen angesichts der Proteste eines Mannes vom Status eines Santomauro.

Und nun, da Ravanello tot war, konnte man auch jede Hoffnung auf ein Verfahren gegen Santomauro vergessen, denn der einzige, der Santomauro belasten konnte, war Malfatti; doch seine Schuld an Ravanellos Tod würde jede Anklage wertlos machen, die er gegen Santomauro vorbrachte. Brunetti sah voraus, daß Malfattis Aussage gegen Santomauros stehen würde, und er brauchte weder Scharfsinn noch prophetische Gaben, um zu wissen, welche schwerer wiegen würde.

Als Brunetti in der Questura ankam, fand er sie in Aufruhr. Drei Uniformierte steckten in der Halle die Köpfe zusammen, und aus der Menschenschlange vor dem Ufficio Stranieri hörte man aufgeregte Gesprächsfetzen in verschiedenen Sprachen. »Sie haben ihn, Commissario«, sagte eine der Wachen, als er Brunetti sah.

»Wen?« fragte Brunetti, der kaum zu hoffen wagte.

»Malfatti.«

»Wie denn das?«

»Die Männer, die bei seiner Mutter gewartet haben. Vor einer halben Stunde kam er dorthin, und sie haben ihn geschnappt, bevor sie ihn noch einlassen konnte.«

»Hat es Schwierigkeiten gegeben?«

»Einer von den Kollegen, die dabei waren, hat erzählt, daß Malfatti zuerst weglaufen wollte, als er sie sah, aber als ihm klar wurde, daß sie zu viert waren, hat er aufgegeben und ist ganz friedlich mitgegangen.«

»Zu viert?«

»Ja, Commissario. Vianello hat angerufen und uns gesagt, wir sollen mehr Leute schicken. Und die waren gerade angekommen, als Malfatti aufkreuzte. Sie hatten nicht einmal Zeit reinzugehen, kamen hin und fanden ihn an der Tür.«

»Wo ist er?«

»Vianello hat ihn in eine Zelle stecken lassen.«

»Ich gehe zu ihm.«

Als Brunetti in die Zelle trat, erkannte Malfatti in ihm augenblicklich den Mann, der ihn die Treppe hinuntergeworfen hatte, doch er begrüßte Brunetti ohne besondere Feindseligkeit.

Brunetti zog sich einen Stuhl heran und setzte sich Malfatti gegenüber, der mit dem Kopf an die Wand gelehnt auf der Pritsche lag. Er war ein kleiner untersetzter Mann mit dichtem, braunem Haar und einem so glatten Gesicht, daß man es fast sofort wieder vergaß. Er sah aus wie ein Buchhalter, nicht wie ein Mörder.

»Also?« begann Brunetti.

»Also was?« Malfattis Stimme war ganz sachlich.

»Also, wollen Sie es sich schwer oder leicht machen?« fragte Brunetti gleichmütig, genau wie die Polizisten im Fernsehen.

»Was wäre schwer?«

»Wenn Sie sagen, daß Sie von alldem nichts wissen.«

»Wovon?« fragte Malfatti.

Brunetti kniff die Lippen zusammen und sah kurz zur Fensteröffnung hinauf, dann wieder zu Malfatti.

»Und was wäre leicht?« fragte Malfatti nach einer langen Pause.

»Daß Sie mir erzählen, was passiert ist.« Bevor Malfatti ein Wort sagen konnte, erklärte Brunetti: »Nicht das mit den Mieten. Das ist jetzt nicht wichtig, und es kommt sowieso alles heraus. Sondern das mit den Morden. Allen. Allen vier.«

Malfatti machte eine winzige Bewegung auf seiner Matratze, und Brunetti hatte den Eindruck, daß er diese Zahl in Frage stellen wollte, aber er tat es nicht.

»Er ist ein geachteter Mann«, fuhr Brunetti fort, ohne erst groß zu erklären, wen er meinte. »Es wird auf sein Wort gegen Ihres hinauslaufen, es sei denn, Sie können mit etwas aufwarten, womit seine Verbindung zu Ihnen und den Morden bewiesen wird.« Er hielt inne, aber Malfatti sagte nichts. »Ihr Vorstrafenregister ist lang«, fuhr Brunetti fort. »Versuchter Mord und jetzt Mord.« Und bevor Malfatti noch etwas einwenden konnte, meinte Brunetti, ganz im Konversationston: »Es wird nicht schwer sein, zu beweisen, daß Sie Ravanello umgebracht haben.« Und auf Malfattis überraschten Blick hin erklärte er: »Die alte Frau hat Sie gesehen.« Malfatti wandte den Blick ab.

»Und Richter können Leute nicht leiden, die Polizisten umbringen, besonders Polizistinnen. Ich sehe also nicht, daß etwas anderes als eine Verurteilung dabei herauskommen könnte. Die Richter sind verpflichtet, mich nach meiner Meinung zu fragen«, sagte er und wartete, bis er Malfattis ganze Aufmerksamkeit hatte. »Wenn sie es tun, werde ich Porto Azzurro vorschlagen.«

Jeder Kriminelle kannte den Namen dieses Gefängnisses, des schlimmsten in ganz Italien, aus dem noch nie jemandem die Flucht gelungen war; selbst ein so abgebrühter Mensch wie Malfatti konnte sein Erschrecken nicht verbergen. Brunetti wartete einen Augenblick, aber als Malfatti immer noch nichts sagte, fügte er hinzu: »Wie man hört, weiß niemand, ob die Katzen da größer sind oder die Ratten.« Wieder hielt er inne.

»Und wenn ich rede?« fragte Malfatti endlich.

»Dann werde ich den Richtern vorschlagen, das zu berücksichtigen.«

»Ist das alles?«

»Das ist alles.« Auch Brunetti konnte Leute nicht leiden, die Polizisten umbrachten.

Malfatti nahm sich nur einen Moment Zeit, bevor er sich entschied. »*Va bene*«, sagte er. »Aber ich möchte es im Protokoll stehen haben, daß ich aus freien Stücken ausgesagt habe. Da soll drinstehen, daß ich gleich nach der Festnahme bereit war, alles zu sagen.«

Brunetti stand auf. »Ich hole einen Protokollführer«, sagte er und ging zur Zellentür. Er winkte einem jungen Mann, der am Ende des Ganges an einem Schreibtisch saß und kurz darauf mit Kassettenrekorder und Block hereinkam.

Als sie soweit waren, sagte Brunetti: »Geben Sie Namen, Geburtsdatum und derzeitige Adresse an.«

»Malfatti, Pietro, 28. September 1962, Castello 2316.«

So ging es eine Stunde, und die ganze Zeit blieb Malfattis Stimme so unbeteiligt wie bei der Beantwortung der ersten Frage, wenngleich die Geschichte, die herauskam, immer schauriger wurde.

Die Idee stammte ursprünglich von Ravanello oder Santomauro, Malfatti hatte sich nie soweit dafür interessiert, um nachzufragen. Sie hatten seinen Namen von den Männern auf der Via Cappuccina bekommen und ihn gefragt, ob er bereit sei, gegen einen gewissen prozentualen Anteil monatlich für sie die Mieten zu kassieren. Er hatte nie darüber nachgedacht, ob er das Angebot annehmen sollte, nur über den Prozentsatz, den er bekommen würde. Sie hatten sich auf zwölf geeinigt, wobei Malfatti fast eine Stunde lang hart verhandeln mußte, damit sie so hoch gingen.

In der Hoffnung, noch mehr für sich abzweigen zu können, hatte Malfatti vorgeschlagen, einen Teil der legalen Einnahmen der *Lega* in Form von Schecks an Leute auszuzahlen, die er ihnen nennen würde. Brunetti unterbrach

Malfattis Prahlerei mit dieser Masche, indem er fragte: »Wann hat Mascari das herausbekommen?«

»Vor drei Wochen. Er ist zu Ravanello gegangen und hat ihm erzählt, daß etwas mit den Konten nicht stimmt. Er hatte keine Ahnung, daß Ravanello davon wußte, er dachte, es wäre Santomauro. Idiot«, stieß er verächtlich hervor. »Wenn er gewollt hätte, dann hätte er ihnen ein Drittel abknöpfen können, mit Leichtigkeit.« Er blickte zwischen Brunetti und dem jungen Polizisten hin und her, wie um sie aufzufordern, seine Verachtung zu teilen.

»Und dann?« fragte Brunetti, der seine eigene Verachtung für sich behielt.

»Santomauro und Ravanello sind ungefähr eine Woche vorher zu mir gekommen. Sie wollten, daß ich ihnen den Mann vom Hals schaffe, aber ich kannte sie ja, also habe ich gesagt, ich mache es nur, wenn sie mir dabei helfen. Ich bin schließlich kein Idiot.« Wieder sah er die beiden anderen Männer beifallheischend an. »Sie wissen, wie das mit solchen Leuten ist. Man macht etwas für sie und wird sie dann nie mehr los. Wenn man vor ihnen sicher sein will, muß man dafür sorgen, daß sie sich auch selbst die Hände schmutzig machen.«

»Haben Sie ihnen das gesagt?« fragte Brunetti.

»So ungefähr. Ich habe gesagt, daß ich es mache, aber daß sie mir helfen müssen, es anzuleiern.«

»Wie ging das vor sich?«

»Sie haben Crespo bei ihm anrufen lassen. Er sollte sagen, er hätte gehört, daß Mascari Informationen über die Wohnungen sammelt, die von der *Lega* vermietet werden, und daß er in einer wohnt. Mascari hatte ja die Liste und konnte es überprüfen. Als Mascari sagte, daß er an dem Abend nach Sizilien fliegen wollte – das wußten wir –, hat Crespo gesagt, er könnte ihm noch andere Informationen geben, und ob er nicht auf dem Weg zum Flughafen bei ihm vorbeikommen wollte.«

»Und?«

»Er war einverstanden.«

»War Crespo dabei?«

»Aber nein.« Malfatti schnaubte verächtlich. »Das war ja so ein zartbesaiteter kleiner Mistkerl. Wollte nichts damit zu tun haben. Er hat sich verabschiedet, ist wahrscheinlich früher als sonst auf die Straße gegangen. Und wir haben auf Mascari gewartet. Um sieben ist er dann gekommen.«

»Und dann?«

»Ich habe die Tür aufgemacht. Er dachte, ich wäre Crespo, hatte ja keinen Grund, etwas anderes anzunehmen. Ich habe gefragt, ob er sich nicht setzen und etwas trinken will, aber er sagte, daß er zum Flughafen muß und es eilig hat. Dann habe ich ihm noch mal etwas zu trinken angeboten, und als er wieder ablehnte, habe ich gesagt, daß ich mir aber was hole, und bin hinter ihm zu dem Tisch mit den Getränken gegangen. Dabei habe ich es dann getan.«

»Was haben Sie getan?«

»Ihm eins über den Schädel gegeben.«

»Womit?«

»Mit einer Stahlrute, derselben, die ich heute mithatte. Sie ist sehr gut.«

»Wie oft haben Sie zugeschlagen?«

»Nur einmal. Ich wollte nicht, daß Blut auf Crespos Möbel kommt. Und ich wollte ihn nicht umbringen. Das sollten sie tun.«

»Und, haben sie es getan?«

»Ich weiß es nicht. Das heißt, ich weiß nicht, wer von beiden es getan hat. Sie waren im Schlafzimmer. Ich habe sie gerufen, und wir haben ihn ins Bad getragen. Da hat er noch gelebt; ich habe ihn stöhnen hören.«

»Warum ins Bad?«

Malfattis Blick sagte, daß er langsam den Eindruck hatte, er habe Brunettis Intelligenz überschätzt. »Das Blut.« Es folgte eine lange Pause, und als Brunetti nichts sagte, fuhr Malfatti fort. »Wir haben ihn auf den Boden gelegt, dann bin ich zurückgegangen und habe die Stahlrute geholt. Santomauro hatte gesagt, wir müßten sein Gesicht kaputtmachen – wir hatten alles geplant, Schritt für Schritt –, er meinte, man dürfte ihn nicht erkennen, damit genug Zeit bleibt, die Unterlagen in der Bank zu ändern. Jedenfalls hat er immer wieder gesagt, wir müßten sein Gesicht kaputtmachen, da habe ich ihm meine Stahlrute gegeben und gesagt, er soll es selber machen. Ich bin ins Wohnzimmer gegangen und habe eine Zigarette geraucht. Als ich zurückkam, war es erledigt.«

»Er war tot?«

Malfatti zuckte die Achseln.

»Ravanello und Santomauro haben ihn umgebracht?«

»Ich hatte meinen Teil erledigt.«

»Und dann?«

»Wir haben ihn ausgezogen und seine Beine rasiert, lieber Himmel, das war vielleicht eine Arbeit.«

»Ja, das kann ich mir vorstellen«, gestattete sich Brunetti. »Und weiter?«

»Wir haben ihn geschminkt.« Malfatti überlegte einen Augenblick. »Nein, stimmt nicht. Das haben sie gemacht, bevor sie sein Gesicht zerschlagen haben. Einer der beiden hat gemeint, so wäre es einfacher. Danach haben wir ihn wieder angezogen und rausgetragen wie einen Betrunkenen. Aber das war eigentlich nicht nötig, es hat uns niemand gesehen. Ravanello und ich haben ihn zu Santomauros Auto gebracht und ihn zu den Wiesen rausgefahren. Ich wußte, was da draußen vorgeht, und ich dachte, es wäre ein guter Platz, um ihn da hinzulegen.«

»Wie haben Sie das mit den Kleidern gemacht? Wo haben Sie ihn umgezogen?«

»Draußen, als wir nach Marghera kamen. Wir haben ihn aus dem Auto geholt und ausgezogen. Dann haben wir ihm die anderen Sachen angezogen, das rote Kleid und alles andere, und ich habe ihn ans Ende der Wiese geschleppt und da hingelegt, unter einen Busch, damit es länger dauert, bis er gefunden wird.« Malfatti machte eine Pause, um sein Gedächtnis zu befragen. »Ein Schuh ist runtergefallen, und Ravanello hat ihn mir in die Tasche gesteckt. Ich habe ihn dann neben ihn hingeworfen. Das mit den Schuhen, das war Ravanellos Idee, glaube ich.«

»Was haben Sie mit den anderen Kleidungsstücken gemacht?«

»Auf dem Weg zurück zu Crespos Wohnung habe ich angehalten und sie in eine Mülltonne gesteckt. Das ging, es war kein Blut dran. Wir waren sehr vorsichtig. Wir haben ihm eine Plastiktüte über den Kopf gestreift.«

Der junge Polizist hustete, drehte aber den Kopf zur Seite, damit das Geräusch nicht mit aufs Band kam.

»Und hinterher?« fragte Brunetti.

»Sind wir in die Wohnung gefahren. Santomauro hatte saubergemacht. Das war das letzte, was ich von ihnen gehört habe, bis zu der Nacht, als Sie nach Mestre rausgekommen sind.«

»Wessen Idee war das?«

»Meine nicht. Ravanello hat mich angerufen und mir die Sache erklärt. Ich glaube, sie haben gehofft, daß die Ermittlungen eingestellt werden, wenn wir Sie aus dem Weg räumen.« Hier seufzte Malfatti. »Ich habe versucht, sie zu überzeugen, daß es so nicht geht, daß es keinen Unterschied macht, ob wir Sie umbringen, aber sie wollten nicht auf mich hören. Sie haben darauf bestanden, daß ich ihnen helfe.«

»Und Sie haben zugestimmt?«

Malfatti nickte.

»Sie müssen eine Antwort geben, Signor Malfatti, sonst haben wir nichts auf dem Band«, erklärte Brunetti kühl.

»Ja, ich habe zugestimmt.«

»Warum haben Sie Ihre Ansicht geändert und ja gesagt?«

»Weil sie genug bezahlt haben.«

In Anwesenheit des jungen Polizisten wollte Brunetti nicht fragen, wieviel sein Leben wert war. Das würde noch früh genug herauskommen.

»Haben Sie den Wagen gefahren, der versucht hat, uns von der Straße abzudrängen?«

»Ja.« Malfatti schwieg lange, dann fügte er hinzu: »Wissen Sie, ich glaube nicht, daß ich es getan hätte, wenn ich gewußt hätte, daß eine Frau mit im Wagen sitzt. Eine Frau zu töten bringt Unglück. Es war meine erste.« Jetzt erst wurde ihm das klar, und er sah auf. »Sehen Sie, es hat schon Unglück gebracht.«

»Der Frau wahrscheinlich mehr als Ihnen, Signor Malfatti«, versetzte Brunetti, aber bevor Malfatti reagieren konnte, fragte er: »Und Crespo? Haben Sie ihn umgebracht?«

»Nein. Damit hatte ich nichts zu tun. Ich war solange mit Ravanello im Auto. Santomauro war allein bei Crespo. Als wir wieder hinkamen, war es erledigt.«

»Was hat Santomauro Ihnen erzählt?«

»Nichts. Darüber nicht. Er hat nur gesagt, daß es erledigt ist, und dann hat er mir gesagt, ich soll die Mücke machen, möglichst aus Venedig verschwinden. Das wollte ich auch, aber jetzt habe ich wahrscheinlich keine Gelegenheit mehr dazu.«

»Und Ravanello?«

»Zu dem bin ich heute vormittag hingegangen, nachdem Sie bei mir waren.« Malfatti hielt inne, und Brunetti fragte sich, was für eine Lüge er sich wohl gerade ausdachte.

»Was ist passiert?«

»Ich habe ihm erzählt, daß die Polizei hinter mir her ist. Daß ich Geld brauche, um aus der Stadt zu kommen und irgendwohin zu verschwinden. Aber er hat die Panik gekriegt. Fing an zu schreien, ich hätte alles verdorben. Dann hat er das Messer gezogen.«

Brunetti hatte das Messer gesehen. Es kam ihm komisch vor, daß ein Banker ein Schnappmesser mit sich herumtragen sollte, aber er sagte nichts.

»Und ist damit auf mich losgegangen. Er war total verrückt. Wir haben um das Messer gekämpft, und ich glaube, er ist daraufgefallen.«

Allerdings, dachte Brunetti bei sich. Zweimal. Mit der Brust. »Und dann?«

»Dann bin ich zu meiner Mutter gegangen. Da haben Ihre Leute mich gefunden.« Malfatti schwieg, und das einzige Geräusch in der Zelle war das leise Summen des Kassettenrekorders.

»Was ist aus dem Geld geworden?« erkundigte sich Brunetti.

»Was?« fragte Malfatti, überrumpelt von dieser plötzlich veränderten Gangart.

»Das Geld. Das aus den Mieten.«

»Ich habe meins ausgegeben, jeden Monat. Aber es war nichts im Vergleich zu dem, was die anderen bekommen haben.«

»Wieviel haben Sie denn bekommen?«

»Zwischen neun und zehn Millionen.«

»Wissen Sie, was die anderen mit ihrem Anteil gemacht haben?«

Malfatti überlegte einen Moment, als ob er nie darüber nachgedacht hätte. »Ich nehme an, Santomauro hat einen großen Teil von seinem für Jungen ausgegeben. Bei Ravanello weiß ich nicht. Er sah mir wie einer von denen aus, die Geld investieren.« Bei Malfatti klang das wie etwas Obszönes.

»Haben Sie dazu noch etwas zu sagen oder über Ihre Beziehung zu diesen Männern?«

»Nur, daß es ihre Idee war, Mascari umzubringen, nicht

meine. Ich habe mitgemacht, aber es war ihre Idee. Ich hatte nicht viel zu verlieren, wenn das mit den Mietzahlungen rauskam; darum habe ich keinen Grund gesehen, ihn umzubringen.« Es war klar, daß er nicht gezögert hätte, Mascari umzubringen, wenn er geglaubt hätte, daß er etwas zu verlieren hatte, aber Brunetti sagte nichts.

»Das ist alles«, erklärte Malfatti.

Brunetti stand auf und bedeutete dem jungen Polizisten mitzukommen. »Ich lasse das hier abschreiben, und Sie können dann unterschreiben.«

»Lassen Sie sich nur Zeit«, sagte Malfatti und lachte. »Ich habe heute nichts mehr vor.«

29

Eine Stunde später brachte Brunetti drei Kopien der getippten Aussage hinunter zu Malfatti, der sie unterschrieb, ohne sich die Mühe zu machen, das Ganze noch einmal durchzulesen. »Wollen Sie nicht wissen, was Sie da unterschreiben?« fragte Brunetti.

»Es spielt keine Rolle«, antwortete Malfatti, der es immer noch nicht für nötig hielt, sich von seiner Pritsche zu erheben. Er deutete mit dem Stift, den Brunetti ihm gegeben hatte, auf die Blätter. »Außerdem glaubt das hier sowieso niemand.«

Da Brunetti ähnlich dachte, verzichtete er auf eine Debatte über das Thema.

»Was passiert jetzt?« wollte Malfatti wissen.

»In den nächsten Tagen findet eine Anhörung statt, und der Haftrichter entscheidet, ob Sie auf Kaution rauskommen.«

»Wird er dazu Ihre Meinung einholen?«

»Wahrscheinlich.«

»Und?«

»Ich werde dagegen stimmen.«

Malfatti ließ die Hand an dem Stift entlanggleiten, dann drehte er ihn um und hielt ihn Brunetti hin.

»Sagt jemand meiner Mutter Bescheid?« fragte Malfatti.

»Ich sorge dafür, daß sie angerufen wird.«

Malfatti hob anerkennend die Schultern, ließ sich tiefer auf sein Kissen sinken und schloß die Augen.

Brunetti verließ die Zelle und ging die zwei Treppen nach oben in Signorina Elettras Vorzimmer. Sie trug heute ein Rot, das man außerhalb des Vatikans selten sah, und Brunetti fand die Farbe grell und gar nicht zu seiner Stimmung passend. Sie lächelte, und seine Stimmung hob sich etwas.

»Ist er da?« fragte Brunetti.

»Er ist vor etwa einer Stunde gekommen, aber er telefoniert und will nicht gestört werden, unter keinen Umständen.«

Brunetti war das nur lieb, er wollte nicht dabeisein, wenn Patta das Geständnis von Malfatti las. Er legte eine Kopie auf Signorina Elettras Schreibtisch und sagte: »Würden Sie ihm das hier bitte geben, sobald er sein Gespräch beendet hat?«

»Malfatti?« fragte sie unverhohlen neugierig.

»Ja.«

»Wo erreiche ich Sie?«

Als sie das fragte, bemerkte Brunetti plötzlich, daß er völlig die Orientierung verloren hatte und nicht einmal wußte, wie spät es war. Er sah auf seine Uhr. Es war fünf, aber die Zeit sagte ihm nichts. Er hatte keinen Hunger, nur Durst, und er war jämmerlich müde. Er begann sich vorzustellen, wie Patta reagieren würde; das erhöhte seinen Durst noch.

»Ich gehe jetzt etwas trinken und bin dann in meinem Büro.« Er drehte sich um und ging; es war ihm egal, ob sie das Geständnis las oder nicht, er merkte, daß ihm alles egal war, bis auf den Durst und die Hitze und seine Haut, die sich ganz rauh anfühlte von dem Salz, das den ganzen Tag darauf angetrocknet war. Er hob den Handrücken an den Mund und leckte daran, fast froh über den herben Geschmack.

Eine Stunde später trat er auf Pattas Anruf hin in dessen Büro und fand am Schreibtisch den alten Patta sitzen; er sah aus, als hätte er über Nacht fünf Jahre abgeworfen und fünf Kilo zugenommen.

»Setzen Sie sich, Brunetti«, sagte Patta. Dann nahm er das Geständnis und stieß die sechs Blätter mit ihrer Unterkante gegen den Schreibtisch, so daß sie ordentlich übereinander zu liegen kamen.

»Ich habe das hier eben gelesen«, sagte Patta. Er sah zu Brunetti hinüber und legte die Blätter vor sich auf den Schreibtisch. »Ich glaube ihm.«

Brunetti konzentrierte sich darauf, keinerlei Gefühlsregung zu zeigen. Pattas Frau hatte etwas mit der *Lega* zu tun. Und Santomauro besaß einen gewissen politischen Einfluß in einer Stadt, in der Patta sich eine Machtposition erhoffte. Brunetti war klar, daß Recht und Gesetz in dem folgenden Gespräch keine Rolle spielen würden. Er sagte nichts.

»Aber ich bezweifle, daß sonst jemand ihm glauben wird«, fügte Patta hinzu und gab Brunetti damit wieder zu verstehen, wie der Hase lief. Als deutlich wurde, daß Brunetti nichts zu sagen gedachte, fuhr Patta fort: »Ich habe heute nachmittag eine Reihe von Anrufen bekommen.«

Die Frage, ob einer der Anrufer Santomauro gewesen war, schien Brunetti zu billig, weshalb er sie nicht stellte.

»Nicht nur Avvocato Santomauro hat mich angerufen,

ich habe auch zwei lange Gespräche mit zwei Mitgliedern des Stadtrats geführt, beides persönliche und politische Freunde des Avvocato.« Patta lehnte sich auf seinem Stuhl zurück und schlug die Beine übereinander. Brunetti sah die glänzende Spitze eines Schuhs und ein winziges Stück von einer dünnen, blauen Socke. Er blickte Patta an. »Wie gesagt, niemand wird diesem Mann glauben.«

»Auch, wenn er die Wahrheit sagt?« fragte Brunetti schließlich.

»Gerade wenn er die Wahrheit sagt. Keiner in dieser Stadt wird Santomauro der Dinge für fähig halten, die dieser Mann ihm unterstellt.«

»Ihnen fällt es offenbar nicht schwer, es zu glauben, Vice-Questore.«

»Ich dürfte wohl kaum als objektiver Zeuge gelten, wenn es um Signor Santomauro geht«, sagte Patta, womit er, so beiläufig wie er eben die Papiere auf seinen Schreibtisch gelegt hatte, zum erstenmal in Brunettis Gegenwart einen Anflug von Selbsterkenntnis zeigte.

»Was hat Santomauro Ihnen gesagt?« fragte Brunetti, obwohl er sich schon denken konnte, was. »Das können Sie sich doch sicher denken«, meinte Patta, zu Brunettis neuerlichem Erstaunen. »Daß es nur ein Versuch von Malfatti ist, die Schuld aufzuteilen und seinen Teil möglichst klein zu halten. Daß eine genaue Prüfung der Unterlagen bei der Bank beweisen wird, daß alles Ravanellos Tun war. Daß es keinerlei Beweise für Santomauros Beteiligung an dem allen gibt, weder an der Sache mit den doppelten Mieten, noch dem Tod von Mascari.«

»Hat er etwas von den anderen Morden erwähnt?«

»Crespo?«

»Ja, und Maria Nardi.«

»Nein, kein Wort. Und es gibt nichts, was ihn mit Ravanellos Tod in Verbindung bringt.«

»Wir haben eine Zeugin, die gesehen hat, wie Malfatti die Treppe in Ravanellos Haus hinuntergelaufen ist.«

»Aha«, sagte Patta, stellte die Beine wieder nebeneinander und beugte sich vor. Er legte seine rechte Hand auf Malfattis Geständnis. »Es ist nichts wert«, sagte er endlich, wie Brunetti vorausgeahnt hatte. »Er kann versuchen, es bei seinem Prozeß vorzubringen, aber ich bezweifle, daß die Richter ihm glauben werden. Er täte besser daran, sich als Ravanellos unwissendes Werkzeug darzustellen.«

Ja, das stimmte wahrscheinlich. Den Richter gab es nicht, der Malfatti als Drahtzieher des Ganzen sehen würde. Und den Richter, der Santomauro irgendeine Rolle in diesem Drama zutrauen würde, konnte man sich nicht einmal vorstellen.

»Heißt das, Sie werden in der Sache nichts unternehmen?« fragte Brunetti, indem er mit dem Kinn zu den Papieren auf Pattas Schreibtisch deutete.

»Falls Ihnen dazu nicht noch etwas einfällt«, antwortete Patta, und Brunetti versuchte vergeblich, einen ironischen Unterton herauszuhören.

»Nein, mir fällt nichts ein«, sagte Brunetti.

»Wir können ihm nichts anhaben«, erklärte Patta. »Ich kenne den Mann. Er ist zu vorsichtig, um sich denen, die mit in die Sache verwickelt sind, je gezeigt zu haben.«

»Nicht einmal den Jungen von der Via Cappuccina?«

Patta verzog angewidert den Mund. »Seine Beziehung

zu diesen Kreaturen ist lediglich ein Indiz. Kein Richter würde sich das überhaupt anhören. So abstoßend sein Verhalten auch sein mag, es ist seine Privatsache.«

Brunetti überlegte schon, wie es weitergehen könnte: Wenn sie genügend Prostituierte fänden, die Wohnungen von der *Lega* gemietet hatten und bereit waren auszusagen, daß Santomauro ihre Dienste in Anspruch genommen hatte. Oder wenn er den Mann finden könnte, der ihm in Crespos Wohnung die Tür aufgemacht hatte. Wenn sie Beweise beibringen könnten, daß Santomauro mit irgendeinem der Leute, die doppelte Miete bezahlten, gesprochen hatte.

Doch Patta machte all das zunichte. »Es gibt keine Beweise, Brunetti. Alles beruht nur auf dem Wort eines geständigen Mörders.« Patta klopfte auf die Papiere. »Er spricht von diesen Morden, als ob er nur mal kurz Zigaretten holen gegangen wäre. Niemand wird ihm glauben, wenn er Santomauro beschuldigt, niemand.«

Brunetti fühlte sich plötzlich vor Erschöpfung übermannt. Seine Augen tränten, und er hatte Mühe, sie offenzuhalten. Er hob die eine Hand ans rechte Auge, als wollte er ein Stäubchen wegwischen, schloß beide Augen für einen Moment und rieb sie dann. Als er sie wieder aufmachte, sah er, daß Patta ihn seltsam anschaute. »Ich glaube, Sie sollten nach Hause gehen, Brunetti. In dieser Sache gibt es nichts mehr zu tun.«

Brunetti erhob sich, nickte Patta zu und ging. Er machte sich direkt auf den Heimweg, vorbei an seinem eigenen Büro. Zu Hause zog er den Stöpsel des Telefons aus der Wand, duschte lange, aß ein Kilo Pfirsiche und ging ins Bett.

30

Brunetti schlief zwölf Stunden. Es war ein tiefer, traumloser Schlaf, aus dem er erfrischt und angeregt erwachte. Die Bettwäsche war feucht, obwohl er in der Nacht gar nicht gemerkt hatte, daß er schwitzte. Als er in der Küche den Kaffee aufsetzte, sah er, daß drei der Pfirsiche, die er nachts zuvor in der Schüssel hatte liegen lassen, mit einem samtigen grünen Flaum bedeckt waren. Er warf sie in den Mülleimer unter der Spüle, wusch sich die Hände und stellte den Kaffee auf den Herd.

Immer wenn er merkte, daß seine Gedanken zu Santomauro oder zu Malfattis Geständnis abschweiften, pfiff er sie zurück, dachte statt dessen an das bevorstehende Wochenende und schwor sich, in die Berge zu Paola zu fahren. Er überlegte, warum sie wohl gestern abend nicht angerufen hatte, und dieser Gedanke rief sofort sein Selbstmitleid auf den Plan: Er briet hier in dieser stinkenden Hitze, während sie in den Bergen herumhüpfte wie diese Irre in *The Sound of Music*. Doch dann fiel ihm ein, daß er ja das Telefon ausgestöpselt hatte, und er schämte sich. Sie fehlte ihm. Sie alle fehlten ihm. Er würde hinfahren, sobald er konnte.

Der Entschluß hob seine Stimmung, und er ging in die Questura, wo er sich die Zeitungsberichte von Malfattis Festnahme zu Gemüte führte, in denen überall Vice-Questore Patta als hauptsächliche Informationsquelle genannt war. Der Vice-Questore habe »die Verhaftungsaktion geleitet« hieß es da, und Malfatti »das Geständnis abgenommen«. Die Zeitungen schrieben den Skandal bei der Banca di Verona ihrem neuen Direktor, Ravanello, zu und ließen beim Leser keinen Zweifel daran aufkommen, daß er für den Mord an seinem Vorgänger verantwortlich gewesen war, bevor er dann selbst Opfer seines gewalttätigen Komplizen Malfatti wurde. Santomauro wurde nur im *Corriere della Sera* mit dem Zitat erwähnt, daß er erschüttert und betroffen darüber sei, in welcher Weise hier Mißbrauch mit den hohen Zielen und Prinzipien einer Organisation getrieben worden sei, der dienen zu dürfen er sich zur Ehre anrechne.

Brunetti rief Paola an und fragte, obwohl er es besser wußte, ob sie die Zeitungen gelesen habe. Als sie sich erkundigte, was denn darinstehe, sagte er nur, der Fall sei erledigt und er werde ihr alles erzählen, wenn er komme. Wie erwartet wollte sie mehr wissen, aber er meinte, das könne warten. Als sie daraufhin das Thema fallenließ, war er kurz wütend auf sie, weil sie nicht weiter nachbohrte; hatte nicht dieser Fall ihn fast das Leben gekostet?

Brunetti verbrachte den Rest des Vormittags damit, eine fünfseitige Stellungnahme aufzusetzen, in der er seine Überzeugung vertrat, daß Malfatti in seinem Geständnis die Wahrheit sagte; er schilderte des weiteren in erschöpfendem Detail und logischer Folge alle Geschehnisse, vom Auffinden der Leiche Mascaris bis zur Festnahme Malfattis. Nach dem Mittagessen las er das Ganze noch zweimal durch und mußte sich eingestehen, daß alles nur auf seinen eigenen Verdächtigungen beruhte. Es gab nicht den kleinsten greifbaren Beweis dafür, daß Santomauro mit einem der Verbrechen etwas zu tun hatte, und es war nicht wahrscheinlich, daß sonst jemand glauben würde, ein Mann wie Santomauro, der die Welt von den moralischen Höhen der *Lega* herunter betrachtete, könnte mit etwas so Niedrigem wie Habgier, Wollust oder Gewalt zu tun haben. Dennoch tippte er alles in seine Olivetti Standard, die auf einem Tischchen in einer Ecke seines Büros stand. Als er sich die fertigen Seiten mit den weiß übertünchten Korrekturen ansah, überlegte er, ob er für sein Büro einen Computer beantragen sollte. Er spann den Gedanken aus, plante schon, wo er ihn hinstellen würde, und fragte sich, ob er wohl einen eigenen Drucker bekommen würde oder ob alles, was er schrieb, unten im Büro der Sekretärinnen ausgedruckt werden müßte, ein Gedanke, der ihm nicht behagte.

Er dachte noch darüber nach, als nach einem Klopfen Vianello hereinkam, gefolgt von einem kleinen, braungebrannten Mann in zerknittertem Anzug. »Commissario«, begann der Sergente in dem offiziellen Ton, den er vor Zivilisten Brunetti gegenüber anschlug. »Ich möchte Ihnen Luciano Gravi vorstellen.«

Brunetti ging auf den Mann zu und reichte ihm die Hand. »Freut mich, Signor Gravi. Was kann ich für Sie tun?«

Er führte Gravi zu seinem Schreibtisch und deutete auf einen Stuhl. Gravi sah sich kurz im Büro um, dann nahm er Platz.

Vianello setzte sich neben ihn, und als der andere nichts sagte, erklärte er: »Commissario, Signor Gravi hat ein Schuhgeschäft in Chioggia.«

Brunetti betrachtete den Mann mit neuerwachtem Interesse. Ein Schuhgeschäft.

Vianello wandte sich an Gravi und animierte ihn mit einer Handbewegung zum Sprechen. »Ich komme gerade aus dem Urlaub«, sagte Gravi zu Vianello, aber als Vianello Brunetti ansah, richtete er seine Aufmerksamkeit auf ihn. »Ich war zwei Wochen unten in Apulien. Es hat keinen Zweck, den Laden während des Ferragosto offenzuhalten. Keiner will Schuhe kaufen. Es ist einfach zu heiß. Deshalb schließen wir jedes Jahr für drei Wochen, und meine Frau und ich fahren in Urlaub.«

»Und Sie sind gerade zurückgekommen?«

»Also, ich bin schon seit zwei Tagen wieder da, aber ich war erst gestern im Geschäft. Da habe ich die Postkarte gefunden.«

»Postkarte, Signor Gravi?« fragte Brunetti.

»Von meiner Verkäuferin. Sie ist mit ihrem Verlobten nach Norwegen gefahren. Ich glaube, er arbeitet hier, Giorgio Miotti.« Brunetti nickte; er kannte Miotti. »Also, wie gesagt, die beiden sind in Norwegen, und sie schreibt, daß die Polizei sich für ein Paar rote Schuhe interessiert.« Er wandte sich wieder an Vianello. »Ich weiß nicht, was die für Gesprächsthemen haben, daß sie auf so etwas kommen, aber am Ende der Karte schreibt sie, ihr Giorgio habe gesagt, daß Sie jemanden suchen, der ein Paar Damenschuhe aus rotem Satin in einer Übergröße gekauft hat.«

Brunetti merkte, daß er die Luft anhielt, und zwang sich, ruhig auszuatmen. »Und, haben Sie diese Schuhe verkauft, Signor Gravi?«

»Ja. Vor etwa einem Monat. An einen Mann.« Er hielt inne und wartete offenbar darauf, daß die beiden Polizisten eine Bemerkung darüber machten, wie seltsam es sei, daß ein Mann solche Schuhe kaufte.

»An einen Mann?« fragte Brunetti entgegenkommend.

»Ja, er sagte, er wolle sie für den *Carnevale*. Aber *Carnevale* ist erst im nächsten Jahr wieder. Das fand ich merkwürdig, aber ich wollte die Schuhe loswerden, weil an dem einen Absatz der Satin etwas angekratzt war. Am linken, glaube ich. Jedenfalls waren sie im Preis herabgesetzt, und er hat sie gekauft. Neunundfünfzigtausend Lire, reduziert von hundertzwanzigtausend, so gut wie geschenkt.«

»Das war es sicher, Signor Gravi«, pflichtete Brunetti ihm bei. »Glauben Sie, daß Sie die Schuhe wiedererkennen würden?«

»Ich denke schon. Auf die Sohle des einen habe ich den ermäßigten Preis geschrieben. Der steht vielleicht noch drauf.«

An Vianello gewandt sagte Brunetti: »Sergente, würden Sie die Schuhe aus dem Labor holen? Ich möchte, daß Signor Gravi sie sich ansieht.«

Vianello nickte und ging hinaus. Während er fort war, erzählte Gravi von seinem Urlaub, wie sauber das Wasser der Adria sei, wenn man nur weit genug in den Süden fuhr. Brunetti hörte zu, lächelte, wenn er es für angebracht hielt, und riß sich zusammen, um Gravi nicht um eine Beschreibung des Mannes zu bitten, der die Schuhe gekauft hatte, bevor er sie nicht identifiziert hatte.

Ein paar Minuten später kam Vianello zurück, in der Hand die Schuhe in dem durchsichtigen Asservatenbeutel. Er reichte ihn Gravi, der nicht versuchte, ihn aufzumachen. Vielmehr drehte er die Schuhe in dem Beutel hin und her, erst den einen, dann den anderen, um sich die Sohlen genau anzusehen. Er hielt sie dicht an seine Augen, lächelte und streckte Brunetti die Tüte entgegen. »Sehen Sie, da ist es. Der reduzierte Preis. Ich habe ihn mit Bleistift draufgeschrieben, damit der Kunde ihn ausradieren kann, wenn er will. Aber man kann es noch lesen, hier.« Er deutete auf die schwachen Bleistiftspuren an der Schuhsohle.

Endlich erlaubte Brunetti sich die Frage. »Könnten Sie den Mann beschreiben, der diese Schuhe bei Ihnen gekauft hat, Signor Gravi?«

Gravi zögerte nur ganz kurz, dann fragte er in respektvollem Ton angesichts der Autorität: »Commissario, darf ich fragen, warum Sie sich für diesen Mann interessieren?«

»Wir glauben, daß er uns in einer laufenden Ermittlung wichtige Informationen geben kann«, antwortete Brunetti, ohne ihm etwas zu verraten.

»Ah, ja, ich verstehe«, meinte Gravi. Wie alle Italiener war er es gewohnt, nicht zu verstehen, was ihm behördlicherseits gesagt wurde. »Jünger als Sie, würde ich sagen, aber nicht viel. Dunkles Haar. Kein Bart.« Vielleicht hörte er selbst, wie vage seine Beschreibung klang, denn er fügte hinzu: »Eigentlich sah er aus wie viele, ein Mann im Anzug. Nicht besonders groß, aber auch nicht klein.«

»Wären Sie bereit, sich ein paar Fotos anzusehen, Signor Gravi?« fragte Brunetti. »Das hilft Ihnen vielleicht, den Mann wiederzuerkennen.«

Gravi lächelte breit, erleichtert, daß alles genau wie im Fernsehen ablief. »Natürlich.«

Brunetti nickte Vianello zu, der nach unten ging und kurz darauf zwei Mappen mit Polizeifotos brachte, darunter, wie Brunetti wußte, eines von Malfatti.

Gravi nahm die erste Mappe von Vianello entgegen und legte sie auf Brunettis Schreibtisch. Langsam blätterte er die Fotos durch, wobei er eines nach dem anderen studierte und dann umgekehrt auf einen Stapel legte. Unter den gespannten Blicken von Vianello und Brunetti legte er Malfattis Foto zu den anderen und blätterte weiter bis zum Ende. Dann sah er auf. »Er ist nicht dabei, nicht einmal jemand, der ihm auch nur entfernt ähnlich sieht.«

»Vielleicht könnten Sie uns noch etwas genauer sagen, wie er aussah, Signore.«

»Wie gesagt, Commissario, ein Mann im Anzug. Alle diese Männer hier«, er deutete auf den Fotostapel vor sich, »also, sie sehen alle aus wie Verbrecher.« Vianello sah verstohlen zu Brunetti hin. Es waren drei Fotos von Polizisten dazwischen gewesen, eines von Alvise. »Ich habe Ihnen ja gesagt, er trug einen Anzug«, wiederholte Gravi. »Er sah aus wie einer von uns, jemand, der in einem Büro arbeitet. Und er sprach wie ein gebildeter Mensch, nicht wie ein Verbrecher.«

Die politische Naivität dieser Bemerkung veranlaßte Brunetti, einen Moment zu zweifeln, ob Signor Gravi wirklich Italiener war. Er nickte Vianello zu, und der nahm die zweite Mappe und reichte sie Gravi.

Während die beiden anderen zusahen, blätterte Gravi einen kleineren Stapel durch. Bei Ravanellos Bild hielt er inne und sah Brunetti an. »Das ist der Banker, der gestern umgebracht wurde, nicht wahr?« fragte er und deutete dabei auf das Foto.

»Es ist nicht der Mann, der die Schuhe gekauft hat, Signor Gravi, oder?« fragte Brunetti.

»Nein, natürlich nicht«, antwortete Gravi. »Sonst hätte ich es Ihnen gleich gesagt.« Er betrachtete erneut das Bild, ein Porträt aus einer Broschüre, in der alle Mitarbeiter der Bank vorgestellt wurden. »Er ist es nicht, aber der Typ stimmt.«

»Der Typ, Signor Gravi?«

»Sie wissen schon, Anzug und Krawatte und polierte Schuhe. Blütenweißes Hemd, teurer Haarschnitt. Ein richtiger Banker.«

Einen Augenblick war Brunetti wieder sieben Jahre alt und kniete neben seiner Mutter vor dem Hauptaltar von Santa Maria Formosa, ihrer Pfarrkirche. Seine Mutter blickte zum Altar auf, bekreuzigte sich und sagte mit flehender, von tiefer Gläubigkeit erfüllter Stimme: »Heilige Maria, Mutter Gottes, um der Liebe deines Sohnes willen, der sein Leben für uns unwürdige Sünder gegeben hat, erhöre meine Bitte, nur diese einzige, und ich will nie mehr um etwas bitten, solange ich lebe.«

Es war ein Versprechen, das er im Laufe seiner Jugend noch unzählige Male hören sollte, denn wie alle Venezianer vertraute Signora Brunetti stets auf den Einfluß von Freunden an höherer Stelle. Nicht zum erstenmal in seinem Leben bedauerte Brunetti seinen eigenen Unglauben, aber das hielt ihn nicht davon ab zu beten, daß Gravi den Mann, der die Schuhe gekauft hatte, wiedererkannte.

Er konzentrierte seine Aufmerksamkeit wieder auf Gravi. »Leider habe ich kein Foto von dem anderen Mann, der die Schuhe noch bei Ihnen gekauft haben könnte, aber wenn Sie bereit wären, mit mir zu kommen, könnten Sie uns vielleicht helfen, indem sie an seinem Arbeitsplatz einen Blick auf ihn werfen.«

»Sie meinen, ich soll tatsächlich an einer Ermittlung teilnehmen?« Gravi war begeistert wie ein Kind.

»Ja, wenn Sie dazu bereit sind.«

»Aber sicher, Commissario. Ich helfe Ihnen gern, soweit es in meiner Macht steht.«

Brunetti erhob sich, und Gravi sprang auf. Auf dem Weg ins Stadtzentrum erklärte Brunetti ihm, was er von ihm wollte. Gravi stellte keine Fragen, er gab sich damit zufrieden, das zu tun, was man von ihm verlangte, ein guter Bürger, der die Polizei bei einem schweren Verbrechen in ihren Ermittlungen unterstützte.

Als sie zum Campo San Luca kamen, zeigte Brunetti ihm den Hauseingang, der zu Santomauros Büro führte, und schlug vor, daß Signor Gravi im Rosa Salva etwas trinken sollte, um Brunetti fünf Minuten Vorsprung zu geben, bevor er ihm nach oben folgte.

Brunetti stieg die inzwischen vertraute Treppe hinauf und klopfte an die Tür zu Santomauros Büro. »*Avanti*«, rief die Sekretärin, und er trat ein.

Als sie von ihrem Computer aufblickte und sah, wer es war, wollte sie schon fast aufspringen und wegrennen. »Entschuldigen Sie, Signora«, sagte Brunetti und hob so unschuldig wie möglich die Hände. »Ich hätte gern Avvocato Santomauro gesprochen. In einer amtlichen Angelegenheit.«

Sie schien ihn nicht zu hören, sondern sah ihn nur an, und ihr Mund ging immer weiter auf, ob vor Überraschung oder vor Angst, hätte Brunetti nicht sagen können. Ganz langsam streckte sie die Hand aus und drückte auf einen Knopf auf ihrem Schreibtisch; sie hielt den Finger darauf gepreßt, stand ganz auf, blieb aber sicherheitshalber hinter dem Schreibtisch. So stand sie da, den Finger auf dem Knopf, und starrte Brunetti schweigend an.

Sekunden danach wurde von innen die Tür aufgerissen, und Santomauro trat ins Vorzimmer. Er sah seine Sekretärin, stumm und starr wie Lots Weib, und dann sah er Brunetti an der Tür.

Seine Wut brach sich unvermittelt und vehement Bahn. »Was machen Sie hier? Ich habe dem Vice-Questore am Telefon gesagt, er soll Sie mir vom Hals halten. Hinaus, hinaus aus meinem Büro.« Bei seinen Worten trat die Sekretärin von ihrem Schreibtisch zurück und stellte sich an die Wand. »Hinaus«, brüllte Santomauro jetzt fast. »Ich lasse mich nicht derart belästigen. Ich lasse Sie…«, fing er an, brach aber ab, als hinter Brunetti ein anderer Mann ins Büro kam, ein Mann, den er nicht erkannte, ein kleiner Mann in einem billigen Baumwollanzug.

»Machen Sie, daß Sie hier rauskommen, beide, gehen Sie in die Questura, wo Sie hingehören«, schrie Santomauro.

»Erkennen Sie diesen Mann wieder, Signor Gravi?« fragte Brunetti.

»Ja, Commissario.«

Bei diesen Worten hielt Santomauro inne, obwohl er den kleinen Mann in dem billigen Anzug noch immer nicht erkannte.

»Sagen Sie mir bitte, woher Sie diesen Mann kennen, Signor Gravi.«

»Das ist der Mann, der bei mir die Schuhe gekauft hat.«

31

Santomauros Widerstand brach. Brunetti hatte dieses Phänomen schon oft genug beobachtet, um zu wissen, was sich da abspielte. Gravis Auftauchen in dem Moment, als Santomauro schon glaubte, über alle Gefahren triumphiert zu haben, nachdem die Polizei auf die Vorwürfe in Malfattis Geständnis nicht eingegangen war, kam so plötzlich und wie aus heiterem Himmel, daß Santomauro weder die Zeit noch die Geistesgegenwart hatte, sich eine plausible Geschichte zum Kauf der Schuhe auszudenken.

Zuerst hatte er Gravi angebrüllt, er solle sich aus seinem Büro scheren, aber als der kleine Mann darauf bestanden hatte, er würde Santomauro überall wiedererkennen und wisse genau, daß er diese Schuhe gekauft habe, ließ sich Santomauro seitlich gegen den Schreibtisch seiner Sekretärin sinken, die Arme um die Brust geschlungen, als glaubte er, sich so vor Brunettis stummem Blick und den fragenden Gesichtern der beiden anderen schützen zu können.

»Das ist der Mann, Commissario. Ich bin ganz sicher.«

»Nun, Avvocato Santomauro?« fragte Brunetti, wobei er Gravi mit einer Handbewegung zu schweigen gebot.

»Es war Ravanello«, sagte Santomauro mit hoher, gepreßter Stimme, offenbar den Tränen nah. »Es war seine Idee, alles. Das mit den Wohnungen und den Mieten. Er ist mit dieser Idee zu mir gekommen. Ich wollte nicht mitmachen, aber er hat mir gedroht. Er wußte von den Jungen. Er drohte, es sonst meiner Frau und meinen Kindern zu erzählen. Und dann hat Mascari die Sache mit den Mieten herausbekommen.«

»Wie?«

»Ich weiß es nicht. Über die Unterlagen der Bank. Irgend etwas im Computer. Ravanello hat es mir erzählt. Es war seine Idee, ihn aus dem Weg zu schaffen.« Für zwei Leute im Zimmer ergab das alles nicht den geringsten Sinn, aber sie schwiegen beide, wie gebannt von Santomauros panischer Angst.

»Ich wollte nichts unternehmen. Aber Ravanello meinte, wir hätten keine Wahl. Wir müßten es tun.« Seine Stimme war, während er sprach, immer leiser geworden, und nun hielt er inne und sah Brunetti an.

»Was mußten Sie tun, Signor Santomauro?«

Santomauro starrte Brunetti an und schüttelte dann den Kopf, wie um ihn nach einem schweren Schlag wieder klarzubekommen. Dann schüttelte er ihn noch einmal, aber diesmal eindeutig verneinend. Brunetti kannte auch diese Zeichen. »Ich nehme Sie hiermit fest, Signor Santomauro, wegen des Mordes an Leonardo Mascari.«

Bei dem Namen starrten Gravi und die Sekretärin Santomauro an, als sähen sie ihn zum erstenmal. Brunetti beugte sich über den Schreibtisch der Sekretärin und rief von ihrem Apparat aus bei der Questura an. Er bestellte drei Mann zum Campo San Luca, um einen Verdächtigen abzuholen und zum Verhör in die Questura zu bringen.

Brunetti und Vianello verhörten Santomauro zwei Stunden lang, und allmählich kam die ganze Geschichte heraus. Es war anzunehmen, daß Santomauro die Wahrheit sagte, soweit es die Einzelheiten des Planes anging, Profit aus den Wohnungen der *Lega* zu schlagen; nicht anzunehmen hingegen war, daß er wahrheitsgemäß sagte, wessen Idee es gewesen war. Er blieb dabei, alles sei Ravanellos Tun gewesen, der Banker sei mit einem fertig ausgearbeiteten Plan zu ihm gekommen, und Ravanello sei es auch gewesen, der Malfatti mit ins Spiel gebracht habe. Überhaupt sei alles von Ravanello: der ursprüngliche Plan, daß sie den ehrenwerten Mascari loswerden mußten, und der Versuch, Brunettis Wagen in die *laguna* abzudrängen. Das alles sei von Ravanello gekommen, alles die Folge seiner krankhaften Habgier.

Und Santomauro? Er stellte sich als schwachen Menschen hin, einen Mann, der zum Gefangenen der teuflischen Pläne eines anderen wurde, weil der Banker die Macht hatte, seinen Ruf zu ruinieren, seine Familie, sein Leben. Er beteuerte, an der Ermordung Mascaris nicht beteiligt gewesen zu sein, nicht gewußt zu haben, was in jener verhängnisvollen Nacht in Crespos Wohnung geschehen sollte. Als ihm die Schuhe vorgehalten wurden, behauptete er zuerst, er habe sie für den *Carnevale* gekauft, aber als ihm gesagt wurde, man habe sie als die Schuhe identifiziert, die man bei Mascaris Leiche gefunden hatte, erklärte er, sie gekauft zu haben, weil Ravanello es befohlen habe, nicht wissend, wozu sie gedacht waren.

Ja, er hatte einen Anteil der Mieteinnahmen von den Wohnungen der *Lega* genommen, aber er hatte das Geld nicht gewollt; er wollte nur seinen guten Namen schützen. Ja, er war in Crespos Wohnung gewesen, in der Nacht, als Mascari umgebracht wurde, aber Malfatti hatte ihn getötet, und er und Ravanello hatten nicht anders gekonnt, als beim Wegschaffen der Leiche mitzuhelfen. Der Plan? Ravanellos. Malfattis. Und zu dem Mord an Crespo konnte er gar nichts sagen und beteuerte, der Mörder müsse ein gefährlicher Freier gewesen sein, den Crespo mit in die Wohnung genommen habe.

Er malte unfehlbar das Bild eines Mannes, der wie viele andere war, von seinen Gelüsten verführt, dann beherrscht von Angst. Wer konnte einem solchen Mann schon ein gewisses Mitgefühl oder Mitleid versagen?

Und so ging es zwei Stunden lang: Santomauro blieb dabei, unwissentlich an den Verbrechen beteiligt gewesen zu sein, und beteuerte, sein einziges Motiv sei die Sorge um seine Familie gewesen und der Wunsch, ihr die Scham und Schande seines Doppellebens zu ersparen. Je länger Brunetti zuhörte, desto mehr schien ihm Santomauro von der Wahrheit seiner eigenen Worte überzeugt zu sein. Daraufhin brach Brunetti das Verhör ab, angewidert von dem Mann und seinem Gehabe.

Noch am selben Abend war Santomauros Anwalt bei ihm, und am nächsten Morgen wurde er auf freien Fuß gesetzt, allerdings blieb Malfatti, der ja einen Mord gestanden hatte, in Haft. Noch am selben Tag trat Santomauro als Präsident der *Lega della Moralità* zurück, und die anderen Vorstandsmitglieder forderten eine gründliche Untersuchung seiner Organisationsfehler und seines Fehlverhaltens. So war das also in gewissen Kreisen der Gesellschaft, dachte Brunetti bei sich: Kinderschändung war Fehlverhalten, Morde waren Organisationsfehler.

Am Nachmittag ging Brunetti zur Via Garibaldi und

drückte auf die Klingel zu Mascaris Wohnung. Die Witwe fragte, wer da sei, und er nannte Namen und Dienstgrad.

In der Wohnung war alles unverändert. Die Läden hielten noch immer die Sonne ab, auch wenn sie die Hitze drinnen einzuschließen schienen. Signora Mascari war dünner. Sie wirkte abwesender.

»Es ist sehr freundlich, daß Sie mich empfangen, Signora«, begann Brunetti, als sie sich gegenüberstanden. »Ich bin gekommen, um Ihnen zu sagen, daß jeder Verdacht von Ihrem Mann genommen ist. Er hatte nichts zu tun mit irgendwelchen Unredlichkeiten; er war das schuldlose Opfer eines gemeinen Verbrechens.«

»Das wußte ich, Commissario. Ich wußte es von Anfang an.«

»Es tut mir leid, daß auch nur für eine Minute ein Verdacht auf Ihren Mann fallen mußte.«

»Es war nicht Ihr Fehler, Commissario. Und ich hatte keinerlei Verdacht.«

»Ich bedaure es trotzdem. Aber die Männer, die seinen Tod verschuldet haben, sind gefaßt.«

»Ja, ich weiß. Ich habe es in den Zeitungen gelesen«, sagte sie, besann sich kurz und meinte dann: »Ich glaube nicht, daß es etwas ändert.«

»Sie werden bestraft, Signora. Das kann ich Ihnen versprechen.«

»Das hilft leider niemandem. Weder mir noch Leonardo.« Als Brunetti Einspruch erheben wollte, schnitt sie ihm das Wort ab und sagte: »Commissario, die Zeitungen können noch so viel darüber berichten, wie es wirklich war, die Leute werden von Leonardo doch nur das im Gedächtnis behalten, was nach der Entdeckung seiner Leiche veröffentlicht wurde, nämlich daß er Frauenkleider trug und vermutlich ein Transvestit war. Und eine Hure.«

»Aber es wird sich herausstellen, daß es nicht so war, Signora.«

»Wer einmal mit Schmutz beworfen wurde, Commissario, an dem bleibt immer etwas kleben. Die Leute denken gern schlecht von anderen, je schlimmer es ist, desto mehr freut es sie. Noch Jahre später werden sie sich, wenn Leonardos Name fällt, an das Kleid erinnern und ihren schmutzigen Gedanken freien Lauf lassen.«

Brunetti wußte, daß sie recht hatte. »Es tut mir leid, Signora.« Etwas anderes konnte er ihr nicht sagen.

Sie beugte sich vor und legte ihre Hand kurz auf die seine. »Für die menschliche Natur kann sich niemand entschuldigen, Commissario. Aber ich danke Ihnen für Ihr Mitgefühl.« Sie zog die Hand wieder fort. »Gibt es sonst noch etwas?«

Brunetti verstand, daß er damit entlassen war, verneinte und ließ sie allein, allein in der abgedunkelten Wohnung.

In der Nacht entlud sich ein schweres Gewitter über der Stadt, riß Ziegel von den Dächern, schleuderte Geranientöpfe auf die Straße, entwurzelte Bäume in den Parks. Es schüttete drei Stunden lang wie aus Kübeln, so daß die Regenrinnen überliefen und Müllsäcke in die Kanäle gefegt wurden. Auf den Regen folgte eine plötzliche Kälte, die in die Schlafzimmer kroch und die Schläfer zwang, sich aneinanderzukuscheln. Brunetti, der allein war, mußte gegen vier Uhr aufstehen und sich eine Decke aus dem Schrank holen. Er schlief bis kurz vor neun, beschloß dann, erst nach der Mittagspause in die Questura zu gehen, und zwang sich, wieder einzuschlafen. Nach zehn stand er auf, machte sich Kaffee und duschte lange, zum erstenmal seit Monaten froh über das warme Wasser. Er stand auf der Terrasse, schon angezogen, das Haar noch feucht, in der Hand die zweite Tasse Kaffee, als er aus der Wohnung hinter sich ein Geräusch hörte. Er drehte sich um, die Tasse an den Lippen, und sah Paola. Dann Chiara, und dann Raffaele.

»*Ciao, papà*«, rief Chiara begeistert und warf sich in seine Arme.

»Was ist denn passiert?« fragte er, während er sie an sich drückte, aber dabei nur ihre Mutter sah.

Chiara entzog sich ihm und grinste. »Sieh dir mal mein Gesicht an, *papà*.«

Er tat es, und nie hatte er ein hübscheres Gesicht gesehen. Er sah, daß sie viel in der Sonne gewesen war.

»Oh, *papà*, siehst du's denn nicht?«

»Sehe ich was nicht, Schätzchen?«

»Ich habe die Masern, und sie haben uns rausgeworfen.«

Obwohl die frühherbstliche Kühle in der Stadt blieb, brauchte Brunetti in dieser Nacht keine Decke.

Donna Leon
im Diogenes Verlag

Venezianisches Finale
Commissario Brunettis erster Fall
Roman. Aus dem Amerikanischen von
Monika Elwenspoek

Skandal in Venedigs Opernhaus ›La Fenice‹: In der Pause vor dem letzten Akt der ›Traviata‹ wird der deutsche Stardirigent Helmut Wellauer tot aufgefunden. In seiner Garderobe riecht es unverkennbar nach Bittermandel – Zyankali. Ein großer Verlust für die Musikwelt und ein heikler Fall für Commissario Guido Brunetti. Dessen Ermittlungen bringen Dinge an den Tag, wonach einige Leute allen Grund gehabt hätten, den Maestro unter die Erde zu bringen. Der Commissario entdeckt nach und nach einen wahren Teufelskreis aus Ressentiments, Verworfenheit und Rache. Sein Empfinden für Recht und Unrecht wird auf eine harte Probe gestellt.

»Mit ihrem ersten, preisgekrönten Kriminalroman *Venezianisches Finale* weckt die aus New Jersey kommende Wahlitalienerin Donna Leon großen Appetit nach mehr aus ihrer Feder. Die Verfasserin krönt ihre Detailkenntnisse und ihre geistreichen Italien-Einblicke wie en passant mit dem Gespür und der klugen Lakonie amerikanischer Crime-Ladies.«
Wiesbadener Tagblatt

Endstation Venedig
Commissario Brunettis zweiter Fall
Roman. Deutsch von Monika Elwenspoek

Ein neuer Fall für Commissario Brunetti: Die aufgedunsene Leiche eines kräftigen jungen Mannes schwimmt in einem stinkenden Kanal in Venedig. Und zum Himmel stinken auch die Machenschaften, die sich hinter diesem Tod verbergen: Mafia, amerikanisches Militär und der italienische Machtapparat sind gleichermaßen verwickelt. Ja gibt es Verbindungen zur Drogenszene? Einen Giftmüllskandal?

Eine harte Nuß für Brunetti, der sich nicht unterkriegen läßt: Venedig durchstreifend und seine Connections nutzend, ermittelt er ebenso sympathisch wie unkonventionell.

»Aus Brunetti könnte mit der Zeit ein Nachfolger für Simenons Maigret werden.« *Radio Bremen*

Venezianische Scharade
Commissario Brunettis dritter Fall
Roman. Deutsch von Monika Elwenspoek

Eigentlich wollte Brunetti ja mit seiner Familie in die Berge fahren, statt den brütendheißen August in Venedig zu verbringen. Doch dann wird beim Schlachthof vor Mestre die Leiche eines Mannes in Frauenkleidern gefunden. Ein Transvestit? Wird Streitigkeiten mit seinen Freiern gehabt haben – so die allgemeine Meinung, auch bei Teilen der Polizei. Brunetti jedoch schaut genauer hin. Stammt der Tote überhaupt aus der Transvestitenszene? Der Commissario lernt bei seinen Ermittlungen in einem Milieu, das auch den meisten Lesern weniger bekannt sein dürfte und darum nur um so spannender ist, weniger schnell zu urteilen, als die ach so ehrenwerten Normalbürger es tun.

»Weitermachen, Guido Brunetti, und weiterschreiben, Donna Leon!« *NDR, Hamburg*

Vendetta
Commissario Brunettis vierter Fall
Roman. Deutsch von Monika Elwenspoek

Wer telefoniert von einer Bar aus in Venedigs Industrievorort Mestre mit Osteuropa, Ecuador und Thailand? Und warum finden sich ein paar der angewählten

Nummern ohne Namen in den Adreßbüchern von zwei Männern, die binnen einer Woche sterben? Fragen, die niemand stellen würde, wären nicht acht rumänische Frauen verunglückt, die nach Italien eingeschmuggelt werden sollten. Kurz darauf wird die Leiche eines Anwalts entdeckt, der in Kreisen einflußreicher Banker und Industrieller verkehrte.

Gerne stehen dem Commissario Tochter Chiara, Richter Beniamin und die Sekretärin seines Chefs zur Seite, wenn es darum geht, Machenschaften auf die Schliche zu kommen und Tätern das Handwerk zu legen, die sich an unschuldigen Opfern vergreifen.

»*Vendetta* ist ein ebenso faszinierender wie letztlich erschreckender Fall für den mutigen und warmherzigen Guido Brunetti.«
Publishers Weekly, New York

Acqua alta
Commissario Brunettis fünfter Fall
Roman. Deutsch von Monika Elwenspoek

Als die amerikanische Archäologin Brett Lynch im Flur ihrer Wohnung in Venedig von zwei Männern zusammengeschlagen wird, regt sich außer Brunetti kaum jemand auf. Schließlich ist Lynch nicht nur Ausländerin, sondern auch noch mit einer Operndiva liiert. Als zwei Tage später jedoch der renommierte Museumsdirektor Dottor Semenzato ermordet aufgefunden wird, ist ganz Venedig entsetzt. Brunetti hält das Zusammentreffen der Angriffe auf Semenzato und Brett Lynch nicht für zufällig, waren doch beide mit derselben Sache beschäftigt: einer gefeierten Ausstellung chinesischer Kunst. Der Commissario ermittelt – und nicht nur die Spannung steigt, sondern auch der Wasserpegel in Venedig. Eine packende Geschichte über die geheime Verbindung zwischen hehrer Kunst und nackter Korruption.

»Von Venedig eingenommen, doch ohne seine pragmatische Klarsicht zu verlieren, ist Brunetti genau der richtige Polizist für diese Stadt. Möge er noch lange durch ihre Calli streifen – oder auch waten.«
The Sunday Times, London

Sanft entschlafen
Commissario Brunettis sechster Fall
Roman. Deutsch von Monika Elwenspoek

Commissario Brunetti hat nicht viel zu tun, als sein Chef im Urlaub ist und die Lagunenstadt erst allmählich aus dem Winterschlaf erwacht. Doch da beginnen die Machenschaften der Kirche sein Berufs- und Privatleben zu überschatten: Suor Immacolata, die schöne Sizilianerin und aufopfernde Pflegerin von Brunettis Mutter, ist nach dem unerwarteten Tod von fünf Patienten aus ihrem Orden ausgetreten. Sie hegt einen schrecklichen Verdacht. Brunetti zieht in Kirchen und Krankenhäusern Erkundungen ein, sucht die Erben der Verstorbenen auf, findet sich jedoch alsbald in einem Spiegelkabinett aus Irrwitz, Glauben und Scheinheiligkeit wieder.

Nobiltà
Commissario Brunettis siebter Fall
Roman. Deutsch von Monika Elwenspoek

Brunetti hatte Entführung schon immer als das scheußlichste aller Verbrechen angesehen, nicht nur, weil er zwei Kinder hatte, sondern weil es eine Schande für die Menschheit war, wenn ein willkürlicher Preis auf ein Leben gesetzt wurde.
Als der Sohn der Adelsfamilie Lorenzoni entführt wurde, hätte sein Vater liebend gerne das Lösegeld bezahlt. Doch die Entführer und ihre Geisel verschwanden spurlos. Der Fund eines Skeletts in einem abgelegenen Dolomitendorf hätte der Schlußstrich unter

dem aufsehenerregenden Entführungsfall sein können. Doch Brunetti will es dabei nicht belassen.

»Nobiltà beweist erneut, daß Donna Leon literarisch von Venedig Besitz ergriffen hat. Der Roman zeigt sie auf dem Höhepunkt ihres Könnens.«
The Independent on Sunday, London

Latin Lover
Von Männern und Frauen
Deutsch von Monika Elwenspoek

Bestseller-Autorin und Commissario-Brunetti-Schöpferin Donna Leon einmal anders: In den Kolumnen und Zeitungsartikeln für *Emma, Vogue* und die *Weltwoche* wirft sie Fragen auf und geht sie in der ihr eigenen direkten Art an, ohne die Angst, als politically incorrect zu gelten.

»Donna Leons Stärke sind sensible, ungeheuer farbige Sozialporträts, Nahaufnahmen einer in Teilen verkrusteten, mitleidlosen Gesellschaft.«
Der Spiegel, Hamburg

Barbara Vine
im Diogenes Verlag

Barbara Vine (i.e. Ruth Rendell) wurde 1930 in London geboren, wo sie auch heute lebt. Sie arbeitete als Reporterin und Redakteurin für verschiedene Magazine. Seit 1965 schreibt sie Romane und Stories, die verschiedentlich ausgezeichnet wurden.

»Barbara Vine alias Ruth Rendell ist in der englischsprachigen Welt längst zum Synonym für anspruchsvollste Kriminalliteratur geworden.«
Österreichischer Rundfunk, Wien

»Ihre Romane spüren den finstersten Besessenheiten, den Obsessionen, Zwängen und emotionalen Abhängigkeiten, den Selbsttäuschungen und Realitätsverlusten von Liebes- oder Haßsüchtigen nach. Barbara Vine: die beste Reiseführerin nach Tory-England und ins Innere der britischen Kollektivseele.«
Sigrid Löffler/profil, Wien

»Barbara Vine erweist sich als exzellente Erzählerin.«
Verena Lueken/Frankfurter Allgemeine Zeitung

Die im Dunkeln sieht man doch

Es scheint die Sonne noch so schön

Das Haus der Stufen

Liebesbeweise

König Salomons Teppich

Astas Tagebuch

Keine Nacht dir zu lang

Schwefelhochzeit

Der schwarze Falter

Alle Romane aus dem Englischen von Renate Orth-Guttmann

Ingrid Noll
im Diogenes Verlag

»Sie ist voller Lebensklugheit, Menschenkenntnis und
verarbeiteter Erfahrung. Sie will eine gute Geschichte
gut erzählen und das kann sie.«
Georg Hensel/Frankfurter Allgemeine Zeitung

»Wer einmal anfängt, ihre Romane zu lesen, hört nicht
mehr auf, ja wird süchtig nach mehr. Sie erzählt
temporeich und spannend und immer mit Ironie.«
Christa Spatz/Frankfurter Rundschau

»Weit mehr als für Leichen interessiert sich die Autorin für die psychologischen Verstrickungen ihrer Fi-
guren, für die Motive und Zwangsmechanismen, die
zu den Dramen des Alltags führen.«
Klaus Reitz/Mannheimer Morgen

»Eine fesselnd formulierende, mit viel schwarzem Hu-
mor ausgestattete Neurosen-Spezialistin in Patricia-
Highsmith-Format.«
Markus Vanhoefer/Münchner Merkur

Der Hahn ist tot
Roman

Die Häupter meiner Lieben
Roman

Die Apothekerin
Roman

Kalt ist der Abendhauch
Roman

Der Schweinepascha
in Versen und mit 15 Bildern der Autorin

Stich für Stich
Fünf schlimme Geschichten

Röslein rot
Roman

Magdalen Nabb
im Diogenes Verlag

»Magdalen Nabb ist die geborene Erzählerin, ihre Geschichten sind von überwältigender Echtheit.«
Sunday Times, London

»Die gebürtige Engländerin und Wahlflorentinerin Magdalen Nabb muß als die ganz große Entdeckung im Genre des anspruchsvollen Kriminalromans bezeichnet werden. Eine Autorin von herausragender internationaler Klasse.«
Herbert M. Debes / mid Nachrichten, Frankfurt

»Nie eine falsche Note. Bravissimo!«
Georges Simenon

Liaty Pisani
im Diogenes Verlag

Mit Ogden hat Liaty Pisani einen Spion geschaffen, der eine fatale Schwäche hat: Er hat ein Gewissen. Dennoch wird er mit seiner Intelligenz und Schnelligkeit bei den heikelsten Missionen eingesetzt. Für Ogden ist der Dienst seine Familie: als Ziehsohn eines Geheimdienstbosses ist er mit den Umgangsformen in der Welt der Top-Secret-Informationen vertraut. Was ihm nicht jede böse Überraschung erspart.

»Wenn es sich nicht noch herausstellt, daß es sich bei Liaty Pisani um John le Carrés Sekretärin handelt, die ihm die Manuskripte maust, dann haben wir endlich eine weibliche Spionage-Autorin. Noch dazu eine mit literarischem Schreibgefühl.«
Martina I. Kischke/Frankfurter Rundschau

»Ein bemerkenswertes literarisches Talent, das außerhalb der italienischen Tradition, nämlich zwischen Chandler und le Carré, eingereiht werden muß und durch seine versteckten Zitate an Nabokov erinnert.«
La Stampa, Turin

Der Spion und der Analytiker
Roman. Aus dem Italienischen von Linde Birk

Der Spion und der Dichter
Roman. Deutsch von Ulrich Hartmann

Der Spion und der Bankier
Roman. Deutsch von Ulrich Hartmann

Venedig
im Diogenes Verlag